D0170296

Le Club des Baby-Sitters

Ce volume regroupe trois titres de la série
Le Club des Baby-Sitters d'Ann M. Martin :

Mary Anne et les garçons (Titre original : *Mary Anne and Too Many Boys*)
Traduit de l'anglais par Nouannipha Simon

Kristy, je t'aime (Titre original : *Kristy's Mystery Admirer*)
Traduit de l'anglais par Karine Jovelin

Carla perd la tête (Titre original : *Dawn's Big Date*)
Traduit de l'anglais par Nouannipha Simon

Le Club des Baby-Sitters

Nos plus belles histoires de cœur

Ann M. Martin

Traduit de l'anglais
par Nouannipha Simon et Karine Jovelin

Illustrations d'Émile Bravo

GALLIMARD JEUNESSE

La lettre de KRISTY

Présidente du Club des Baby-Sitters

Le Club des baby-sitters, c'est une histoire de famille. On se sent tellement proches l'une de l'autre... comme si on était sœurs. Dans ce livre, nous allons vous raconter trois de nos aventures, mais avant de commencer, nous allons tout d'abord nous présenter. Même si nous sommes tout le temps ensemble et que nous nous ressemblons beaucoup, nous avons chacune notre personnalité et nos goûts, dans lesquels vous allez peut-être d'ailleurs vous retrouver. Alors pour mieux faire connaissance, lisez attentivement les petits portraits que nous vous avons préparés. Je vous souhaite de vous amuser autant que nous...

Bonne lecture à toutes!

Kristy

Comme promis, voici le portrait des sept membres du

Club des Baby-Sitters...

NOM: Kristy Parker, présidente du club
AGE: 13 ans – en 4e
SA TENUE PRÉFÉRÉE: jean, baskets et casquette.
ELLE EST... fonceuse, énergique, déterminée.
ELLE DIT TOUJOURS: « J'ai une idée géniale... »
ELLE ADORE... le sport, surtout le base-ball.

NOM : Mary Anne Cook,
secrétaire du club
AGE : 13 ans – en 4e
SA TENUE PRÉFÉRÉE :
toujours très classique, mais elle
fait des efforts !
ELLE EST… timide, très attentive
aux autres et un peu trop sensible.
ELLE DIT TOUJOURS :
« Je crois que je vais pleurer. »
ELLE ADORE… son chat,
Tigrou, et son petit ami, Logan.

NOM : Lucy MacDouglas,
trésorière du club
AGE : 13 ans – en 4e
SA TENUE PRÉFÉRÉE : tout,
du moment que c'est à la mode.
ELLE EST… new-yorkaise
jusqu'au bout des ongles,
parfois même un peu snob !
ELLE DIT TOUJOURS :
« J'❤ New York. »
ELLE ADORE… la mode,
la mode, la mode !

NOM : Carla Schafer, suppléante
AGE : 13 ans – en 4e
SA TENUE PRÉFÉRÉE :
un maillot de bain pour bronzer
sur les plages de Californie.
ELLE EST… végétarienne,
cool et vraiment très jolie.
ELLE DIT TOUJOURS :
« Chacun fait ce qui lui plaît. »
ELLE ADORE… le soleil,
le sable et la mer.

NOM : Claudia Koshi,
vice-présidente du club
AGE : 13 ans – en 4e
SA TENUE PRÉFÉRÉE :
artiste, elle crée ses propres
vêtements et bijoux.
ELLE EST… créative,
inventive, pleine de bonnes idées.
ELLE DIT TOUJOURS :
« Où sont cachés mes bonbons ? »
ELLE ADORE… le dessin,
la peinture, la sculpture
(et elle déteste l'école).

NOM : Jessica Ramsey,
membre junior du club
AGE : 11 ans – en 6e
SA TENUE PRÉFÉRÉE :
collants, justaucorps et chaussons de danse.
ELLE EST... sérieuse,
persévérante et fidèle en amitié.
ELLE DIT TOUJOURS :
« J'irai jusqu'au bout de mon rêve. »
ELLE ADORE... la danse classique et son petit frère, P'tit Bout.

NOM : Mallory Pike,
membre junior du club
AGE : 11 ans – en 6e
SA TENUE PRÉFÉRÉE : aucune pour l'instant, elle rêve juste de se débarrasser de ses lunettes et de son appareil dentaire.
ELLE EST... dynamique et très organisée. Normal quand on a sept frères et sœurs !
ELLE DIT TOUJOURS : « Vous allez ranger votre chambre ! »
ELLE ADORE... lire, écrire. Elle voudrait même devenir écrivain.

SOMMAIRE

LE CLUB DES BABY-SITTERS

MARY ANNE et les garçons

L'auteur voudrait remercier Mary Lou Kennedy
pour son aide précieuse.

1

J'étais tellement excitée que je tenais à peine en place. C'était enfin l'été, et une réunion spéciale du Club des baby-sitters allait commencer. Comme d'habitude, nous étions dans la chambre de Claudia et mes amies étaient toutes aussi excitées que moi. Bien sûr, on essayait du mieux qu'on pouvait de ne pas trop le montrer et de rester calmes. Kristy Parker, la présidente de notre club, tient beaucoup au professionnalisme de nos réunions, même pendant les vacances scolaires : les affaires sont les affaires !

Kristy était assise dans le fauteuil directorial. Elle portait un tee-shirt rouge, un jean délavé et une casquette. Mallory Pike et Jessica Ramsey, les deux membres juniors du club, sont entrées en catastrophe dans la pièce et se sont affalées par terre. Kristy a jeté un coup d'œil à sa montre.

– Vous êtes en retard.

Jessi et Mallory ont deux ans de moins que nous mais, pour

Kristy, les règles sont les mêmes pour tout le monde. Elle prend son rôle de présidente très à cœur et, à moins d'un tremblement de terre, elle tient à ce qu'on arrive à l'heure. Elle est peut-être un peu trop stricte, mais c'est normal : c'est elle qui a eu l'idée de fonder le Club des baby-sitters. Je me souviens très bien du jour où elle nous en a parlé à Claudia et à moi. Nous avons toutes les trois grandi à Bradford Alley et nous adorons garder des enfants, mais il a fallu quelqu'un comme Kristy pour penser à monter une véritable agence de baby-sitting.

Bref, revenons à notre réunion.

– Désolées, ont murmuré Mallory et Jessi.

On voyait bien qu'elles se retenaient pour ne pas exploser de rire. Qui pourrait prendre les choses au sérieux le premier jour des grandes vacances ?

Je me suis tournée vers Carla Schafer, qui est ma demi-sœur depuis que sa mère et mon père se sont mariés. Elle allait partir deux semaines en Californie rendre visite à son père et à son frère.

– Je n'arrive pas à croire que tu t'en vas ce soir.

– Moi non plus. Je suis impatiente de rentrer chez moi, enfin… je veux dire, dans mon deuxième chez-moi.

Là, je dois vous expliquer ce qu'elle a bien voulu dire par son « deuxième chez-moi ». Carla vit maintenant à Stonebrook, dans le Connecticut, comme nous toutes, mais elle a grandi en Californie et elle y a vécu jusqu'au divorce de ses parents. Elle est donc restée californienne de cœur : elle adore le soleil et la mer, et elle fait très attention à ce qu'elle mange. Physiquement, on dirait qu'elle sort tout droit d'un film de surfeurs californiens. Comme vous l'avez certainement deviné, elle est blonde aux yeux bleus, et elle a un sourire de publicité pour du dentifrice. Carla est ma demi-sœur, mais c'est aussi ma deuxième meilleure amie; mon autre meilleure amie étant Kristy Parker. Ce n'est pas facile d'avoir deux meilleures amies, parce qu'il y a forcément des problèmes de jalousie au départ. Ça a dû être dur pour Kristy, surtout quand Carla et moi sommes devenues demi-sœurs parce que, du coup, nous étions toujours ensemble. Mais j'ai su lui montrer que cela ne changeait rien à notre amitié. Alors, maintenant, tout va bien.

Je viens de me rendre compte que je ne vous ai même pas dit qui j'étais! Voici donc une petite biographie, comme dirait mon professeur de lettres: je m'appelle Mary Anne Cook, j'ai treize ans, et je suis en classe de quatrième au collège de Stonebrook. Je ne ressemble pas du tout à ma demi-sœur: je suis châtain aux yeux marron et je n'ai rien d'extraordinaire. Une chose encore: j'ai un adorable petit chat tigré gris qui s'appelle Tigrou.

– Est-ce que tu as dit au revoir à Logan? m'a demandé Carla.

– Je l'ai appelé hier soir.

Comme je savais que ça allait être difficile pour nous deux de se dire au revoir, j'avais décidé de le faire au téléphone, c'était plus simple et surtout plus rapide. En fait, Logan Rinaldi est mon petit ami. Ça me fait encore tout drôle, parce que c'est la première fois que je sors avec un garçon. Il est vraiment très très mignon. Il ressemble à George Michael, mon chanteur préféré, et il vient de Louisville dans le Kentucky. Il a l'accent du Sud et une voix très douce. Il est membre intérimaire du Club des baby-sitters. Nous l'appelons quand nous sommes toutes occupées, mais il ne participe pas aux réunions du club. Il y a un autre membre intérimaire : c'est Louisa Kilbourne, une amie de Kristy.

– Il va beaucoup te manquer, a remarqué Carla. Mais je suppose que toi aussi.

Elle avait raison. Même si j'avais deux super semaines en perspective à Sea City, je savais que Logan allait me manquer. Je ne pourrais pas m'empêcher de penser à lui. Tout le temps.

– Bon. Est-ce qu'on peut enfin commencer la séance d'aujourd'hui ?

Kristy s'impatientait.

J'ai jeté un coup d'œil autour de moi : c'est dingue ce que le Club des baby-sitters a changé ma vie. Carla pense comme moi. Quand elle a emménagé ici, à Stonebrook, nous sommes tout de suite devenues amies. C'est moi qui ai proposé sa candidature aux autres membres du club et elle a immédiatement été acceptée. Et puis, un an plus tard, nous sommes devenues demi-sœurs. Mais vous devez certainement vous demander d'où vient le Club des baby-sitters. Il faut que je vous raconte comment tout a commencé.

Un jour, la mère de Kristy a eu un mal fou à trouver une baby-sitter pour David Michael. Kristy ne pouvait malheureusement pas le garder ce jour-là et ses deux grands frères n'étaient pas libres non plus. Alors Mme Parker a dû passer tout un tas de coups de fil sans trouver personne. C'est là que Kristy a eu une idée géniale : et si elle créait un club de baby-sitters ? Cela pourrait résoudre tous les problèmes de garde d'enfants. Voilà comment est né le Club des baby-sitters.

Tous les membres se réunissent trois fois par semaine : les lundis, mercredis, et vendredis, de cinq heures et demie à six heures, dans la chambre de Claudia Koshi. Pourquoi là et pas ailleurs ? Tout simplement parce qu'elle a sa propre ligne de téléphone. Si quelqu'un a besoin d'une baby-sitter, il n'a qu'à nous appeler au moment des réunions et, en un seul coup de fil, il a une équipe de sept baby-sitters en ligne. C'est une idée vraiment géniale et c'était tellement simple qu'on se demande maintenant pourquoi on n'y a pas pensé plus tôt.

Comme c'était l'idée de Kristy, c'est elle qui est la présidente du club. Claudia est vice-présidente parce que toutes les réunions se font dans sa chambre. Lucy MacDouglas est notre trésorière parce qu'elle adore le calcul. Carla est membre suppléant, et elle doit se tenir au courant de tout ce que les autres font pour être capable de remplacer n'importe laquelle d'entre nous en cas d'absence. Ça lui plaît parce qu'elle a un rôle différent chaque fois.

Comme je l'ai déjà dit, Mallory et Jessi sont les membres juniors du club, et elles n'ont pas de fonctions officielles. Comme elles n'ont que onze ans, elles n'ont pas le droit de faire du baby-sitting le soir, mais on peut leur faire complètement confiance, elles sont très sérieuses. Elles ont beaucoup de points communs. Elles sont toutes les deux les aînées de leur famille, et se plaignent toutes les deux d'être traitées comme des bébés par leurs parents.

J'ai la fonction la plus intéressante du club. Enfin, pour moi, c'est ce qu'il y a de plus intéressant. Je suis la secrétaire. C'est donc moi qui suis chargée de tenir à jour l'agenda. J'y note tous les baby-sittings que nous faisons, en mettant bien qui garde qui, et combien les parents paient, comme ça, nous savons toujours combien chacune de nous a gagné. Je dois faire très attention aux emplois du temps de tout le monde. Je peux vous dire exactement quand Jessi a ses cours de danse ou quand Kristy a ses entraînements de base-ball. Et je ne me suis jamais embrouillée en planifiant les baby-sittings.

J'étais en train de feuilleter l'agenda quand Kristy a demandé à Lucy de faire le point sur la trésorerie. Lucy, comme toujours, faisait très « New York », dans son treillis kaki avec son petit haut imprimé des animaux de la savane et une ceinture en cuir. On voit tout de suite à son allure qu'elle vient d'une grande ville : elle est très sophistiquée. Elle a en effet grandi à New York jusqu'au jour où elle est venue vivre à Stonebrook. Au départ, c'était une amie de Claudia, mais elle a intégré très vite le Club des baby-sitters. Ses parents ont divorcé il n'y a pas très longtemps, c'est pour ça qu'elle est revenue vivre ici. Son père est resté à New York. Elle doit suivre un régime sans sucre très strict à cause de son diabète. C'est une maladie qui l'oblige en plus à se faire des piqûres d'insuline tous les jours.

– Voilà où nous en sommes, a dit Lucy en finissant son rapport.

Elle s'est tournée vers moi et son visage s'est illuminé d'un grand sourire.

– Est-ce que tu réalises où nous serons demain à la même heure ?

– Ouais ! A Sea City !

Kristy nous a rappelées à l'ordre :

– Je sais qu'on est toutes très contentes d'être en vacances, mais j'aimerais bien finir cette réunion dans le calme.

– Excuse-nous.

J'ai essayé d'avoir l'air désolée, mais c'était plus fort que moi, je ne pouvais pas m'empêcher de sourire jusqu'aux oreilles. J'allais passer deux semaines avec Lucy au bord de la mer ! Je bouillais d'impatience. Ce n'était pas vraiment des vacances parce que nous partions avec la famille Pike pour nous occuper de leurs enfants. Nous l'avions déjà fait une fois et ça avait été génial. J'étais sûre que cette fois-ci aussi nous allions beaucoup nous amuser. Mais bon, il fallait quand même que je fasse un effort pour ne pas trop montrer ma joie, parce que ce n'était pas très gentil pour Kristy. En effet, ses parents à elle n'avaient rien prévu pour les vacances et elle allait rester à Stonebrook. On pourrait pourtant penser qu'elle est toujours en vacances parce qu'elle vit dans une maison de rêve. Elle a longtemps habité juste à côté de chez moi, mais sa mère – qui était divorcée – s'est remariée avec un millionnaire : Jim Lelland. Ils ont alors tous emménagé dans sa grande villa à l'autre bout de la ville. Kristy s'est retrouvée avec une super grande famille. Jim a deux enfants qui viennent chez eux un week-end sur deux et, avec la mère de Kristy, ils ont adopté une petite Vietnamienne de deux ans. Elle s'appelle Emily, et elle est vraiment adorable.

Kristy m'a donné un coup de coude et m'a demandé :

– Et qu'est-ce qu'on a dans l'agenda ?

Elle aime bien que les choses soient planifiées longtemps à l'avance : elle déteste les surprises. J'ai alors consulté les pages des jours suivants.

– Tu vas être très occupée. Heureusement qu'il y a Jessi pour t'aider.

Jessica non plus n'avait rien de prévu pour les vacances. Il faut que je vous en dise un peu plus sur elle. Sa famille a emménagé à Stonebrook il n'y a pas très longtemps, ils viennent d'Oakley, dans le New Jersey. Elle est noire, très jolie et passionnée de danse classique. Elle est en sixième, comme Mallory. Elle a une petite sœur de huit ans qui s'appelle Rebecca et un petit frère encore bébé que tout le monde surnomme P'tit Bout. Jessi sait faire face à toutes les situations et elle l'a déjà prouvé en gardant pendant une semaine une maison pleine d'animaux !

– Vous avez de chouettes baby-sittings en vue, ai-je continué.

– Je vais garder Charlotte Johanssen un après-midi, c'est super, s'est écriée Jessi.

Charlotte est en effet l'une de nos enfants préférées. Elle est vraiment adorable.

– Moi, je vais garder Jenny Prezzioso, a annoncé Kristy d'un air maussade.

A ce nom, tout le monde s'est tu. Jenny est le genre d'enfant qui vous fait détester le baby-sitting, même si elle ne le fait pas exprès. Elle n'a que quatre ans, mais elle remporte haut la main le prix de la « gamine la plus pourrie gâtée de Stonebrook ».

Claudia a essayé d'encourager Kristy :

– Ne t'inquiète pas, tu t'en sortiras très bien. Fais juste attention à ne pas la laisser manger de pizza les jours où elle est habillée avec tous ses froufrous.

– Pizza ! s'est exclamée Mallory. Oh, non ! Tu n'aurais pas dû prononcer ce mot. Maintenant, j'en ai envie. Je meurs de faim !

Au même moment, son ventre s'est mis à gargouiller. On aurait dit qu'il y avait des haut-parleurs dedans ! Elle s'est recroquevillée sur elle-même pour étouffer les bruits de son estomac en rigolant.

– Oh, c'est terrible !

Claudia a regardé sous son lit et elle a sorti une boîte à chaussures.

– Sers-toi.

La boîte était pleine de M&M's, de nounours multicolores et de Twix. Personne ne s'est étonné que Claudia sorte des sucreries de sous son lit parce qu'on sait toutes qu'elle est très gourmande et qu'elle cache des bonbons et des gâteaux un peu partout dans sa chambre. Comme ses parents lui interdisent de se gaver de cochonneries, elle le fait en cachette. Sinon, Claudia est américano-japonaise, elle a de longs cheveux noirs et des yeux en amande. C'est une grande artiste. Comme c'est loin d'être une très bonne élève, elle compense en étant très douée pour les matières artistiques. En revanche, sa grande sœur, Jane, est surdouée.

Lucy m'a demandé d'un air rêveur :

– Mary Anne, tu te rappelles les pizzas de Sea City ?

– Comment veux-tu que j'oublie ? Même le chorizo est meilleur là-bas.

Quand nous sommes allées la première fois à Sea City avec les Pike, c'était super. Il n'y a pas de meilleur endroit pour manger. Il y a de tout : de la glace à la banane en passant par les hot dogs les plus longs que j'aie jamais vus.

Lucy a continué :

– Et tu te souviens du Jardin du Hamburger, c'était délirant !

– Bien sûr que je me le rappelle. Ils mettaient des tas de trucs dedans : du bacon, du fromage et de la sauce orange.

– De la sauce à l'orange ? s'est étonnée Jessi. Beurk !

– Ce n'est pas du tout ce que tu crois. La sauce orange, c'est du ketchup et de la moutarde mélangés. Les Pike ont adoré, n'est-ce pas, Mallory ?

– Ah oui, c'était super bon.

Mallory est l'aînée des enfants Pike. Ils sont huit en tout, ce qui fait que Mal est une baby-sitter très bien entraînée. La dernière fois qu'ils ont été à Sea City, elle était encore trop jeune pour garder ses frères et sœurs. Lucy et moi avions à nous deux la charge des huit enfants. Mais maintenant qu'elle est plus grande, ses parents vont la payer aussi pour nous donner un coup de main. Mais elle ne nous aidera pas tout le temps parce qu'ils veulent aussi qu'elle profite de ses vacances.

M. et Mme Pike louent tous les ans une grande maison au bord de la mer, et leurs enfants adorent ça. (Stonebrook est aussi au bord de la mer mais il n'y a pas de plage comme à Sea City.) Il y a des millions de choses à faire à Sea City, en plus des baignades et des promenades sur la plage.

– Tu te rappelles comme on s'était amusées au Pays des Trampolines ? a continué Lucy.

– Et le golf miniature ! a renchéri Mal. J'ai adoré ça. Et la grande roue, et, et… Oh, oui ! Le Paradis du Sucre et le Palais de la Crème glacée !

Je crois que notre petite séquence souvenirs commençait à ennuyer Kristy, forcément, elle se sentait un peu exclue de tout ça, alors, j'ai préféré changer de sujet.

– Et toi, Claudia ? Tu pars dans le Vermont ?

– Je crois bien, oui.

Elle avait une petite voix et l'air un peu triste. Je crois que c'est parce qu'elle pensait à sa grand-mère Mimi qui est morte il n'y a pas longtemps. Elle partait toujours en vacances avec toute la famille Koshi. Ce serait leurs premières vacances à la montagne sans elle. Et même s'ils ne retournaient pas où ils avaient l'habitude d'aller avec Mimi, ils allaient sûrement tous beaucoup penser à elle.

Kristy se rendait bien compte qu'on n'arrivait pas à penser à autre chose qu'aux vacances.

– Bon, je crois que ce n'est pas la peine de continuer la réunion.

Elle devait être un peu triste de voir qu'on allait toutes partir dans des endroits super alors que Jessica et elle resteraient coincées à Stonebrook.

– Oh là là, vous allez toutes drôlement me manquer.

Je venais de me rendre compte que je n'allais pas voir mes amies pendant deux semaines entières ! Je commençais à avoir les larmes aux yeux (il faut dire que je pleure *très* facilement), quand Kristy m'a tapoté l'épaule et m'a dit en souriant :

– Hé ! Mary Anne, ce n'est pas la fin du monde ! On va s'écrire.

– Tu as raison, lui ai-je répondu en essayant d'avoir l'air gaie. Mais ce n'est pas pareil.

J'avais une grosse boule dans la gorge, et j'ai vraiment dû faire un effort pour ajouter :

– Je vous enverrai des tonnes de cartes postales, et j'espère bien que vous me répondrez. Vous allez me répondre, hein ?

Heureusement, nous avions déjà échangé nos adresses.

– Mais oui, bien sûr, m'a rassurée Jessica. Avec Kristy, nous te tiendrons au courant de tous les baby-sittings que nous ferons.

– Et nous n'oublierons pas de tout noter dans le journal de bord, a ajouté Kristy.

Le journal de bord du Club des baby-sitters, c'est un peu

comme un journal intime ; chacune de nous y raconte tous ses baby-sittings. Je fais confiance à Kristy pour le tenir à jour même pendant les vacances. Comme je vous l'ai déjà dit, elle reste toujours très pro.

Je déteste les au revoir, surtout quand ils s'éternisent. Heureusement que Lucy m'a poussée vers la sortie. Elle s'est retournée vers les autres et leur a lancé :

– Amusez-vous bien ! Salut !

Carla et Mallory étaient déjà parties, on pouvait les entendre dévaler les escaliers. Les vacances commençaient enfin ! Kristy et Jessi étaient encore dans la chambre de Claudia et elles devaient se sentir un peu abandonnées. Je n'ai pas pu me retenir de verser une larme.

– Allez, viens, Mary Anne ! Sea City nous attend les bras ouverts !

Lucy avait raison. Je n'allais quand même pas me mettre à pleurer le jour des vacances !

2

– Lequel tu préfères, le rose ou le bleu ?

Carla avait tiré deux maillots absolument identiques de ses tiroirs.

– Euh… J'aime bien les deux.

– Allez, Mary Anne, dis-moi lequel tu trouves le plus joli.

Elle s'est jetée sur le lit à côté de sa valise grande ouverte. C'était vendredi après-midi, et on aurait dit qu'une tornade était passée dans sa chambre. Carla faisait ses bagages pour partir en Californie. Il y avait des vêtements éparpillés partout. Il y en avait assez pour monter une boutique. Au début, quand nos parents se sont mariés, nous avons pensé que cela serait super de partager la même chambre. Mais nous nous sommes très vite rendu compte que ce n'était pas possible. En regardant l'état de la chambre de Carla et les tonnes de vêtements partout, je me suis rappelé pourquoi.

– Je trouve que le rose te va aussi bien que le bleu. Je ne dis pas ça pour te faire plaisir, je le pense vraiment. De toute façon, tu n'as qu'à emporter les deux, comme ça tu auras un maillot de rechange.

Carla s'est mise à rire.

– Un maillot de rechange ? Mais j'en emporte six en tout : trois deux-pièces et trois maillots une pièce.

– Ah, d'accord...

J'avais l'air un peu bête du coup. J'avais oublié que, pour Carla, les vêtements n'avaient pas la même importance que pour moi : un maillot de bain était bien plus qu'un truc pour nager. Il fallait qu'il soit joli en plus.

– Tiens, je viens d'y penser, a-t-elle continué. Tu sais, j'ai un maillot qui t'irait super bien. Il est vert métallisé.

– Non, merci. J'ai déjà tout ce qu'il me faut.

J'imagine la tête de mon père s'il me voyait mettre dans mes valises un maillot si voyant ! Même s'il s'est beaucoup assoupli ces derniers temps, il reste quand même très strict sur les vêtements. Quand je pense qu'avant il fallait que je suive des règles pour tout, j'avais parfois l'impression d'être dans un camp militaire. Je devais être rentrée à la maison à neuf heures tapantes, je devais me tresser les cheveux tous les jours et, pire que tout, c'était mon père qui choisissait mes vêtements. Je crois que c'est parce que ma mère est morte quand j'étais encore toute petite, et qu'il a dû jouer le rôle du père et de la mère. Heureusement qu'il est moins sévère maintenant ! Bien sûr, il ne sera jamais aussi cool que Sharon, la mère de Carla.

Je suis la première amie que Carla s'est faite à Stonebrook. Nous nous sommes tout de suite très bien entendues. Imaginez un peu notre surprise quand nous avons appris que mon père et sa mère avaient été au même lycée et qu'ils étaient sortis ensemble. Ils ont eu une histoire d'amour très romantique. Même si ça a été un peu triste parce qu'ils ont dû se séparer. Oh, pas parce qu'ils ne s'aimaient plus, mais parce que les grands-parents de Carla n'aimaient pas mon père. Bref, ils ont mené leur vie chacun de leur côté et, quand ils se sont retrouvés des années plus tard, ils se sont rendu compte qu'ils s'aimaient encore. Ils ont alors décidé de se marier. Depuis, nous avons tous emménagé dans la maison de Carla. Cela n'a pas été facile au début, mais maintenant tout le monde s'entend très bien.

Bon, j'étais toujours dans la chambre de Carla quand mon père et Sharon ont toqué à la porte et sont entrés.

– Mary Anne, j'ai de la crème solaire pour toi, m'a dit mon père.

– Merci, papa, mais j'en ai déjà plein.

Cette fois-ci, je n'allais pas me laisser avoir et revenir de Sea City rouge comme une écrevisse. J'avais déjà mis dans mon sac plusieurs tubes d'écran total. Allez savoir pourquoi, je ne bronze jamais. Je passe directement du blanc aspirine au rouge écarlate. Et après, je pèle. C'est déprimant.

– Et tu as pensé à prendre du dentifrice, du shampooing et de quoi écrire ? a demandé Sharon.

Elle s'est mise à fouiller frénétiquement dans les poches de sa salopette rose.

– Oh, zut ! Je vous avais acheté des carnets de timbres à toutes les deux, mais je me demande bien où j'ai pu les mettre.

C'est rigolo de voir Sharon essayer d'être organisée et de penser à tout, parce que c'est la personne la plus tête en l'air que je connaisse. Il suffit de jeter un coup d'œil dans notre cuisine : la semaine dernière encore, j'ai retrouvé la liste des courses avec le stylo à bille dans le frigo, et une tomate à moitié pourrie dans le tiroir des couverts. On se demande comment ils ont atterri là.

– Oh, mes chéries, quand je pense que j'avais fait une liste avec tout ce dont vous allez avoir besoin pour deux semaines !

Sharon adore les listes ; elle en fait pour tout. Le seul problème, c'est qu'elle les perd cinq minutes après les avoir commencées.

– Ne t'inquiète pas maman, l'a rassurée Carla. J'ai tout ce qu'il me faut. Je n'ai plus qu'à prendre mon peignoir et mon sèche-cheveux, et je serai prête.

Mon père a regardé autour de lui, l'air pas du tout convaincu.

– C'est vrai, ai-je assuré. Ça n'a pas l'air comme ça, parce que la chambre est en pagaille, mais on a presque fini.

– On ne dirait pas...

Si la chambre de Carla a l'air tellement en désordre, c'est parce qu'elle est très petite. En fait, toutes les chambres sont petites dans cette très vieille maison. Il faut que je vous en dise un peu plus là-dessus. L'année dernière, quand les parents de Carla ont divorcé, sa mère a voulu revenir vivre à Stonebrook. Elle a alors acheté une maison pour elle, Carla et son petit frère David. Mais pas n'importe quelle maison. C'est une vieille ferme qui a été construite en 1795, presque un monument historique. On dirait une grande maison de poupées un peu sinistre. Le genre d'endroit où un fantôme se sentirait chez lui – d'ailleurs, il y en a certainement un. Carla et sa mère l'ont tout de suite adorée. Par contre David ne l'aimait pas du tout. En fait, il ne se plaisait pas à Stonebrook. Il est reparti en Californie vivre avec son père.

Je vous en ai dit assez sur notre maison, revenons à Carla et à nos préparatifs de vacances. Elle avait emporté tellement de choses qu'il a fallu qu'elle s'assoie sur sa valise pour pouvoir la fermer.

– Voilà, ça devrait tenir comme ça ! a-t-elle dit, essoufflée par l'effort.

Elle portait sa tenue de voyage, c'est-à-dire une petite robe à fleurs, et elle avait attaché ses cheveux avec des barrettes à fleurs aussi.

– Nous avons le temps de dîner rapidement avant d'aller à l'aéroport, a dit Sharon. J'ai préparé quelque chose de spécial pour ton dernier repas avec nous, Carla.

Papa et moi avons échangé un regard. Aucun de nous deux n'apprécie vraiment la nourriture diététique que Sharon et Carla adorent.

– Quelque chose de spécial ? ai-je demandé en m'attendant au pire.

J'étais morte de faim et j'espérais qu'elle n'avait pas cuisiné un de ses fameux plats au tofu.

–Oui, quelque chose que vous aimez toutes les deux, m'a-t-elle répondu avec un grand sourire. Des lasagnes aux épinards, une salade composée et du pain italien.

– Humm, ça a l'air bon.

J'étais soulagée. Mais elle a ajouté :

– Et pour le dessert : un délice au tofu !

Nous sommes arrivés à l'aéroport vers sept heures. Carla était un peu nerveuse à l'idée de s'envoler pour la Californie. Elle a vérifié trois fois dans son sac qu'elle avait bien pris son billet d'avion.

– Est-ce que tu as emporté de quoi grignoter pendant le trajet ? lui ai-je demandé.

Elle a tapoté son bagage à main et m'a répondu en souriant :

– Bien sûr. Une pomme, quelques dattes, et deux barres de céréales. Sans oublier qu'ils donnent toujours à manger dans l'avion.

– Leur nourriture a un goût de carton, a commenté Sharon d'un air dégoûté.

– Mais non, a protesté Carla en riant. C'est mangeable, j'ai déjà essayé.

Elle s'est alors tournée vers moi.

– J'ai laissé une histoire de fantôme sur ta table de chevet pour que tu la lises. Et si tu veux m'emprunter des cassettes pour Sea City, elles sont rangées dans une boîte à chaussures dans mon placard.

Carla et moi n'avons pas du tout les mêmes goûts en musique, mais c'était quand même gentil de sa part.

– Merci.

Ma voix a tremblé un peu. C'est fou, mais je crois que Carla commençait déjà à me manquer. Elle devait certainement ressentir la même chose parce qu'elle m'a regardée très sérieusement et m'a dit :

– J'aurais aimé que tu viennes avec moi, Mary Anne. Je suis sûre que tu adorerais la Californie.

J'ai haussé les épaules et lui ai répondu :

– Je ne vais plus savoir où donner de la tête avec les petits Pike à Sea City.

Ça l'a fait sourire.

– Je sais, mais ne te tue pas à la tâche quand même. Pense à prendre un peu de temps pour t'amuser.

Le vol de Carla a alors été annoncé. Sharon a serré très fort sa fille dans ses bras.

– Tu es bien sûre d'avoir tout pris ? Tes billets ?... Tu as assez d'argent...

Cela faisait au moins une dizaine de fois qu'elle lui redemandait la même chose.

– Oui, maman, j'ai tout ce qu'il faut.

Quand elles étaient l'une à côté de l'autre, on se rendait compte à quel point elles se ressemblaient. Les mêmes cheveux blond très clair, les mêmes yeux bleus... elles étaient aussi belles l'une que l'autre.

Papa aussi a serré Carla dans ses bras, même s'il est très timide. Il est toujours un peu mal à l'aise avec David et elle, certainement parce que je suis son unique enfant, et que nous avons vécu seuls très longtemps.

Carla m'a tendu les bras, et mes yeux se sont mis à me piquer.

– Oh, Carla, tu vas drôlement me manquer.

– Toi aussi, tu vas me manquer. Je déteste les au revoir.

Nous nous sommes embrassées. Ses yeux étaient tout embués.

– Ne me fais pas pleurer, d'accord ? Je n'ai pas envie de monter dans cet avion avec du mascara qui dégouline partout.

– D'accord, lui ai-je répondu en retenant mes larmes.

Je faisais la courageuse mais, au fond de moi, j'avais envie d'éclater en sanglots. Je n'arrivais pas à me faire à l'idée de perdre ma demi-sœur pour deux semaines ! Carla s'est avancée vers la zone d'embarquement, et m'a lancé par-dessus son épaule :

– N'oublie pas de m'envoyer des tas de cartes postales ! Et raconte-moi tout !

– Promis !

J'ai dû prendre un mouchoir pour m'essuyer les yeux. Mon père a passé son bras autour de moi pour me consoler.

– Elle sera de retour avant même que tu t'en rendes compte.

J'ai préféré ne rien répondre de peur de me remettre à pleurer. Subitement, les deux prochaines semaines me semblaient être deux années entières.

Je n'ai pas pu fermer l'œil de toute la nuit. Je n'ai pas arrêté de me retourner dans mon lit. J'essayais d'imaginer ce que Carla allait faire à son arrivée en Californie. Je la voyais bien en train de siroter une limonade avec son père et David ; peut-être même qu'ils étaient sur la terrasse. Elle m'avait dit que son père avait une super villa avec de grandes baies vitrées dans toutes les pièces. En plus, ils ont une personne qui s'occupe de la maison et qui fait la cuisine.

Soudain, j'ai pensé que j'allais partir à Sea City au matin. J'ai fait dans ma tête une liste de tout ce dont j'allais avoir besoin. Et, comme je n'arrivais toujours pas à dormir, j'ai commencé à penser à tout ce dont les huit enfants Pike allaient avoir besoin. Imaginez un peu tout ce qu'il leur fallait ! Des pelles, des seaux pour faire des châteaux de sable, des serviettes de plage, des maillots de bain et des tonnes de jouets pour les jours pluvieux. Et pour tous les âges en plus ! Rien que d'y penser, ça m'a fatiguée et je me suis endormie comme une bûche.

– Mary Anne, on va finir par être en retard !

– J'arrive papa ! Encore un dernier câlin !

Je me suis accroupie près du canapé où Tigrou était en train de s'étirer, et je lui ai fait un bisou sur la tête. C'était horrible de me séparer de lui.

– Ne t'inquiète pas, on s'occupera bien de lui, m'a rassurée Sharon.

– Je sais.

Sharon n'est pas ce qu'on appelle une fan de chats, mais je crois qu'elle a fini par s'attacher à Tigrou. Je l'ai embrassée, et papa m'a déposée chez les Pike.

« Oh, non ! Encore un au revoir », ai-je pensé en le voyant décharger mes bagages dans l'allée.

– Prends bien soin de toi, ma chérie, m'a-t-il chuchoté en me serrant dans ses bras.

Heureusement, ce dernier au revoir a été moins pénible que les autres parce que Claire, Margot, et Nicky Pike ont fait diversion. Ils sortaient de grosses valises du garage pour les charger dans les voitures – les Pike prennent toujours deux voitures pour partir en vacances.

– Allez, tu viens, Mary-Anne-petite-bêbête-gluante ? C'est l'heure !

C'était Claire, la plus jeune de la famille Pike. Elle est vraiment rigolote. Je les ai aidés à mettre leurs tonnes de bagages dans le coffre des voitures. Lucy est arrivée à la dernière minute. Sa mère, qui l'accompagnait, avait l'air toute triste. Je crois que Lucy allait beaucoup lui manquer. Elle est fille unique, comme moi. Mais Mme MacDouglas allait rester deux semaines seule, alors que mon père serait avec Sharon et Tigrou.

On a finalement réussi à se mettre d'accord sur qui allait dans quelle voiture : je partais avec Mme Pike, Vanessa et les triplés, alors que Lucy allait avec M. Pike, Mallory, Claire, Margot, et Nicky.

Nous n'étions pas encore sortis de l'allée que Vanessa s'est mise à crier :

– Attendez ! On a oublié Frodo !

Sa mère s'est retournée vers elle en souriant et lui a rappelé :

– Vanessa, tu ne te souviens pas ? C'est Jessi qui va s'occuper de Frodo. Elle l'a emmené chez elle.

Jessica a aussi un hamster, alors elle saura très bien s'occuper de Frodo.

– Ah oui, c'est vrai.

– Bon, maintenant que tout est réglé, en route pour…

– Sea City ! ! ! ont crié en chœur les triplés.

3

Samedi

Salut Kristy !

Nous sommes enfin arrivés à Sea City et je suis déjà é-pui-sée ! J'ai cru que le voyage ne finirait jamais. Vanessa n'a pas arrêté de réciter des poèmes, les triplés ont décidé de se chamailler avec Nicky, qui était dans l'autre voiture avec Lucy, et Claire nous a fait la peur de notre vie.
Je me demande ce qui m'attend maintenant !
A plus tard !

Mary Anne

Vous savez combien de mots riment avec « chat » ? Moi oui. Vanessa les a tous utilisés pendant le trajet en voiture jusqu'à Sea City. Elle a neuf ans et elle veut devenir poète. En fait, c'est déjà un poète puisqu'elle passe son temps à composer des poèmes. En plus, je crois que c'est contagieux parce que je me mets aussi à parler en rimes quand elle est dans les parages. Elle a commencé alors qu'on avait à peine quitté Stonebrook. J'étais assise à l'avant avec elle et Mme Pike, tandis que les triplés étaient à l'arrière. Au cas où vous ne sauriez pas leurs noms, je vous les rappelle: Jordan, Adam, et Byron. Ils ont dix ans.

– Je veux un beignet! a hurlé Adam. Ils en vendent juste là!

– Certainement pas, lui a répondu Mme Pike. Nous nous arrêterons à mi-chemin comme d'habitude.

– Oh, s'il te plaît, maman... on meurt de faim.

– Adam, ça suffit maintenant. Ne fais pas l'enfant, a ordonné Vanessa, toute fière de sa rime.

« Oh non, ai-je pensé, c'est parti! »

Puis, j'ai dit à voix haute:

– Allons, Adam, je suis sûre que tu peux tenir encore une heure.

– C'est vrai, a ajouté Vanessa. Si tu restes sage, nous serons bientôt à la plage.

Jordan s'est bouché les oreilles, mais Vanessa a préféré l'ignorer pour continuer sur sa lancée:

– En bord de mer, aucun fruit n'est amer. On se promène sur le sable, et tout est agréable. Regarder l'océan, c'est comme...

Elle s'est interrompue pour chercher ses mots.

– Maman, a supplié Byron, dis-lui de se taire. Elle me rend dingue.

Mme Pike lui a fait comprendre par un signe de tête qu'elle

n'en ferait rien. Il faut dire que les Pike ont une vision très spéciale sur la façon d'élever les enfants. Tout le contraire de mon père, quoi ! Leurs enfants ont le droit de faire à peu près tout ce qu'ils veulent. Ils ne sont pas obligés de manger ce qu'ils n'aiment pas, et ils peuvent veiller aussi tard qu'ils le veulent, du moment qu'ils sont dans leur lit. Mme Pike n'allait pas demander à Vanessa d'arrêter parce qu'elle pense qu'ils doivent pouvoir s'exprimer en toute liberté. J'ai alors décidé d'intervenir :

– Vanessa, le moment est mal choisi pour faire de la...

J'ai failli dire « poésie », mais je me suis retenue à temps. Je vous le dis, les rimes, c'est contagieux.

– Pour faire de la quoi ? a-t-elle répété en souriant.

– Pour faire... un poème.

Elle a haussé les épaules.

– Mais je m'ennuie comme un jour de pluie.

Je savais qu'il fallait que je trouve quelque chose, et vite.

– Vanessa, a grommelé Jordan derrière nous.

Oh, oh ! Les choses allaient se gâter si je ne trouvais rien pour les occuper.

– Je sais. On va faire un jeu, ai-je alors proposé.

–Mais ça ne va pas être très joyeux, a aussitôt rétorqué Vanessa.

J'ai poussé un grand soupir, il n'y avait aucun espoir.

– Hé, j'ai trouvé une rime ! s'est mis à crier Adam. Écoutez : on est coincés dans la voiture, et ça va être très dur.

Vanessa s'est retournée vers son frère et lui a tiré la langue. Je crois qu'elle n'aime pas trop qu'on lui vole la vedette.

– Dis donc, a renchéri Jordan, tu es un vrai poète et tu ne le savais même pas !

J'étais sur le point de leur suggérer de jouer à « ni oui ni non », quand la voiture de M. Pike s'est retrouvée juste à côté de la nôtre.

– Voilà papa !

Il a klaxonné, et Nicky s'est amusé à coller sa bouche sur la vitre et à faire des grimaces horribles pendant qu'ils nous dépassaient.

– Beurk ! a crié Jordan. Faut qu'on les rattrape !

– Zut, c'est trop tard mais, si on se dépêche, on pourra peut-être les dépasser la prochaine fois et faire plein de grimaces à Nicky.

Adam a fouillé dans un sac que j'avais laissé à l'arrière, et il en a tiré une feuille et un feutre.

Byron a souri : il venait de comprendre ce que son frère préparait.

– Marque quelque chose de vraiment dégoûtant, Adam.

Mme Pike chantonnait gaiement en se concentrant sur la route. Comme elle n'avait pas l'air de se soucier de ce que ses triplés étaient en train de manigancer, j'ai décidé d'intervenir :

– Hum, je ne pense pas que ce soit une bonne idée.

Adam fronçait les sourcils en cherchant quoi écrire. Puis, un sourire machiavélique est venu illuminer son visage. Il a écrit : « Batman a une cervelle de moineau. »

Je me suis tournée vers lui.

– Je ne comprends pas. Qu'est-ce que ça veut dire ?

Adam m'a alors expliqué :

– Nicky est tellement fier de son nouveau tee-shirt Batman qu'il ne le quitte plus.

Et Jordan a continué :

– Ouais, il l'a payé avec son argent de poche et il le trouve super cool.

– Alors il va être dégoûté quand il verra ce qu'on a écrit, a repris Adam, visiblement très fier de son idée.

Je peux vous dire que Jordan avait raison : Nicky a été furieux. Lorsque nous sommes arrivés à la hauteur de la voiture de M. Pike, il a pu lire la pancarte. Il a alors regardé son tee-shirt et il est devenu rouge tomate. Il nous a tendu un poing rageur au moment où on l'a dépassé.

Les triplés étaient tordus de rire sur la banquette arrière. Il fallait que je trouve quelque chose pour les distraire, c'était vraiment urgent. Mais ils refusaient tous les jeux que je leur proposais. Je crois qu'ils préféraient largement jouer à « embêter Nicky ».

Chaque fois que les deux voitures se dépassaient, ils plaquaient la pancarte Batman contre la vitre en éclatant de rire. Ils ont dû le faire au moins cinq fois en une heure. Nicky en était malade. On voyait bien qu'il bouillait de colère.

– Pause déjeuner ! a enfin annoncé Mme Pike.

Je crois que je n'ai jamais été aussi contente de voir une station-service de ma vie.

Nous sommes descendus comme des fous des voitures pour nous ruer vers les toilettes, puis nous nous sommes tous retrouvés devant le snack. Mallory et Lucy étaient en train de commander des cornets de glace pour Claire et Margot, tandis que Nicky réfléchissait encore au parfum qu'il allait choisir.

– Prends cerise à la menthe, lui a conseillé Mallory. Ou café aux pépites de chocolat.

– Surtout ne prends pas rhum raisin, lui a recommandé Margot. On dirait de la glace à la vanille avec des mouches dedans.

Avec Lucy, nous les avons emmenés un peu plus loin, où il y avait des tables de pique-nique. M. et Mme Pike commandaient un café au comptoir. Nous avions tous un cornet de glace, sauf Lucy, à cause de son diabète. Elle croquait une pomme à la place.

– Waouh ! Ce n'est pas de tout repos, ce voyage ! a-t-elle dit en poussant un grand soupir. Heureusement que Nicky n'est pas avec les triplés, sinon ce serait la Troisième Guerre mondiale.

J'ai approuvé de la tête. Allez savoir pourquoi, Nicky et les triplés se bagarrent pour tout et n'importe quoi. Je remarquais d'ailleurs qu'ils étaient assis aussi loin les uns des autres que possible.

– Alors elle est comment, ta glace aux éclats de pistache ? m'a demandé Lucy.

– Super bonne.

Je me suis longtemps sentie un peu coupable de manger une glace ou des bonbons devant elle, mais je me suis rendu compte que cela ne la dérangeait pas, alors maintenant je n'y fais plus trop attention.

M. et Mme Pike nous ont rejoints avec leur tasse de café et se sont installés à une table en bois avec Mallory et les triplés. Lucy était assise dans l'herbe et profitait du soleil. Il y avait des gens un peu plus loin qui devaient se demander si nous étions tous les enfants de M. et Mme Pike. Quelle famille en effet ! J'ai parcouru des yeux les deux tables que nous occupions. Mais quelque chose clochait. Quoi donc ?

J'ai vite compté combien nous étions en tout : onze.

« Onze ? Mais, nous sommes censés être douze ! Les huit enfants, M. et Mme Pike, Lucy et moi. »

– Oh, c'est pas vrai ! ai-je murmuré.

– Qu'est-ce qui se passe ?

Lucy était en train de s'étirer paresseusement au soleil.

– Lucy, il manque quelqu'un.

Elle s'est relevée d'un coup et m'a demandé :

– Tu es sûre ?

Elle s'est mise à compter aussi.

– Oui, certaine. Il y a bien les triplés, Mal, Vanessa, Nicky et Margot. Mais pas Claire.

Juste au même moment, Mme Pike s'est écriée :

– Où est Claire ?

– C'est ce que j'étais en train de me demander, lui ai-je dit. Vous l'avez vue, les garçons ?

Les triplés ont fait non de la tête.

– Peut-être qu'elle est retournée à la voiture…

Mme Pike essayait de ne pas le montrer mais on voyait bien qu'elle commençait à s'inquiéter.

Son mari s'est levé à son tour en annonçant :

– Je vais voir à la voiture. Lucy, va vérifier qu'elle n'est pas dans le terrain de jeux de l'autre côté.

– Moi, je retourne à l'intérieur, ai-je proposé. Elle est peut-être allée de nouveau aux toilettes.

M. Pike a hoché la tête, puis il s'est dépêché d'aller à la voiture. Claire n'a que cinq ans, et on ne doit pas quitter des yeux un enfant de cet âge, même un instant.

J'ai regardé dans les toilettes, à la fontaine à eau et aux cabines téléphoniques. Aucun signe de Claire. J'étais sur le point de rejoindre les autres quand je l'ai aperçue au comptoir des glaces. Elle était tranquillement assise sur un tabouret.

– Claire ! On a cru que tu avais disparu !

Je l'ai prise dans mes bras pour la serrer contre moi. Mon cœur n'avait jamais battu aussi fort.

– J'avais pas disparu, m'a-t-elle dit très sérieusement. Je suis juste là. Ma glace est tombée par terre, alors je suis revenue ici pour en avoir une autre.

Elle m'a alors montré son cornet vide, tout grignoté au bout.

Le serveur l'a regardée d'un air amusé et lui a dit :

– Je crois que je peux arranger ça. Quel parfum tu avais choisi ?

– Vanille. Je prends toujours vanille.

Il lui a aussitôt tendu une nouvelle glace en ajoutant avec un clin d'œil :

– Fais attention cette fois-ci. Je te conseille de ne pas commencer par le cornet.

Nous nous sommes dépêchées de sortir pour rejoindre les autres. Au même moment, M. et Mme Pike sont entrés dans le restaurant. Ils ont couru vers Claire et l'ont soulevée dans leurs bras pour la serrer fort contre eux. Quel soulagement !

Nous sommes tous retournés aux voitures pour nous remettre en route pour Sea City.

Une fois installée, Vanessa s'est aussitôt remise à faire des rimes sur tout. J'ai cru que ce voyage n'allait jamais finir, quand soudain, elle s'est écriée sans faire de rime :

– Le panneau avec la vache !

C'était un immense panneau avec une vache mauve en relief. Les petits Pike l'attendaient chaque année avec impatience parce qu'il annonçait la fin du voyage. Sea City était maintenant tout proche.

Quelques minutes plus tard, c'était au tour de Jordan de crier de joie :

– Hé, regardez ! Le Panier de Crabes !

C'était un restaurant de fruits de mer à l'entrée de Sea City.

Puis Adam et Byron se sont exclamés en chœur :

– Et la fille pour la crème solaire !

C'était encore un des panneaux publicitaires que les enfants attendaient de dépasser.

– On est arrivés à Sea City, youpi ! ! !

« Nous y voilà enfin », me suis-je dit. J'ai poussé un grand soupir de soulagement, mais je me suis aussitôt reprise. Qui sait ce qui pouvait encore nous arriver !

4

Samedi

Chère Carla,

Il faudrait que j'écrive tout un roman si je voulais te raconter le trajet jusqu'à Sea City. Ça a été une véritable aventure ! Les petits Pike sont tout excités de revenir ici. Moi aussi, d'ailleurs, même si vous me manquez tous beaucoup (une certaine personne dont le prénom commence par L en particulier). Je crois que je vais passer deux semaines complètement folles. Il faudra qu'on se raconte tout dès qu'on se reverra. Je suis sûre que tu es déjà toute bronzée !

Au revoir et à bientôt !

Mary Anne

– Le hamac est toujours là ! s'est écrié Jordan.

– Et ils nous ont laissé la balançoire !

Adam s'est aussitôt précipité dessus. Vanessa était rêveuse.

– Le chèvrefeuille est en fleur, comme la dernière fois.

Elle s'est penchée vers les délicates petites fleurs blanches pour les sentir.

– Bon, les enfants, a alors dit M. Pike. Je sais que vous avez tous très envie de vous détendre, mais qu'est-ce qu'on est censés faire avant ?

– Décharger les voitures ? lui a répondu Nicky.

M. Pike a hoché la tête, et les enfants se sont mis au travail en râlant un peu. J'ai inspiré une grande bouffée d'air frais. On sentait que la mer n'était pas loin. M. et Mme Pike louent la même maison tous les ans. On aurait dit la maison de la sorcière dans *Hansel et Gretel*, vous savez, celle en pain d'épice. Mme Pike m'a dit que c'était le style victorien. Elle est peinte en jaune avec des bordures blanches, et il y a des escaliers en pierre sculptée et des colonnes. Et ce que j'aime le plus, c'est la grande véranda sur le devant où on peut s'asseoir pour regarder l'océan – bien sûr, ce n'est pas toujours évident de trouver du temps pour le faire quand on doit s'occuper de huit gamins déchaînés. Les Pike adorent cette maison parce qu'elle donne directement sur la plage.

Une fois que les bagages ont été bien répartis dans toutes les chambres, Lucy et moi, nous nous sommes installées à l'étage, dans la chambre jaune, la même que la dernière fois. Elle est décorée à l'ancienne : deux lits en bois foncé très hauts, du parquet et du papier peint jaune à petites fleurs. C'est un peu trop vieillot au goût de Lucy, mais on y a une superbe vue sur l'océan. Je suis restée quelques instants plantée devant la fenêtre pour regarder le soleil miroiter sur l'eau avant de défaire ma valise. Il y avait un maître nageur en train de parler à des enfants qui jouaient dans les vagues. Il m'a fait penser à celui que nous avions rencontré l'autre fois. Il s'appelait Scott et Lucy avait flashé sur lui. Seulement, elle était beaucoup trop jeune pour qu'il s'intéresse à elle et, en plus, il avait une autre fille en vue.

Elle a dû lire dans mes pensées parce qu'elle est venue à la fenêtre pour regarder aussi le petit groupe sur la plage. Elle les a observés pendant au moins une minute avant de me dire doucement :

– Heureusement que je suis plus grande maintenant.

Je comprenais ce qu'elle voulait dire.

– Mais tu dois avouer que c'était quand même de chouettes vacances, la dernière fois.

– Chouettes ?! s'est-elle exclamée.

Elle s'est alors assise sur son lit en remontant ses genoux sous son menton.

– Quand je pense que je me suis ridiculisée auprès de Scott.

Elle a fixé ses doigts de pied vernis en rose nacré, et a ajouté :

– Bien sûr, ça n'a pas été non plus complètement catastrophique. Tu as rencontré Alex et moi Toby.

– C'est vrai.

Je me suis assise à côté d'elle, et je lui ai demandé :

– Tu crois qu'ils pensent à nous parfois ?

Lucy était pensive. Elle enroulait une mèche de ses longs cheveux blonds autour de son doigt.

– Peut-être de temps en temps, mais pas très souvent. Toby était vraiment mignon, hein ?

J'ai approuvé d'un signe de tête. Toby est exactement le type de garçon qu'aime Lucy, mais je préférais quand même Alex. Lui aussi était venu à Sea City avec une famille comme baby-sitter. C'était la première fois que je rencontrais un garçon qui faisait ça ! Il était vraiment adorable avec les enfants, et nous nous sommes tout de suite bien entendus.

– Qu'est-ce que tu as fait de la bague qu'il t'avait donnée ?

Nous nous étions en effet offert des bagues le dernier jour. (Mais cela ne voulait pas dire pour autant que c'était sérieux entre nous. En plus, je ne connaissais pas encore Logan à l'époque.) Nous avions fait graver une bague avec mes initiales pour Alex et une avec ses initiales pour moi.

– Euh… je ne sais plus. Elle est soit au fond du tiroir de ma table de nuit, soit dans une boîte à chaussures dans mon placard.

Lucy a fait semblant d'être choquée.

– Eh bien, moi qui pensais que tu la gardais précieusement sous ton oreiller !

Je me doutais bien qu'elle voulait juste me taquiner un peu. Je ne pense plus très souvent à Alex depuis que j'ai rencontré Logan. Mais il faut avouer qu'il a quand même joué un rôle important dans ma vie : c'était la première fois que je m'intéressais à un garçon !

– Ce serait drôle de revoir Alex et Toby cette année, qu'est-ce que tu en penses ?

Je n'ai pas eu le temps de lui répondre parce qu'au même moment Claire a fait irruption dans notre chambre et s'est jetée sur moi.

– On va à la plage ? S'il te plaît, s'il te plaît, s'il te plaît, Mary-Anne-petite-bêbête-gluante !

– On doit finir de défaire nos valises d'abord.

Le visage suppliant de Claire s'est figé. J'ai cru qu'elle allait se mettre à hurler, mais elle a réfléchi un moment puis elle nous a proposé :

– Et si je vous aidais ?

En disant ça, elle a pris un de mes tee-shirts et l'a déplié sur elle pour voir comment il lui allait. Bien sûr, il était beaucoup trop grand : il lui tombait aux genoux.

– Si tu veux vraiment nous aider, tu vas retourner dans ta chambre et demander à Mallory de sortir ton maillot de bain et ta serviette. Une fois que tu seras prête et que tes affaires seront rangées, nous irons nous baigner.

– Promis ?

– Promis.

Elle avait l'air satisfaite parce qu'elle est repartie en sautillant.

Il faut que je vous explique comment on s'était arrangés pour partager les chambres. Claire et Margot dormaient dans la chambre bleue, Vanessa et Mallory dans la chambre rose, et Lucy et moi dans la jaune. Quant aux garçons, ils étaient au bout du couloir dans la chambre la plus grande. Il faut dire que c'était une maison immense, avec beaucoup de pièces. Il y avait même une sorte de petit salon au deuxième étage avec une baie vitrée qui donnait sur l'océan et une banquette tout du long. J'adorais m'y installer pour rêvasser (Mallory aussi). Une fois, on y était même restées pendant tout un orage à regarder les éclairs. C'était génial !

Ça nous a pris au moins une demi-heure pour tout déballer et ranger parce qu'on n'arrêtait pas de se rappeler les bons moments avec Alex, Toby et Scott, le maître nageur. En fait, l'épisode avec Scott n'avait pas été vraiment drôle, puisque nous l'avions surpris en train d'embrasser une fille. Je me souviens que Lucy avait beaucoup pleuré. Mais, bon, c'était du passé, et je suis presque sûre qu'elle n'y pensait plus.

– Comment tu réagirais si tu rencontrais Scott sur la plage ?

– Je ne sais pas, mais une chose est sûre, cette fois-ci, je ne lui achèterais pas de cadeau !

Elle était morte de rire. La dernière fois, elle avait acheté une boîte de chocolats. Mais, juste au moment où elle allait l'offrir à Scott, on l'a vu embrasser sa petite copine. Tu parles d'une bonne idée !

Mallory a passé sa tête dans l'embrasure de la porte alors que je finissais de m'habiller pour aller à la plage.

Elle m'a regardée d'un drôle d'air.

– Eh bien, Mary Anne, on dirait que tu prépares une expédition dans le désert !

Comme je vous l'ai déjà expliqué, je brûle au soleil. Alors je dois entièrement me couvrir d'écran total, même les jours où il y a des nuages.

– C'est ma tenue de camouflage spéciale plage, tu ne t'en souviens pas ?

J'étais un peu sur la défensive. Je portais une longue tunique qui me faisait ressembler à une tente. Et, pour être certaine que les rayons du soleil ne pourraient pas m'atteindre, j'avais d'énormes lunettes de soleil, un large chapeau de paille et une tonne d'écran total sur le nez.

Lucy m'a demandé, en essayant d'être la plus diplomate possible :

– Tu es sûre que tu as besoin de tout ça ? Il se fait tard et le soleil n'est plus très fort maintenant.

Je me suis regardée dans la glace. C'est vrai que j'avais l'air un peu bizarre, mais je ne voulais courir aucun risque.

Claire est arrivée dans notre chambre en courant. Elle avait un maillot de bain rouge une pièce, et sautait dans tous les sens.

– Je suis prête, Mary-Anne-petite-bêbête-gluante !

– Bon, allons-y !

Je l'ai prise dans mes bras et nous nous sommes mises en route. Les triplés et Margot nous attendaient dans le couloir. En descendant les escaliers, j'ai machinalement compté les enfants.

– Où est Vanessa ?

Après la peur que Claire nous avait faite, je n'étais pas près d'en oublier un.

– Je suis là ! a crié Vanessa depuis la véranda.

Elle était installée dans un fauteuil en osier avec un carnet ouvert sur ses genoux, et avait l'air dans les nuages.

– Tout le monde à la plage ! ai-je dit en lui ébouriffant les cheveux au passage.

Elle a souri, perdue dans ses pensées, et m'a dit :

– Je vous rejoins dans une minute. J'ai quelque chose à finir.

Lucy était aussi étonnée que moi. D'habitude, Vanessa est toujours la première à se jeter dans l'eau, même si elle est glaciale.

– J'arrive tout de suite, promis.

Elle voulait manifestement rester seule un moment. Mais j'hésitais quand même à la laisser sans surveillance.

– OK, ai-je fini par dire, mais dépêche-toi avant que le soleil ne se couche.

Nous sommes partis pour la plage. En chemin, Claire m'a tiré le bras pour me demander :

– Dis, Mary Anne, il va se coucher où, le soleil ?

J'étais perdue dans mes pensées, en train de me demander si Vanessa allait bien. Claire a insisté :

– Mary An-neuh ! Il va se coucher où ?

– Qui va où ?

– Le soleil ! Il va se coucher où ?

– Euh...

J'avoue que je ne m'attendais pas à ce genre de question.

– Derrière un nuage ? a suggéré Lucy.

–Bonne réponse ! me suis-je exclamée en imitant les présentateurs de jeux télévisés.

Lucy m'a regardée d'un air complice.

– A ton service !

5

Dimanche

Cher Logan,

Sea City, c'est fantastique !
La plage est géniale (même si je dois me déguiser en momie pour me protéger du soleil). Il fait très beau et les enfants s'amusent comme des fous.
Je crois que je passe les meilleures vacances de ma vie.
Je suis sûre que tu adorerais cet endroit ! Comment ça va, à Stonebrook ? Si tu vois Tigrou sur le rebord de la fenêtre, pense à lui faire un petit coucou.
Tu me manques.
Des centaines de milliers de bisous.

Mary Anne

Vous n'imaginez pas combien de brouillons j'ai déchirés pour la carte postale de Logan. On aurait dit que je rédigeais un devoir de classe. Mais c'était encore plus difficile parce qu'il fallait que je trouve le « ton juste », comme dirait mon professeur de lettres. Il fallait que ce soit drôle (et je crois que l'image de la momie est assez rigolote) et, en même temps, il fallait qu'on sente que je passais des vacances extraordinaires. Bien sûr, je voulais aussi que Logan comprenne que ça aurait été encore mieux si j'avais été avec lui. Vous voyez un peu le casse-tête ! D'un côté, je ne voulais pas qu'il pense que je ne pouvais pas me passer de lui, et de l'autre, je ne voulais pas non plus qu'il s'imagine qu'il ne me manquait même pas. Quel dilemme ! (Encore une des expressions favorites de mon prof.)

J'ai écrit la carte samedi soir, mais je ne l'ai pas tout de suite postée. Je l'ai soigneusement rangée dans un tiroir pour pouvoir la relire le lendemain matin. Je me suis réveillée dimanche pour me rendre compte que ce que j'avais écrit sur le beau temps n'était plus vrai. Il n'y avait plus du tout de soleil, et la mer était agitée. Le ciel était couvert, comme si dans la nuit quelqu'un avait passé un coup de peinture par-dessus le joli bleu d'hier. Je trouvais ça plutôt déprimant, même si je sais qu'on peut quand même bien s'amuser malgré le vent et les nuages.

Le petit déjeuner a été mouvementé, comme d'habitude. M. Pike faisait sauter des crêpes dans l'une des plus grosses poêles que j'aie jamais vue, tandis que Mal pressait des litres et des litres de jus d'orange. Vanessa beurrait une montagne de tartines, et moi, je m'occupais de passer le bacon au micro-ondes. Lucy aidait les triplés à mettre la table en vérifiant que tout le monde allait avoir des couverts. C'est impressionnant ce qu'un petit déjeuner pour douze personnes demande comme préparation ! Heureusement que Mme Pike est plus organisée que ma belle-mère !

– Je crois que le temps va rester couvert toute la matinée, a-t-elle remarqué en scrutant le ciel. Qu'est-ce que vous voulez faire, les enfants, aujourd'hui ?

Adam a relevé la tête de son assiette. Il venait d'engloutir toute une pile de crêpes à une vitesse incroyable.

– Aller à la plage, bien sûr ! Quelle question !

Il était déjà en maillot de bain, prêt à partir.

– Oh non, pas la plage ! a râlé Mallory. Il n'y a pas de soleil aujourd'hui.

– Et alors ? On n'en a pas besoin ! est intervenue Vanessa.

– Moi si, j'ai envie de bronzer. Les garçons n'aiment pas les filles blanches comme des cachets d'aspirine !

– Tu parles ! a répliqué Jordan. Il n'y a que les filles pour perdre leur temps à bronzer.

Il était en train de finir un toast au bacon, impatient de commencer la journée. Lui aussi était prêt à partir avec son masque et son tuba.

– On va faire de la plongée, d'accord, les gars ?

– C'est vrai ? s'est exclamé Nicky plein d'espoir.

– Je voulais dire, moi, Adam, et Byron. Tu peux faire quelque chose avec Claire et Margot. Vous n'avez qu'à aller en ville.

Nicky était effondré.

– Hé, mais c'est une super bonne idée, a dit alors Vanessa. On n'a qu'à se diviser en deux groupes. Comme ça, tout le monde sera content. Tu nous emmènes en ville, Mary Anne ?

Je me suis tournée vers Mme Pike et elle a approuvé le projet d'un signe de tête.

– Bien sûr, ai-je alors répondu. Si Lucy emmène les garçons se baigner.

Mallory, les filles et moi sommes parties en ville une demiheure plus tard, après avoir convaincu les triplés de laisser Nicky se joindre à eux. Mme Pike avait besoin de quelques courses, alors nous lui avons proposé de les faire sur le chemin du retour. Nous avons remonté la rue principale de la ville en regardant les vitrines de toutes les boutiques.

– Hé, c'est le Jardin du Hambergur, s'est écriée Claire. Mon endroit préféré au monde.

En fait, c'était le Jardin du Hamburger, où ils servent des sandwichs incroyables. Claire n'arrive jamais à bien prononcer le nom. C'est vraiment sympa. Les sièges sont en forme de gros champignons, et les serveurs et les serveuses sont déguisés en animaux. C'est super, non, un restaurant où c'est une souris qui vous sert à manger ?

– Je croyais que c'était le Palais de la Crème glacée, ton endroit préféré ? l'a taquinée Mallory.

Claire s'est mise à réfléchir très sérieusement.

– Est-ce que je peux avoir deux endroits préférés ?

– Rien ne t'en empêche.

Nous avons mis une heure pour faire le tour des magasins que nous aimions. Nous nous sommes arrêtées devant le Paradis du Sucre. Ça sentait tellement bon le chocolat fondant que nous avons failli craquer. Mais nous avons préféré garder notre argent pour le Palais de la Crème glacée.

Nous sommes passées rapidement devant le golf miniature et le stand d'Hercule (où il y a les fameux hot dogs géants).

Puis, nous avons fini par nous arrêter dans un magasin de souvenirs. Il y avait des rangées de tee-shirts, de serviettes, de bols, de casquettes et de chapeaux avec Sea City écrit dessus. Je voulais choisir quelques cartes postales, mais les filles s'impatientaient.

– Qu'est-ce qu'on fait maintenant ? a demandé Mallory, qui sentait bien que ses sœurs commençaient à s'agiter.

– Eh bien, on peut aller dans la galerie marchande. Ou bien on peut garder ça pour une prochaine fois, et aller plutôt au...

– Palais de la Crème glacée ! ! !

Claire et Margot ont fini la phrase à ma place.

Vanessa a aussitôt renchéri :

– Oui, au Palais de la Crème glacée !

– Alors, en route pour le palais !

Je ne sais pas si leurs glaces sont vraiment les meilleures du monde mais, pour nous, c'était tout comme. Peut-être parce qu'il y a des parfums délirants qu'on ne trouve pas à Stonebrook. Bon, des fois c'est même un peu trop délirant : franchement, je me demande qui peut bien manger une glace goût chewing-gum à la banane ?

Chaque fois, c'est la même chose, les plus petits mettent des heures pour choisir. J'ai pris deux boules de délice croquant parce qu'il y a tout ce que j'aime dedans : chocolat, caramel et cacahuètes. Mallory a préféré prendre un banal sundae à la fraise. Quant à Margot, Claire, et Vanessa, elles ont hésité pendant plus d'un quart d'heure, en changeant d'avis toutes les deux minutes. Claire s'est enfin décidée pour un milk-shake au chocolat, et Margot et Vanessa pour des sorbets à la pastèque (drôle d'idée !).

Pendant qu'on choisissait, j'ai remarqué que le serveur

était plutôt mignon et qu'il n'arrêtait pas de regarder Vanessa et Mal. Il devait avoir douze ans et il était brun aux yeux verts. Je me suis aperçue que Vanessa lui rendait ses regards. Enfin, je crois, parce que ce n'était pas évident de savoir ce qu'elle pouvait ressentir en ce moment. Depuis que nous étions à Sea City, elle semblait plus distante que d'habitude. Elle avait toujours le regard perdu au loin, l'air un peu rêveur, comme si elle n'arrêtait pas de composer des poèmes dans sa tête.

Quand le garçon s'est penché pour nous donner nos commandes, j'ai pu lire son nom sur son badge. Il s'appelait Chris.

– Miam, miam, a fait Claire en prenant son milk-shake.

Puis, ce qui devait arriver est arrivé : à peine Claire a-t-elle eu son gobelet dans les mains qu'elle s'est retrouvée entièrement couverte de chocolat.

– Oh, non ! a-t-elle gémi en regardant son short et son tee-shirt tout sales.

– Ne t'inquiète pas, l'a rassurée Mallory, on va nettoyer avec une...

Elle était sur le point de dire « serviette » en en prenant une sur le comptoir, mais Chris avait pensé à la même chose en même temps, et ils se sont cogné la tête. On aurait dit un spectacle de clowns.

– Oh, je suis désolé, a balbutié Chris tandis que Mallory aussi s'excusait.

Claire s'est mise à sangloter.

– Je veux un autre milk-shake.

– Ne t'en fais pas, tu vas en avoir un autre tout de suite, lui ai-je dit en essayant de la calmer.

Chris est retourné remplir un gobelet pour Claire tandis que Mallory et moi, nous nous efforcions de la débarbouiller. Après toutes ces péripéties, j'ai donné des serviettes en plus à chacune, et j'ai enfin pu commencer à manger ma glace.

Je n'en avais pas pris deux bouchées qu'une nouvelle catastrophe est arrivée. Chris était en train de rajouter de la crème Chantilly sur le sundae de Mallory, mais il s'est retourné pour nous regarder. Il a vraiment mal choisi son moment parce que la machine en a profité pour s'emballer et il n'arrivait plus à l'arrêter. Il y avait de la chantilly partout. Le sundae de Mallory ne ressemblait à plus rien et Chris pataugeait littéralement dans la crème. Il ne savait plus quoi faire.

– Éteins la machine ! Enlève la prise de courant ! a crié quelqu'un.

Chris avait l'air complètement déconcerté, mais il s'est tout de suite repris et il s'est précipité sur la prise pour l'arracher. La machine a craché un dernier torrent de chantilly avant de s'éteindre enfin.

– Waouh ! Je ne sais pas ce qui s'est passé !

Il était encore sous le coup de l'émotion. Margot et Vanessa essayaient de ne pas sourire et Claire était tordue de rire. Il n'y avait que Mallory qui avait l'air perplexe.

– Ce n'est pas grave, lui ai-je dit en souriant gentiment.

Mais au fond, je regrettais d'être venue là. Il a fallu attendre que Chris nous fasse un *autre* sundae. Je tambourinais sur le comptoir avec mes doigts quand j'ai remarqué que Vanessa avait l'air bizarre, comme si elle se sentait coupable.

– Qu'est-ce qui se passe ? Ce n'était pas de ta faute.

– Je sais.

Sa voix tremblait et elle semblait être au bord des larmes.

Qu'est-ce qui se passait ? Pourquoi Vanessa pensait-elle être responsable de ce qui venait d'arriver à Chris ? Je n'avais pas le temps d'y penser vraiment parce que les gens derrière nous commençaient à s'impatienter, et que je voulais sortir du Palais de la Crème glacée le plus vite possible. Dès que Mallory a eu son sundae, j'ai entraîné les enfants vers la sortie. Je n'ai même pas fini ma glace. Allez savoir pourquoi, je n'en avais plus du tout envie.

6

LUNDI

Je préviens tout le monde.
J'ai gardé les Rodowsky aujourd'hui et je peux vous dire que Jackie n'a pas changé d'un poil.
Ses parents devraient fournir un manuel de survie pour les baby-sitters!
On est allés à la piscine... Ça devait être un après-midi tranquille et ça a tourné au drame.
Merci qui?
Merci Jackie!
Le pauvre, ce n'est pas vraiment de sa faute si c'est une catastrophe ambulante.
Tous les membres du Club des baby-sitters doivent se tenir sur leurs gardes.
Jackie Rodowsky est dangereux pour la santé...

C'est dans ces moments-là qu'on réalise à quel point le journal de bord du Club des baby-sitters est précieux. Je vous rappelle que le journal de bord n'a rien à voir avec l'agenda. Tous les membres du club doivent raconter les baby-sittings qu'ils ont faits. Puis, une fois par semaine, on doit lire les comptes-rendus des autres. C'est une idée de Kristy. Et même si tout le monde s'en est plaint, on est bien contents de l'avoir. Ça peut se révéler utile. On note les problèmes particuliers des enfants pour que les autres soient au courant pour les prochaines gardes. Ça nous permet de gérer les situations un peu difficiles...

La journée que Kristy a passée avec les petits Rodowsky a débuté tranquillement. Vous allez me dire que c'était le calme avant la tempête, et je crois que vous avez raison. Kristy était contente de faire ce baby-sitting parce qu'il ne se passait pas grand-chose à Stonebrook et qu'elle commençait à s'ennuyer un peu. Comment pouvait-elle deviner qu'une journée à la piscine municipale allait finir en film d'horreur?

Mme Rodowsky les a déposés devant l'entrée de la piscine. Il y avait les trois frères Rodowsky: Archie, quatre ans, Jackie, sept ans, et Richie, neuf ans. Tous les trois avec des cheveux roux flamboyants et plein de taches de rousseur.

Avant de partir, leur mère a demandé à Kristy:

– Tu es sûre d'avoir tout ce qu'il faut?

Kristy a hoché la tête. Elle avait vérifié qu'ils avaient chacun une serviette, de la crème solaire et de l'argent pour le déjeuner.

– On n'a pas Hilda, s'est plaint Archie.

Hilda, c'est une bouée verte avec une tête de monstre du Loch Ness.

– Tu sais bien qu'on n'a pas le droit de l'amener à la piscine, lui a rappelé Kristy. Les jouets gonflables et les matelas pneumatiques sont interdits parce que ça prend trop de place.

Richie a ajouté :

– En plus, les bouées, c'est pour les bébés !

– C'est pas vrai !

Les taches de rousseur d'Archie s'accentuent quand il se met en colère.

Richie a haussé les épaules, l'air de dire que ce n'était pas la peine de se bagarrer pour ça. Une belle journée allait commencer et il ne fallait pas la gâcher.

Vue de l'extérieur, on ne pouvait pas deviner que la piscine municipale comprenait en fait trois bassins. Un grand de taille olympique, un pour les enfants, et un avec un plongeoir. Il y avait en plus un terrain de jeux et un snack-bar. L'infirmerie était juste à côté des douches.

– Je meurs de faim, a dit Jackie. Est-ce que je peux m'acheter un gâteau ?

Il était dix heures et demie et ils venaient juste d'arriver. Kristy n'en croyait pas ses oreilles.

– Tu as déjà faim ?

– Ouais ! a répondu Jackie en se frottant l'estomac comme s'il n'avait pas mangé depuis plusieurs jours.

– Bon, eh bien, vas-y.

En disant ça, Kristy savait que quelque chose allait arriver. Il se passait toujours quelque chose de terrible dès que Jackie était dans les parages. Elle a étalé sa serviette sur le sol et s'est installée dessus en gardant un œil sur lui. Jusque-là, rien à signaler. Archie et Richie s'amusaient tranquillement dans le bassin juste à côté. Mais Jackie ? Kristy ne pouvait pas s'empêcher de penser qu'un événement épouvantable allait se produire d'un moment à l'autre.

Quelques minutes plus tard, Jackie revenait vers elle en déballant son gâteau. Il s'est tourné vers ses frères pour les narguer :

– Na na nère, moi, j'ai un gâteau !

– Hé ! Donne-m'en une bouchée, a crié Archie.

– Pas question !

Jackie se tenait sur le bord de la piscine et s'amusait à agiter son cookie sous le nez de son frère. Archie a essayé de l'attraper au passage mais Jackie a fait un bond en arrière pour l'esquiver et... il a lâché son gâteau, qui est tombé dans l'eau.

– Oh non ! a-t-il gémi.

Kristy s'est précipitée vers eux, mais le cookie était déjà en train de se décomposer en mille morceaux.

– Dépêche-toi d'aller chercher un maître nageur ! a-t-elle crié à Richie.

Elle s'est ensuite accroupie au bord du bassin pour essayer de récupérer les miettes de gâteau qui flottaient sur l'eau. Mais c'était sans espoir. Bien entendu, il avait fallu que Jackie fasse tomber son cookie pile à l'endroit où un filtre brassait l'eau. Il y en avait partout maintenant !

– Berk ! C'est dégoûtant !

Kristy s'est retournée et elle a vu un maître nageur avec une sorte de filet. Il faisait la grimace en essayant de repêcher les miettes.

– Je suis désolé, s'est excusé Jackie. Je n'ai pas fait exprès.

Il avait une toute petite voix, et ses lèvres tremblaient. Kristy a passé un bras autour de ses épaules pour le réconforter.

Il avait l'air vraiment désolé. Être maladroit à ce point, ce n'est pas toujours facile à vivre.

Le maître nageur l'a toutefois grondé :

– On n'a pas le droit d'amener à manger près des bassins.

– Je sais. Je n'avais pas l'intention de manger ici. Je voulais juste le déballer.

Le maître nageur a lancé à Kristy un regard qui voulait dire qu'il n'en croyait pas un mot, puis il est reparti. Les frères de Jackie, eux, n'avaient pas perdu leur enthousiasme.

– Je vais monter sur le plongeoir, a annoncé Richie. J'ai envie d'essayer de faire un saut périlleux.

– Moi aussi je veux faire des sauts périlleux ! s'est empressé de dire Archie.

– Mais il faut un plongeoir pour faire des sauts périlleux, et tu sais bien que tu es encore trop petit pour y grimper, Archie, lui a rappelé Kristy.

Les choses commençaient à se corser.

– Mais non, je ne suis pas trop petit !

– Bien sûr que si. C'est interdit aux moins de huit ans. Et si je t'emmenais dans le petit bassin ?

– Mais c'est pour les bébés !

Richie s'est mis à se moquer de son frère mais Kristy l'a tout de suite arrêté du regard.

– Mais non. Il y a aussi des grands garçons comme toi, tu verras. Tu vas bien t'amuser. Et puis, tu pourras t'entraîner à garder les yeux ouverts sous l'eau, d'accord ?

Archie s'est laissé convaincre et il a suivi Kristy. Jackie marchait derrière eux en fredonnant gaiement, tandis que Richie s'en allait vers le plongeoir.

C'était vraiment une belle journée et, pendant un court

instant, Kristy s'est détendue un peu. Après tout, il n'y aurait peut-être pas de nouvelle catastrophe.

– Aïe ! aïe ! aïe ! s'est soudain mis à hurler Jackie, comme s'il venait de marcher sur un bout de verre.

– Qu'est-ce qui se passe ? lui a demandé Kristy.

Elle l'a fait asseoir par terre pour regarder son pied.

– Tu as marché sur quelque chose ?

Elle n'a eu qu'un long gémissement de douleur en réponse. Elle ne savait pas quoi penser. Jackie avait un petit bouton rouge sur la plante du pied mais, à part ça, tout semblait normal.

C'est alors qu'elle a vu une abeille morte sur le sol. Archie aussi venait de la remarquer.

– Regarde, il l'a complètement écrabouillée.

En comprenant ce qui lui était arrivé, Jackie s'est mis à sangloter :

– Oh non, je me suis fait piquer par une abeille !

– Ne t'inquiète pas.

Kristy essayait de le calmer. Elle savait que si la blessure était propre et que le dard de l'insecte n'était pas resté dans la peau, ce n'était pas grave. Mais pour ne prendre aucun risque, elle l'a quand même emmené à l'infirmerie.

L'infirmière s'est tout de suite occupée d'eux et Jackie a cessé de pleurer à la seconde où il s'est assis sur la table d'examen. Dix minutes plus tard, ils étaient tous de retour dans la piscine, et Jackie allait parfaitement bien.

« Bon, et maintenant ? Qu'est-ce qui peut bien encore nous arriver ? » se demandait Kristy.

Il était à peine onze heures et demie et elle était déjà épuisée.

Archie lui a tiré sur le bras pour capter son attention.

– J'ai faim. Dis, on peut manger, Kristy ?

Il était encore un peu tôt pour déjeuner mais elle n'avait pas la force de résister. Et puis, il ne pouvait quand même pas leur arriver quelque chose de terrible devant un cheeseburger… Ils sont alors allés chercher Richie au plongeoir pour s'installer au snack-bar. Kristy et Richie ont gardé une table pendant qu'Archie et Jackie étaient chargés d'acheter de quoi manger. De longues minutes ont passé, et les deux garçons n'étaient toujours pas de retour. Richie commençait à s'impatienter, et Kristy n'avait pas l'esprit tranquille. Elle a jeté un coup d'œil sur sa montre. Ce n'était pas normal, ils auraient dû être là maintenant. Qu'est-ce qui pouvait bien les retenir ?

– Eh, Kristy, regarde ! Qu'est-ce qui se passe là-bas ?

Il y avait effectivement beaucoup d'agitation au niveau de la caisse : des gens commençaient à perdre patience parce que quelqu'un bloquait la queue.

Ça ne pouvait être que Jackie. Kristy en était sûre et certaine.

– Attends-moi ici, Richie.

Elle s'est levée pour aller voir ce qui se passait. C'était bien Jackie. Il fouillait dans ses poches visiblement vides tandis qu'Archie grignotait une barre au chocolat.

– Qu'est-ce qui se passe ? a-t-elle demandé en essayant de garder son calme.

– Oh, c'est toi Kristy ! Tu tombes bien. Je crois que j'ai pris trop de choses et je n'ai pas assez d'argent pour tout payer.

Elle a jeté un coup d'œil sur le plateau : il débordait de Mars, de M&M's, de Snickers, et de bonbons. Tout en dessous, il y avait bien les cheeseburgers et les frites qu'elle lui avait dit d'acheter.

– Je vois…

Sans un mot de plus, elle a pris toutes les sucreries du plateau et les a mises de côté. Puis elle s'est tournée vers le caissier.

– Ne comptez que les cheeseburgers et les frites, merci.

– Kristy ! a protesté Jackie.

Mais elle l'a ignoré ; elle a payé et s'en est allée avec le plateau comme si de rien n'était. Archie s'est dépêché d'avaler le reste de sa barre de chocolat de peur d'avoir à la rendre et il l'a suivie sans un mot.

Le repas s'est passé sans problème et l'après-midi aussi. La journée était presque finie. Kristy commençait à se détendre un peu. Pas une seule catastrophe depuis l'épisode du repas. Enfin…

Elle s'est subitement rendu compte qu'il manquait un des garçons. Son cœur s'est emballé. Il y avait bien Archie qui pataugeait dans le petit bassin… Il y avait bien Richie, qui crânait sur le plongeoir… Mais où était Jackie ?

Kristy s'est précipitée vers le plongeoir. Il y avait moins de monde que le matin et, en parcourant rapidement le bassin des yeux, elle n'a pas vu Jackie. Elle a alors filé vers le bassin olympique.

– Jackie ! Jackie ! criait-elle de toutes ses forces.

Quelques gamins se sont arrêtés de nager pour tourner leur visage vers elle, mais aucun d'eux n'était celui qu'elle cherchait. Elle savait qu'elle était en train de perdre son temps.

« Ne panique pas, ne panique pas ! » se répétait-elle. Elle s'est forcée à rester calme et à reprendre son souffle. Cela ne servait à rien de courir dans tous les sens. Dans une situation pareille, une bonne baby-sitter devait commencer par prévenir un maître nageur. Le plus vite possible.

– Ne t'inquiète pas, il ne doit pas être loin, l'a rassurée le maître nageur. On va passer une annonce au haut-parleur.

– Merci.

Kristy s'est adossée au mur du poste de surveillance et elle s'est aperçue que ses jambes tremblaient.

– Jackie est prié de se rendre au poste de surveillance, a répété plusieurs fois le maître nageur au micro.

En vain. Cinq minutes ont passé. Puis dix. Kristy sentait son cœur jouer à saute-mouton dans sa poitrine. Où était passé Jackie? Qu'est-ce qu'elle allait pouvoir dire à Mme Rodowsky?

C'est Richie qui, en fin de compte, l'a retrouvé.

– Le voilà! a-t-il annoncé triomphalement.

Il précédait Jackie qui n'avait pas l'air de comprendre pourquoi on l'emmenait au poste de surveillance.

– Qu'est-ce que tu vas prendre! a ajouté Richie pour taquiner son frère.

Kristy a regardé Jackie droit dans les yeux et lui a demandé d'une voix tellement tremblante qu'elle en était elle-même étonnée:

– Où étais-tu?

– Ben, je prenais une douche. Je sentais trop le chlore.

Le maître nageur était furieux.

– Ça fait dix minutes qu'on passe des annonces au haut-parleur pour te trouver!

– Mais je n'entendais rien sous la douche.

Kristy était bouche bée. Elle avait des millions de choses à lui dire, mais cela ne servait à rien. Jackie serait toujours une catastrophe ambulante!

Richie s'est alors mis à crier:

– Regardez ! C'est maman ! Elle est garée dehors.

Il était temps de ramasser les affaires et de s'en aller. Il était quatre heures et demie. Kristy avait du mal à réaliser qu'il ne s'était passé que quelques heures. Elle s'est retenue de bâiller en montant dans la voiture. Ouf ! Elle était bien contente de rendre Jackie à sa mère !

7

Mardi

Cher Papa, Chère Sharon,

Je passe de super vacances ! On est presque tout le temps à la plage et les petits Pike se sont mis à la plongée. Pour l'instant, il n'y a eu qu'un jour gris mais ça ne nous a pas empêchés de nous amuser quand même. Lucy est toute bronzée, et moi, j'ai déjà vidé un tube d'écran total.

Embrassez Tigrou pour moi, et dites-lui que je lui ramènerai un petit jouet.

Gros bisous

Mary Anne

En relisant ma carte postale, je l'ai trouvée vraiment sans intérêt. Elle était complètement impersonnelle – surtout quand on sait ce qui se passait en réalité. Je ne racontais pas du tout ce qui était en train de m'arriver et pourtant, j'étais tout excitée. Pourquoi? Je ne sais pas trop. J'étais troublée... mais contente. Tout ça parce qu'à la plage, aujourd'hui...

La journée a commencé comme les autres jours. Lucy, Mallory et moi étions installées sur nos serviettes de plage, alors que les petits attendaient avec impatience l'heure de la baignade. Leurs parents étaient peut-être un peu laxistes, mais il y avait une règle que les enfants n'avaient strictement pas le droit d'enfreindre, c'était les horaires de baignade: de neuf heures du matin à quatre heures de l'après-midi. En dehors de ces heures, les maîtres nageurs n'étaient pas de service.

A la seconde où ils sont montés sur leurs postes de surveillance, les enfants se sont rués dans l'eau. Je me suis retartiné le nez et les bras de crème solaire, j'ai enfoncé mon chapeau pour qu'il me fasse le plus d'ombre possible, et j'ai vérifié que ma longue tunique couvrait bien mes genoux. Et je me suis rendu compte que Lucy et Mallory faisaient tout le contraire. Je ressemblais à un Esquimau qui s'emmitouflait pour passer l'hiver, alors qu'elles s'apprêtaient à rôtir au soleil. Lucy s'est levée pour s'étirer. Il faut reconnaître que son deux-pièces bleu lui allait super bien, surtout avec sa peau couleur pain d'épice et ses cheveux qui lui tombaient au milieu du dos. Quant à Mallory, elle portait un maillot en vichy bleu et le soleil faisait ressortir ses taches de rousseur.

Lucy était en train de mettre une lotion pour éclaircir ses cheveux au soleil (je me demande comment on pouvait être plus blonde que blonde), quand on a entendu une voix nous appeler :

– Mary Anne ! Lucy !

C'était une voix de garçon.

– Non, tu ne vas pas me dire que..., a bredouillé Lucy.

Je me suis retournée et j'ai vu deux garçons suivis d'une ribambelle de gamins qui s'avançaient vers nous. Les enfants avaient l'air vraiment très petits, plus jeunes que Margot même, et je n'en connaissais aucun. Par contre, j'ai tout de suite reconnu le plus grand.

– Oh, c'est pas vrai ! C'est Alex !

Lucy s'est levée pour les voir.

– Toby est avec lui. Waouh ! Il est super mignon, hein ?

Oh oui, il était vraiment mignon. Mais je ne pouvais pas quitter Alex des yeux. Je n'avais pas beaucoup pensé à lui depuis qu'on s'était quittés, mais ça m'a fait un choc de le voir là. Il était super.

– Mary Anne ! Comment tu vas ?

Il venait d'arriver à notre hauteur, un peu essoufflé. Il était grand, avec les cheveux bruns et un sourire craquant. Comment avais-je pu l'oublier ?

Je lui ai souri moi aussi.

– Je vais bien, et toi ?

Il s'est avancé vers moi comme s'il allait me serrer dans ses bras, mais il a dû se rappeler que nous étions entourés d'enfants.

–Toby et moi, nous sommes ici pour un mois avec des familles en tant que baby-sitters.

– C'est vrai ?

J'étais ravie. J'allais pouvoir le voir tous les jours.

Alex a fait un signe de tête et m'a expliqué :

– On a trouvé deux familles qui prennent leurs vacances ensemble et qui avaient besoin de baby-sitters. Alors, nous voilà.

Il a regardé Toby qui était déjà en grande conversation avec Lucy. J'ai noté qu'elle avait caché son flacon de lotion éclaircissante et qu'elle s'appliquait à sécher ses cheveux avec une serviette.

– Ils ont l'air sympa, les enfants que tu gardes, ai-je remarqué.

Il y avait une petite fille rousse qui se cramponnait à la jambe d'Alex.

– Je te présente Sheila. Elle a deux ans. Voilà ses deux frères jumeaux et les trois autres là-bas, ce sont ses cousins.

– Voici Mallory, lui ai-je rappelé. Tu te souviens d'elle ?

Ils se sont fait un grand sourire.

Claire est sortie de l'eau à ce moment et nous a rejoints. Elle a fixé Sheila en demandant :

– Qu'est-ce qu'il fait là, ce bébé ?

– Claire, voyons, lui ai-je dit. En voilà une façon de dire bonjour !

Elle a posé les mains sur ses hanches.

– Petite-bêbête-gluante !

A ces mots, Sheila a enfoncé son pouce dans sa bouche.

Alex s'est mis à rire.

– C'est un langage codé ?

– Non. C'est juste l'expression favorite de Claire.

L'air plutôt amusé, il s'est agenouillé en face d'elle et lui a dit d'un ton très sérieux :

– J'ai une super idée. Tu sais quoi ?

Claire est restée muette et a fait mine de ne pas être intéressée. Il a alors ajouté :

– Et si on construisait un château ?

Elle a fixé le sol en remuant le sable avec ses doigts de pied pendant au moins trente secondes avant de dire d'une voix morne :

– C'est débile comme idée.

– Claire !

J'étais choquée. Elle était peut-être un peu jalouse de Sheila, mais ce n'était pas une raison pour être malpolie ! J'étais en train de le lui expliquer quand ses frères et sœurs nous ont rejoints, curieux de voir ce qui se passait. On s'est alors tous présentés.

Alex s'est mis à compter :

– Quatorze enfants ! Je crois qu'on est assez nombreux pour faire un château de sable géant ! Ça vous dit ?

– Oui, oui ! ont répondu en chœur les enfants.

– Allez, les gars ! a dit Jordan à ses frères. On commence par les remparts.

Puis, en se tournant vers les frères de Sheila :

– Vous n'avez qu'à nous aider.

On est tous allés au bord de l'eau. Lucy et Toby ne se quittaient pas des yeux. On voyait bien qu'elle était folle de joie de le revoir. Mais je me suis souvenue qu'elle avait été aussi folle de joie quand on avait rencontré Pierre à la station de ski. Et puis, il y avait eu aussi Scott, le maître nageur. Toby était manifestement en tête de liste, mais pour combien de temps ?

Sheila avait l'air un peu perdue, alors je l'ai prise par la main.

– Je vais te montrer comment on décore un château de sable, d'accord ?

Je me suis accroupie par terre pour prendre du sable très mouillé dans mes mains.

– Regarde, il suffit de le laisser tomber petit à petit sur les tours.

Au début, Sheila ne voulait pas toucher le sable, mais elle a fini par essayer et par adorer ça.

– Un gâteau d'anniversaire ! s'est-elle écriée.

Alex et moi avons éclaté de rire.

– C'est vrai. On dirait de la chantilly sur un gâteau d'anniversaire.

Tout le monde était occupé à construire son bout de château, quand Sheila a trébuché et a écrasé un des murs de sable. Claire était furieuse.

– Stupide petite-bêbête-gluante !

Sheila a éclaté en sanglots.

J'ai dû intervenir.

– Claire ! C'était un accident. Tu vois bien qu'elle ne l'a pas fait exprès.

Puis, je me suis penchée sur Sheila en lui tendant une pelle en plastique.

– Tiens, j'ai un travail très important à te confier.

Elle s'est arrêtée de pleurer et m'a regardée, très attentive. Je l'ai emmenée à quelques pas de là.

– Tu vas faire un tunnel qui va aller jusqu'au château, d'accord ?

Elle s'est tout de suite mise à creuser joyeusement dans le sable. Je suis restée à la regarder un moment, puis je me suis retournée vers Alex. Il m'a souri, et m'a dit :

– Je suis très content qu'on se soit retrouvés.

– Moi aussi.

Et comment ! J'avais des millions de choses à lui dire, mais ce n'était ni l'endroit, ni le moment. Surtout avec quatorze enfants autour de nous. Je me demandais s'il se souvenait de la dernière soirée que nous avions passée ensemble l'année dernière, et s'il avait toujours la bague que je lui avais donnée. En tout cas, il ne l'avait pas sur lui, j'ai vérifié. Je me suis même surprise à me demander s'il avait eu une petite copine en rentrant des vacances, et s'il avait pensé à moi en revenant à Sea City cette année.

Comme le soleil commençait à se coucher, Mallory, Lucy et moi, nous avons rangé nos affaires puis nous avons dit au revoir à Alex et Toby.

Sur le chemin du retour, je me suis exclamée :

– C'était sympa, hein ?

– Oh oui, génial ! m'a répondu Lucy rêveusement. Qui aurait cru qu'on allait les retrouver ? Ça tombe vraiment bien. Tu crois qu'ils vont vouloir qu'on se voie pendant les vacances ?

– Je ne sais pas. Je suppose que ça va dépendre du temps libre qu'ils auront.

Mallory nous écoutait parler, l'air perplexe. Elle devait penser à Logan. J'ai préféré écarter cette idée et mettre de côté ma mauvaise conscience.

Lucy s'est étirée en contemplant son bronzage et elle s'est vantée :

– Vu la tête de Toby, je pense qu'il va le trouver le temps.

Je crois que j'ai rougi. (Je rougis pour un rien, tous mes amis vous le diront.) Et j'ai soupiré :

– Par contre, je n'en suis pas aussi sûre pour Alex.

– Ah, mais si, fais-moi confiance. Tu as vu comment il te fixait ? Logan a du souci à se faire.

– Logan n'a aucun souci à se faire, ai-je répliqué froidement.

Mallory a haussé les sourcils. Lucy a réfléchi une minute et elle a ajouté en gloussant :

– Tu veux dire que ça ne lui fera pas de peine parce qu'il n'en saura rien ?

Je me suis arrêtée et je me suis tournée vers elle.

– Non. Ce que je voulais dire, c'est que Logan n'a pas de souci à se faire parce que je serai toujours fidèle. C'est mon petit ami, et il le restera.

J'avais haussé le ton parce que, en fait, je ne savais plus bien où j'en étais. Dans mon cœur, tout était embrouillé. C'est fou, mais je me rendais compte que je n'avais pas pensé à Logan depuis le matin. Est-ce qu'une journée avec Alex pouvait tout changer ?

8

Vendredi

Chère Claudia,

Tu ne vas pas me croire, mais Alex et Toby sont revenus à Sea City cette année ! Ils accompagnent des familles pour garder leurs enfants, et on est tombés sur eux par hasard à la plage. Les vacances commencent plutôt bien...

On dirait qu'il y a des garçons partout ici. Même Vanessa a rencontré un garçon qui lui plaît au Palais de la Crème glacée.

Sinon, je me suis un peu disputée avec Lucy...

Je t'embrasse.

Mary Anne

Il y a eu un gros malentendu vendredi soir. Ce n'était pas de la faute de Lucy, mais ce n'était pas de la mienne non plus. Sauf que c'est moi qui me suis fait avoir. Voilà comment tout a commencé. M. et Mme Pike ont décidé que Lucy et moi pouvions prendre une soirée de congé par semaine, mais ils ont insisté pour que ce soit à tour de rôle. Je savais que cela les arrangeait. Comme ça, ils pouvaient sortir tous les soirs s'ils le voulaient, sachant qu'il y aurait toujours au moins deux baby-sitters pour garder les enfants: soit Mallory et moi, soit Mallory et Lucy. Lucy et moi, on était un peu déçues de cet arrangement parce qu'on aurait préféré passer nos soirées libres ensemble, mais on n'a rien dit. On n'en a même pas parlé entre nous. Mais on aurait mieux fait! Au moins, on se serait mises d'accord depuis le début sur les soirs qu'on voulait prendre.

J'ai commencé à me douter que quelque chose clochait quand j'ai vu Lucy sortir le fer à repasser à six heures et demie, vendredi soir. Ce jour-là, on avait dîné tôt et on venait de finir de nettoyer la cuisine. Je sais que Lucy déteste repasser, c'est pour ça que j'étais surprise.

– Tu repasses ta robe?

– Bien vu!

Je me suis sentie un peu bête: c'était évident qu'elle repassait sa robe... ce que je me demandais, en fait, c'était pourquoi elle la repassait.

– Je veux dire, pourquoi tu fais ça maintenant?

Lucy a levé la tête vers moi, ses yeux semblaient encore plus bleus sur sa peau bronzée.

– Eh bien, je ne peux quand même pas sortir avec une robe toute froissée.

– Sortir ?

– Oui, avec Toby.

Puis elle s'est remise à repasser en chantonnant à voix basse. Je trouvais qu'elle avait l'air subitement un peu pâle malgré son bronzage, et j'espérais qu'elle allait bien. Je savais qu'elle contrôlait très bien son diabète, mais il fallait qu'elle surveille son alimentation et qu'elle fasse attention à prendre ses médicaments.

Tout en se concentrant sur ce qu'elle faisait, elle a ajouté :

– On va à la fête foraine. A ton avis, ce n'est pas trop habillé ?

Je suis restée bouche bée. Elle a continué sans attendre ma réponse :

– Je voulais mettre du blanc pour faire ressortir mon bronzage.

– Tu vas aller à la fête foraine ? Ce soir ?

– Ça nous rappellera de bons souvenirs…

Je voyais tout à fait ce qu'elle voulait dire. La dernière fois que Toby et elle y avaient été ensemble, c'était pour passer une soirée très romantique. Il avait gagné un ours en peluche et le lui avait offert ; et surtout, il l'avait embrassée pour la première fois dans le Tunnel de l'Amour.

– Je me souviens que la dernière fois qu'on est allés au parc d'attraction, on a passé une soirée inoubliable…

Elle était perdue dans ses rêves mais moi, j'avais tout autre chose en tête. Si elle comptait sortir avec Toby ce soir, il fallait que j'intervienne tout de suite.

– Euh… Lucy, j'ai bien peur qu'il y ait un petit problème.

– Un problème ?

Je venais de la tirer de ses pensées et elle me fixait, tenant le fer à repasser en l'air. J'avais enfin toute son attention.

– Ce soir, j'ai rendez-vous avec Alex.

– Quoi ?!

Elle n'avait pas seulement l'air surprise, je crois qu'elle était surtout énervée.

– Tu as bien entendu. Alex. Ce soir. A huit heures.

Je n'ai pas précisé qu'on avait aussi prévu d'aller à la fête foraine. Ce n'était pas la peine d'en rajouter.

J'avais cru qu'elle allait se jeter sur le téléphone pour annuler son rendez-vous avec Toby, mais pas du tout. Elle a continué à repasser sa robe comme si de rien n'était !

– Lucy, tu as bien entendu ce que je viens de te dire ?

– Bien sûr, c'est dommage que tu sois obligée d'annuler avec Alex.

Elle a dit ça sur un ton très calme, comme si elle ne voyait pas où était le problème.

C'était à mon tour de m'énerver :

– Pourquoi ce serait à moi d'annuler ma soirée ? Tu aurais pu m'en parler avant !

– Je n'ai pas à te demander la permission de sortir avec Toby !

– Ah bon, tu crois que tu peux décider de sortir comme ça, sans même me demander mon avis ?

– De toute façon, l'une de nous doit rester avec Mallory. Alors la meilleure chose à faire, c'est d'appeler Alex pour lui dire que c'est repoussé à demain soir.

Sur ces mots, elle est partie se changer en me plantant là, verte de rage. Je n'arrivais pas à croire que Lucy pouvait être aussi égoïste.

Je pensais encore à notre dispute au moment de coucher les enfants. Mallory s'occupait de mettre Claire et Margot au lit.

J'étais dans la chambre de Vanessa pour fermer sa fenêtre et, avant que je sorte, elle m'a demandé :

– Mary Anne, est-ce que tu veux bien rester une minute avec moi ?

Je me suis assise à son chevet.

– Bien sûr. Qu'est-ce qui se passe ?

– J'ai écrit quelque chose.

Elle s'est penchée sous son lit et en a tiré un carnet et un stylo à bille.

– Des poèmes ? lui ai-je demandé.

– Mm. Mais pas comme ceux de d'habitude. En fait, c'est pour Chris. Tu sais, le garçon du Palais de la Crème glacée ?

J'ai dû avoir l'air étonnée parce qu'elle a ajouté :

– Il me fait complètement craquer. Je trouve qu'il est adorable, et toi ?

– Euh... oui. Il est très mignon.

– Tiens, lis ça et dis-moi ce que tu en penses.

Elle m'a tendu son carnet. Visiblement, Vanessa était folle de Chris. C'était incroyable : elle ne le connaissait même pas ! J'ai jeté un coup d'œil à l'un des poèmes.

Un accident nous a réunis,
Rien ne pourra nous séparer.
Dis-moi que tu m'aimes pour la vie,
Je te donne mon cœur tout entier.

– C'est très joli.

Je lui ai rendu son carnet. Que pouvais-je dire d'autre ?

– J'en ai écrit huit. J'espère que ça lui plaira.

Elle a rangé son carnet et s'est blottie dans son lit.

– Tu vas lui montrer tes poèmes ?

Je ne pensais pas que ce soit une très bonne idée, mais je ne savais pas comment le lui dire.

– Bien sûr que non ! Je veux rester son admiratrice secrète. Et ce ne serait plus un secret s'il savait qui a écrit les poèmes.

– C'est vrai. Mais comment tu vas faire ?

– Je pensais les laisser sur le comptoir du Palais de la Crème glacée pour qu'il les trouve.

Elle a bâillé en s'étirant. Ses yeux commençaient à se fermer, et elle a murmuré avant de s'endormir :

– Il va être tellement surpris…

– Oui, ça, c'est sûr.

Je l'ai bordée et je suis sortie doucement. D'abord Alex et Toby – sans parler de Logan, bien sûr – et maintenant Chris. Les choses se compliquaient de plus en plus… il y avait trop de garçons !

9

Samedi

Même en vacances, je pense à écrire pour le journal de bord! Hier soir, j'ai eu un baby-sitting "surprise", grâce à mon père. Sa petite copine Carol est arrivée avec deux enfants : un bébé de huit mois et une petite fille de trois ans. Je les ai trouvés mignons, mais pas au point de sauter de joie quand papa m'a demandé de les garder pendant qu'ils allaient au théâtre.
Mais bon, je ne pouvais pas refuser.
Heureusement que David était à la maison parce qu'il s'est révélé être un très bon baby-sitter.

Au passage, si un des membres du Club des baby-sitters a des conseils pour s'occuper des bébés qui ont la colique, qu'il n'hésite pas à les noter dans le journal de bord...

Carla adore la Californie. Tout lui convient là-bas : le soleil, la chaleur, l'océan, et la grande maison ensoleillée de son père. La vie y est tellement douce (enfin, en temps normal). Elle passait scs journées dans une chaise longue sur la terrasse à se reposer. Son père avait une personne qui s'occupait de tout à la maison, Mme Bruen. Et elle préparait tous les plats préférés de Carla.

En plus, quand Carla venait chez son père, elle retrouvait son petit frère David. Il avait l'air vraiment heureux depuis qu'il avait quitté Stonebrook pour revenir vivre en Californie.

Tout était presque parfait. Presque. A un détail près : Carol, la petite amie de son père. Elle ne savait pas vraiment pourquoi elle ne l'aimait pas, mais il y avait quelquc chose chez elle qui la gênait. D'abord, Carol était tout le temps là. Elle passait tellement de temps à la maison qu'on aurait dit qu'elle faisait partie de la famille. Et ça, Carla ne le supportait pas.

Cet après-midi-là, après son bain de soleil, Carla est rentrée dans la maison pour prendre une douche car elle était couverte de crème solaire. Alors qu'elle sortait de la salle de bains, quelqu'un a sonné à la porte. Son père lui a demandé d'aller ouvrir :

– Mon petit soleil, tu veux bien aller voir qui c'est ?

Il l'appelle toujours « mon petit soleil ».

Quand Carla a ouvert la porte, elle a cru recevoir un seau d'eau froide en pleine figure. Toute sa bonne humeur s'est envolée. C'était Carol.

– Salut ! Regardez qui je vous amène !

Elle avait l'air en pleine forme, et portait un bébé dans les bras. Une petite fille timide était agrippée à sa jambe.

Le père de Carla s'est précipité à leur rencontre. Carla savait qu'il était aussi surpris qu'elle, mais qu'il essayait de ne pas le montrer.

– Ça alors, voilà de la visite !

– Je vous présente deux petits anges : Gregory, qui vient d'avoir huit mois, et Julie, qui a trois ans.

Carla détestait cette voix enjouée. Elle savait pertinemment que ce n'étaient pas ses enfants, alors elle a demandé un peu sèchement :

– Mais, c'est qui ?

– C'est une longue histoire, lui a répondu Carol en entrant dans la maison.

Ils sont allés dans le salon. Carol a posé par terre un sac rempli de couches et elle s'est assise avec le bébé sur ses genoux.

– Une de mes anciennes copines de fac passe ses vacances ici. Comme avec son mari, ils n'ont pas trouvé de baby-sitter pour ce soir, je leur ai proposé de garder leurs enfants pour qu'ils puissent sortir.

– C'est très gentil de ta part, a dit M. Schafer, mais ça tombe mal…

– Pourquoi ?

Il s'est assis à côté d'elle.

– Tu te souviens du spectacle que tu voulais voir au théâtre ?

– Celui qui affichait complet ?

– Eh bien, il faut croire qu'il restait des places.

Il a tiré deux tickets de sa poche.

– Un de mes clients a réussi à m'avoir deux places aux premières loges pour ce soir.

– Oh, non ! Pourquoi tu ne me l'as pas dit avant ?

– Je voulais te faire une surprise.

Carla se tenait un peu à l'écart. Elle se demandait comment elle pouvait s'éclipser poliment. Elle était désolée pour son père, mais ça ne la concernait pas.

Elle se trompait ! Elle s'en est aperçue au moment même où son père s'est écrié :

– Mais j'ai une idée !

Il s'est alors tourné vers Carla, comme s'il venait de se souvenir qu'elle était là.

– Qu'est-ce que vous avez prévu de faire avec David ce soir ?

Carla a passé sa langue sur ses lèvres un peu nerveusement. Elle savait ce qu'il allait se passer.

– On allait... euh... on avait pensé louer une cassette vidéo, je crois.

– Parfait ! a-t-il dit en se frottant les mains. Vous pouvez regarder le film avec les petits.

Carla a fixé son père sans savoir quoi lui répondre. Comme si un bébé allait regarder la télé !

Elle a fini par répliquer sur un ton ironique :

– Tu veux plutôt dire que tu voudrais que je fasse du babysitting ce soir, c'est ça ?

– Eh bien, comme tu n'avais rien prévu de toute façon...

Il avait l'air ravi d'avoir trouvé une solution au problème.

– Oh, s'il te plaît, Carla, est intervenue Carol. Ce serait vraiment sympa.

– Bien entendu, je te paierai.

– Bon, ben…

M. Schafer n'a pas attendu qu'elle finisse sa phrase :

– On fait comme ça alors.

Puis il s'est tourné vers Carol et il a changé de sujet :

– Attends de voir ce qu'on a préparé pour le barbecue de ce soir…

– Tu parles, moi qui voulais passer une bonne soirée tranquille.

David était en train de regarder un film d'Indiana Jones, mais il n'arrivait pas à suivre l'histoire parce que Gregory n'arrêtait pas de pleurer. Il a commencé à s'impatienter :

– Mais qu'est-ce qu'il a, ce bébé, à la fin ?

– Carol a dit qu'il avait la colique.

Carla était ennuyée de voir le bébé souffrir à ce point. Il gigotait dans tous les sens, et rien ne semblait pouvoir le calmer. Elle avait tout essayé : le bercer, lui chanter des chansons… mais il pleurait toujours plus fort. La seule chose qui le calmait, c'était quand elle marchait en le portant dans ses bras.

C'était un véritable cauchemar. Et en plus, Carla ne pouvait pas s'occuper de Julie qui ne savait pas quoi faire et qui s'ennuyait terriblement.

David a décidé d'éteindre la télé et de rembobiner la cassette.

– On regardera ce film demain au calme.

Puis, il a vu Julie près de la fenêtre qui regardait dans le vide.

– Eh, Julie ! Et si on jouait à quelque chose ?

– On n'a pas de jeux pour les tout-petits, lui a rappelé Carla.

« Évidemment, s'est-elle dit, Carol n'a pas pensé à amener des jouets avec elle. »

– Mais on a un jeu de dominos, s'est souvenu David.

– Elle est trop petite pour y jouer.

– Zouer, a répété Julie en s'avançant vers lui.

– J'ai une idée : on va faire un circuit !

Ils se sont installés sur la table basse, et David a montré à Julie comment poser doucement les dominos les uns derrière les autres.

– Doucement, doucement.

Il l'a aidée à mettre le dernier en place et ils ont regardé les dominos tomber en cascade.

– C'est zoli !

Après, ils se sont assis dans le canapé, et David a inventé une histoire de dragon peureux qui voulait être copain avec un lion. Julie était morte de rire quand il faisait des grimaces et changeait de voix. Après ça, il lui a montré comment faire des ombres d'animaux avec les doigts sur le mur.

Finalement, Julie s'est bien amusée et elle s'est endormie sur le tapis du salon. Carla était impressionnée par son frère.

– Tu as été génial. Je ne savais pas que tu t'entendais aussi bien avec les enfants.

David a souri.

– Je ne le savais pas non plus !

Il est allé chercher une couverture pour Julie.

– Tiens, Gregory dort aussi.

– Enfin ! a soupiré Carla. Aide-moi à les monter tous les deux dans ma chambre. Ils seront mieux dans mon lit.

– On ne s'est pas trop mal débrouillés, a conclu David une fois qu'ils étaient redescendus dans le salon.

Il fixait toutefois le plafond d'un œil inquiet comme s'il s'attendait à entendre les enfants pleurer d'une minute à l'autre.

Carla lui a alors demandé :

– Qu'est-ce que tu penses de papa et Carol ?

Elle était pelotonnée dans le canapé avec un coussin sur les genoux. Son frère a haussé les épaules. Il se posait autant de questions qu'elle, mais il ne voulait pas trop en parler.

– Il l'aime bien, c'est tout.

– Tu es sûr que ce n'est pas plus sérieux que ça ? Elle est tout le temps à la maison.

– Ça ne veut rien dire. Je ne crois pas qu'il pense se marier avec elle ou un truc comme ça.

– Comment tu peux en être si sûr ?

David a de nouveau haussé les épaules.

– Je le sais, c'est tout. Ne t'en fais pas.

Carla allait dire quelque chose d'autre, mais David a coupé court à la conversation. Il a pris la télécommande et a remis Indiana Jones. Carla, elle, a dû faire un gros effort pour retenir ses larmes.

– Tu as fait du bon travail ce soir.

M. Schafer a tendu une petite liasse de billets à Carla qui retenait un bâillement. Elle était épuisée. Cela avait été le baby-sitting le plus dur de sa vie.

– Merci, a-t-elle marmonné.

Elle allait regagner sa chambre mais finalement, elle a fait demi-tour pour retourner dans la cuisine. David était en train de se faire un énorme sandwich avec du fromage et de la salade.

– Tiens. C'est ta part.

Elle lui tendait la moitié de l'argent que son père lui avait donné.

– C'est pas la peine.

Il lui a souri et a fait un geste pour refuser.

– Pas question, a dit Carla en fourrant les billets dans sa poche. Tu l'as bien mérité.

En allant se coucher, elle s'est dit, amusée, que peut-être, un jour, David serait aussi un baby-sitter !

10

Samedi

Cher Logan,

Rien de nouveau. Il fait très beau,
nous nous baignons tous les jours,
et les enfants continuent de bien s'entendre.
Que demander de plus ?
J'aimerais juste que tu sois là.
Je pense à toi.

Mary Anne

Vous parlez d'un cas de conscience! J'ai eu un mal fou à écrire à Logan: j'avais peur qu'il lise entre les lignes. J'ai finalement décidé d'en dire le moins possible. Vous avez remarqué que je n'avais pas parlé d'Alex? Comment aurais-je pu? C'était bête, mais je n'osais pas dire à Logan ce qui se passait vraiment...

J'étais tellement excitée samedi après-midi que j'avais l'impression de ne plus toucher terre. Voici ce qui s'est passé. Quand j'ai appelé Alex vendredi soir pour annuler notre rendez-vous à cause de Lucy, il m'a tout de suite demandé si on pouvait se voir le samedi. On irait dîner dans un restaurant de fruits de mer. J'ai passé en revue tous les vêtements que j'avais amenés pendant au moins une demi-heure, sans rien trouver à mettre. Je n'avais pris que des tenues dans lesquelles je me sentais à l'aise, mais rien qui fasse un peu habillé. On allait manger dans un « vrai » restaurant (pas comme le Jardin du Hamburger), et je voulais me faire jolie.

J'étais en train de me dire que j'allais demander à Lucy de me prêter sa robe rouge quand elle est entrée dans la chambre. Elle est allée droit au placard pour sortir la fameuse robe rouge et la poser sur le lit.

– Wouah! On dirait que tu lis dans mes pensées.

– Pourquoi tu dis ça?

Elle avait les cheveux mouillés et se passait les doigts dedans pour les démêler.

– Ben, j'allais justement te demander de me prêter cette robe.

Elle a haussé les épaules. En enlevant son tee-shirt, elle m'a dit:

– J'aurais bien voulu mais j'en ai besoin ce soir.

– Oh, bien sûr. Je comprends.

Je n'ai pas insisté. Je déteste emprunter les affaires des autres, et je ne voulais surtout pas la forcer à me prêter quelque chose dont elle avait besoin. Et puis, j'ai réalisé !

– Attends un peu… Pourquoi veux-tu la mettre ce soir ?

Lucy s'est assise devant la coiffeuse et a débouché un flacon de vernis à ongles. Elle m'a annoncé d'une voix calme qui m'a mise hors de moi :

– Pour aller manger dehors ce soir, tiens donc.

Je n'en croyais pas mes oreilles.

– Tu sors ? Tu as rendez-vous ?

Elle a hésité une seconde, puis m'a répondu :

– Hum… oui, c'est ça.

– Mais Lucy ! Tu te rends compte de ce que tu fais ?

Je n'en revenais pas qu'elle puisse agir comme ça. Je me suis écroulée sur le lit, sans pouvoir faire autre chose que la regarder se vernir les ongles. Elle s'obstinait à ne pas me regarder.

– Tu es déjà sortie hier soir, tu ne t'en souviens pas ?

Lucy a ouvert la bouche pour dire quelque chose, mais j'avais décidé que je n'allais pas me laisser faire encore une fois. J'ai aussitôt continué :

– Alors que ça te plaise ou non, je sors ce soir. Et toi, tu vas rester ici avec les enfants. C'est ce qui était prévu.

Pour couper court à la conversation, j'ai pris une serviette, et je suis allée prendre une douche. J'avais le visage en feu. Lucy m'a rattrapée dans le couloir. J'ai pu constater avec beaucoup de plaisir que, en courant derrière moi, elle avait complètement saccagé ses ongles.

– Écoute, Mary Anne, a-t-elle dit d'un ton enjôleur. Je ne

voulais pas t'embêter. Mais, comme j'ai passé une soirée merveilleuse avec Toby hier, je me disais que cela ne te dérangerait pas de me laisser sortir avec lui encore ce soir.

– Tu pensais que ça ne me dérangerait pas? ai-je répété d'un ton glacial.

J'avais le cœur qui battait à cent à l'heure. J'étais à bout de nerfs, mais j'ai tenu bon.

– Tu pourras prendre deux soirs de congé la semaine prochaine, si tu veux.

Elle croyait me faire une faveur ou quoi? Elle a continué:

– Comme ça, on sera à égalité. Qu'est-ce que tu en dis?

– Non, Lucy. On ne sera pas à égalité. Je sors ce soir, et tu m'excuseras, mais je dois me préparer.

Il n'y avait rien d'autre à ajouter. Je lui ai tourné le dos, et je suis allée prendre ma douche.

– C'est très agréable comme endroit.

J'étais avec Alex au restaurant. Nous étions installés à une table un peu à l'écart. Il y avait tellement de choses appétissantes sur la carte, que j'avais du mal à me décider. En fait, j'étais un peu nerveuse d'être assise en face de lui. Se promener au bord de la mer est une chose, mais se retrouver au restaurant toute bien habillée en était une autre. Comme si on avait un vrai rendez-vous. Plus j'y pensais, et plus je me sentais mal à l'aise. C'était pourtant bien ce que j'avais souhaité: un « vrai » rendez-vous avec Alex. Mais Logan dans tout ça?

Alex m'a tirée de mes pensées:

– La Terre appelle Mary Anne. Vous me recevez?

Il souriait car la serveuse était debout devant nous et je ne l'avais pas vue arriver. Prête ou pas, il fallait que je passe ma commande. Elle avait son carnet ouvert et attendait que je me décide.

– Humm… Je crois que je vais prendre une tourte au crabe. Avec des frites et un thé glacé.

Quand elle est repartie, on est restés à se regarder sans rien dire. Qu'est-ce qu'on allait bien pouvoir se raconter pendant toute la soirée ?

J'ai fini par bredouiller :

– Wouah ! Je crois qu'on est arrivés au bon moment.

Alex n'avait pas l'air de comprendre.

– Au bon moment ?

– Oui. Il n'y a pas encore trop de monde. Enfin, il n'est pas trop tôt, mais il n'est pas trop tard non plus.

J'en bégayais tellement j'étais nerveuse.

Alex ne savait pas quoi dire après une remarque aussi débile. Il s'est finalement contenté de fixer un point quelque part au-dessus de ma tête. J'avais envie de me tourner pour voir ce qu'il regardait comme ça, mais je me doutais qu'il n'y avait rien d'autre que le trophée d'un poisson géant accroché au mur.

Après un long silence, et parce que je pensais encore au poisson suspendu derrière moi, j'ai dit :

– Ils doivent avoir beaucoup de poisson au menu.

J'aurais mieux fait de ne rien dire. Je m'en serais mordu la langue. Bien sûr qu'ils avaient beaucoup de poisson au menu ! C'était un restaurant de fruits de mer, il n'y allait quand même pas y avoir des pizzas ! ! !

Alex a approuvé d'un hochement de tête poli, mais je crois qu'il devait me trouver horriblement ennuyeuse. Pourquoi je n'arrivais pas à trouver des choses intéressantes à dire comme les autres filles? J'ai pensé qu'il fallait que je demande à Lucy de quoi elle parlait pendant ses rendez-vous. Mais je me suis rappelé aussitôt qu'elle devait encore m'en vouloir. Elle était en train de fairc du baby-sitting avec Mallory au lieu de dîner au restaurant avec un amoureux... Et, en fait, je crois que j'aurais préféré être à sa place!

On aurait pu passer toute la soirée à se morfondre mais, heureusement, quelque chose a détendu l'atmosphère. La serveuse est revenue avec un homard pour Alex et elle lui a passé autour du cou une espèce de bavoir avec un gros homard imprimé dessus. Il n'avait pas l'air étonné. Je suppose que c'est ce qu'il avait commandé et qu'il s'attendait à tout ça, mais je n'ai pas pu me retenir d'éclater de rire. Il avait vraiment l'air trop drôle avec ce truc! Et quand Alex m'a vue rire, il s'y est mis aussi. A partir de là, je me suis sentie beaucoup plus à l'aise. On a passé le reste du repas à se raconter des tas de trucs sans jamais s'ennuyer.

Puis, on est allés sur la promenade au bord de la mer. Il y avait des stands de jeux et Alex a essayé de gagner une peluche pour moi au lancer de balles. Au bout de vingt minutes et trois dollars, il a enfin réussi. J'ai choisi un gros hippopotame mauve.

– Tu es sûre que tu ne veux pas un panda plutôt? Ou peut-être un chimpanzé?

– Pas question. Un hippo mauve, c'est très bien.

J'ai serré mon nouveau nounours dans mes bras.

Je ne sais pas quoi vous raconter d'autre du reste de la soirée, sinon que c'était merveilleux.

On a passé encore une heure à se promener, puis on a fait un tour sur la grande roue. Alex faisait semblant de se plaindre parce que j'avais mis l'hippopotame entre nous, mais c'était pour rire. C'était une belle nuit et on voyait très bien les étoiles dans le ciel. On a essayé de reconnaître des constellations sur le chemin du retour. Il m'a montré Orion et moi la Petite Ourse. On aurait voulu que la soirée ne finisse jamais.

Quand on est arrivés devant la maison des Pike, Alex m'a taquinée. Il m'a dit d'une voix très sérieuse :

– Mary Anne, est-ce que je peux te demander une faveur ?

J'étais étonnée de le voir si sérieux. Je me suis tournée vers lui.

– Bien sûr. Qu'est-ce que c'est ?

Avec un grand sourire sur les lèvres, il m'a répondu :

– La prochaine fois qu'on sortira ensemble, tu pourras laisser ton ami à la maison ?

J'ai serré fort mon hippopotame mauve dans mes bras et j'ai fait au revoir à Alex. Une fois dans ma chambre, j'ai contemplé l'océan par la fenêtre pendant un long moment. « La prochaine fois qu'on sortira ensemble... » C'était bien ce que je voulais, non ? Alex était si drôle, si tendre... bien sûr que j'avais envie de le revoir. Alors pourquoi est-ce que je me sentais coupable ? « Parce que tu as promis que tu serais toujours fidèle à Logan », m'a rappelé une petite voix dans ma tête.

J'ai entendu Lucy faire du bruit dans la cuisine, au rez-de-chaussée, alors je me suis dépêchée de me mettre en pyjama et de me coucher. Je n'avais envie de parler à personne. Je venais de passer une soirée formidable, mais qui remettait beaucoup de choses en question, et il fallait que je démêle tout ça.

11

Mercredi

Chère Jessi,

Les choses se compliquent ici, et tout ça, à cause des garçons ! Ça ressemble un peu à un feuilleton à l'eau de rose, pourtant je peux te jurer que ça se passe dans la vraie vie. Je ne sais pas comment ça va finir, mais j'ai l'impression que ça va de pire en pire ! Je te tiendrai au courant. J'embrasse tous ceux qui sont restés à Stonebrook.

Mary Anne

– Est-ce que vous êtes sûres de vouloir aller en ville aujourd'hui ?

Il était neuf heures et demie du matin, et je venais juste de finir la vaisselle du petit déjeuner avec Lucy.

– Oui, oui, on veut y aller ! a répondu Vanessa. On adore Sea City, pas vrai, Margot ?

Elle a hoché la tête, surtout qu'elle voulait éviter d'avoir à jouer avec Claire. Vanessa a insisté :

– Alors, on peut y aller ? S'il te plaît !

Elle s'est mise à nous tourner autour en sautillant. En voyant que j'hésitais, Lucy a dit :

– C'est bon, vous pouvez y aller. J'emmènerai les garçons à la plage dès qu'ils seront prêts.

– Je viens avec toi, est intervenue Mallory. Mon bronzage n'est pas encore au point.

Vanessa a sauté de joie en jetant sa casquette en l'air.

– Youpi !

Maintenant que j'y pense, je suis étonnée de ne pas avoir compris tout de suite pourquoi Vanessa voulait tellement aller en ville. J'espère que vous avez deviné que c'était à cause d'un certain Chris.

Les filles et moi, nous ne sommes arrivées sur la promenade qu'à onze heures. Il faisait frais et il y avait plein de touristes.

– Est-ce qu'on peut aller à la boutique de souvenirs ? a demandé Margot. J'ai pris de l'argent.

On s'est arrêtées dans une boutique qui vendait des tonnes de babioles en coquillages. Il y avait des boîtes à bijoux et des miroirs décorés avec de minuscules coquillages blancs et roses, une boîte à musique en forme de coquille Saint-

Jacques, et des dizaines de porte-clés. Tout était un peu trop cher pour Margot, alors je lui ai conseillé d'acheter un gros coquillage dans lequel on entend la mer.

– Mais c'est pas marqué Sea City dessus !

– Ce n'est pas grave. Il est très joli quand même, et chaque fois que tu le colleras à ton oreille, tu entendras la mer.

Margot n'avait pas l'air convaincue et Vanessa commençait à s'impatienter.

– Tu te décides, Margot ? lui a-t-elle demandé, excédée. Tu veux acheter un coquillage, oui ou non ?

– Celui-là, c'est juste un coquillage tout bête. Je peux en ramasser des tas comme ça sur la plage.

– Mais tu n'en as encore jamais trouvé. Et ça, qu'est-ce que tu en penses ?

C'était une jolie boule transparente remplie de sable, attachée à un ruban de satin.

– Oh, c'est beau ! Qu'est-ce que c'est ?

– C'est une décoration de Noël, lui ai-je dit. Tu pourras l'accrocher sur le sapin tous les ans, ça te rappellera Sea City et l'océan, alors qu'il neigera à Stonebrook.

– Ouais, j'adore !

Margot avait tout juste de quoi payer. Elle est allée à la caisse avec Vanessa pendant que je flânais encore dans les rayons. J'ai vu un tee-shirt noir que Carla aurait adoré. Il y avait écrit Sea City en travers, et on aurait dit que les lettres avaient été tracées avec du rouge à lèvres. Mais ce n'était pas mon style. J'ai finalement acheté deux tasses, une pour mon père et une pour Sharon, avec Sea City marqué en toutes petites lettres dans le bas. J'ai même trouvé un jouet pour Tigrou.

Après, on est allées au Pays des Trampolines, qui est un des endroits préférés de Margot. Elle a immédiatement entraîné Claire avec elle sur un trampoline géant. Vanessa et moi sommes restées à les regarder sur le côté. J'ai le vertige rien qu'en regardant les gens sauter en l'air sur les trampolines, et je n'ai jamais compris pourquoi cela plaisait tant à Margot. D'autant plus qu'un rien la rend malade. Il suffit qu'elle monte dans une voiture pour avoir mal au cœur, mais rebondir à plusieurs mètres au-dessus du sol, ça ne lui faisait rien !

Enfin, d'habitude, ça ne lui faisait rien. Sauf cette fois.

On aurait dit un ressort humain. Cela faisait bien vingt minutes qu'elle n'arrêtait pas de rebondir de plus en plus haut quand j'ai remarqué qu'elle était un peu pâle.

– Tu ne trouves pas que ta sœur est un peu... blanche ?

Vanessa m'a aussitôt corrigée :

– Tu veux dire qu'elle est toute verte, oui ! Mary Anne, fais quelque chose. Elle va être malade !

– Oh non !

Vanessa avait raison. Il fallait faire vite. Margot avait les yeux vitreux et le visage tout congestionné. Elle était malade et, d'ici peu, tout le monde allait pouvoir s'en rendre compte.

– Qu'est-ce que je peux faire ? Pourquoi elle continue à sauter comme ça ?

– Elle n'arrive pas à s'arrêter. Elle a dû essayer d'aller sur le côté, mais il y a plein de monde partout. Tu sais, on ne sort pas d'un trampoline si facilement.

Vanessa avait encore raison. Une fois sur le trampoline, on ne pouvait faire autrement que d'être emporté par le mouvement. J'avais déjà vu des parents qui venaient récupérer leur enfant se retrouver à faire des bonds aussi sans le vouloir.

– Il faut que j'aille la chercher.

J'ai respiré un bon coup pour me donner du courage. Je me sentais un peu bête de rebondir comme un kangourou, mais c'était la seule façon d'atteindre Margot. En plus, c'était mon rôle de baby-sitter de la sortir de là.

– Tiens bon, Margot, l'ai-je encouragée.

J'ai finalement réussi à l'attraper au vol pour l'emmener avec moi sur le bord. Une fois par terre, je l'ai laissée reprendre son souffle. Elle a titubé un bon moment avant de se sentir mieux. Claire nous avait rejointes.

– Bah alors, ça va pas, Margot-petite-bêbête-gluante ?

Vanessa trépignait d'impatience.

– Bon, maintenant, on va au Palais de la Crème glacée, a-t-elle dit en se dirigeant vers la sortie.

J'étais atterrée.

– Vanessa, tu pourrais attendre un peu. Margot a failli être malade pour de bon. Laisse-lui au moins le temps de récupérer.

Elle a haussé les épaules.

– Rien de tel qu'une bonne glace pour te remettre l'estomac en place.

Mais je n'ai pas cédé et on est allées au golf miniature pour regarder les gens jouer.

On y est restées près d'une demi-heure mais Vanessa s'est de nouveau impatientée.

– Bon, quand est-ce qu'on va au Palais de la Crème glacée ?

Je ne l'avais jamais vue aussi capricieuse.

– On peut y aller maintenant. Margot a l'air de se sentir mieux, et...

Je n'ai même pas pu finir ma phrase que Vanessa était déjà partie. Je me demandais bien pourquoi il fallait absolument aller là-bas. J'aurais dû deviner !

– Nous y voilà ! a-t-elle murmuré en arrivant.

Elle avait dit ça tellement bas que j'ai été la seule à l'entendre. J'ai suivi son regard et j'ai vu Chris derrière le comptoir. Elle m'a alors annoncé fièrement :

– Je lui ai déjà laissé trois poèmes.

– Tu as fait quoi ?

– Je me suis arrangée pour venir ici trois fois depuis vendredi, et je lui ai laissé chaque fois un poème sur le comptoir.

– Je ne pensais pas que tu allais vraiment le faire.

Je me suis sentie très mal, et je regrettais de ne pas avoir essayé de discuter un peu plus avec elle.

– Je t'avais pourtant dit que je le ferais. C'était la seule façon de lui faire savoir ce que je ressens pour lui. Et bientôt, je saurai ce qu'il pense de moi.

Chris nous a vues arriver et il a aussitôt engagé la conversation avec Vanessa. Il s'intéressait peut-être à elle après tout. Pourquoi pas ? En tout cas, il semblait très curieux de savoir où on habitait, et combien de temps on allait rester à Sea City. Pendant ce temps-là, il nous a préparé quatre sundaes avec un nappage de chocolat chaud. Cette fois-ci, il n'y a pas eu de catastrophe. J'avais remarqué que son patron gardait un œil attentif sur lui. Je pense qu'il s'en était aussi rendu compte et qu'il faisait très attention.

Vanessa n'en finissait plus de manger son sundae, elle traînait exprès pour pouvoir rester avec Chris le plus longtemps possible. Mais on ne pouvait pas passer toute la journée là ! J'ai décidé qu'il était temps de partir et nous étions sur le point de passer la porte quand Chris nous a rattrapées.

– Hé, Vanessa !

Il essayait d'être le plus discret possible et j'ai dû tendre l'oreille pour entendre ce qu'il voulait lui dire.

– Tu peux me rendre un service, s'il te plaît?

– Bien sûr!

– Dis à Mallory que je pourrais sortir avec elle samedi soir, d'accord?

Vanessa en est restée bouche bée. Moi aussi. Il voulait sortir avec Mallory samedi soir?

Il ne la connaissait même pas! En plus, elle ne devait pas l'avoir remarqué. Alors comment avait-il pu se mettre dans la tête qu'elle...? Mais, bien sûr! C'était évident! Les poèmes. Chris avait dû croire qu'ils venaient de Mallory. J'ai essayé de me souvenir de ce que Vanessa m'avait fait lire l'autre soir. Son poème parlait d'un accident qui les avait réunis... C'est ce qui avait trompé Chris. Il avait dû se souvenir de s'être cogné la tête avec Mallory et c'est donc à elle qu'il avait pensé en lisant le poème. Quel méli-mélo!

Tout se tenait. En plus, Chris devait avoir dans les douze ans, et Mallory onze, alors que Vanessa n'en a que neuf. A cet âge-là, trois ans, ça fait une différence terrible. Chris devait voir Vanessa comme un bébé et Mallory comme une jolie fille.

J'ai attendu qu'on soit loin du Palais de la Crème glacée pour demander à Vanessa:

– Qu'est-ce que tu vas faire?

Elle a haussé les épaules. Ses yeux étaient tout brillants.

– Je ne sais pas. Comment ai-je pu être aussi bête?

Elle avait l'air vraiment très triste.

Claire a interrompu notre conversation et m'a occupée jusqu'à ce qu'on arrive à la maison. Il y avait plein de choses à faire en arrivant, et je n'ai pas eu le temps de reprendre ma conversation avec Vanessa. Quand j'ai enfin eu un moment de libre, Mme Pike m'a dit que Vanessa était en train de faire une sieste.

Une sieste à quatre heures et demie de l'après-midi ? Je suis montée à l'étage sur la pointe des pieds et j'ai écouté à la porte de sa chambre. Aucun bruit. Je suis restée plantée là un moment, puis je suis redescendue. J'étais très inquiète.

12

JEUDI

Ce devait être le baby-sitting le plus cool de l'été,
mais c'est devenu une véritable chasse à l'homme.
Je devrais plutôt dire une chasse au hamster !
Je gardais Becca, P'tit bout et Charlotte Johanssen.
Il faisait si chaud qu'on a décidé de rester à l'intérieur
avec l'air conditionné. Becca et Charlotte jouaient à la
marchande, P'tit Bout déambulait dans la maison comme
d'habitude et moi, je lisais tranquillement sur le canapé.
Et tout à coup, Becca et Charlotte se sont rendu
compte que Frodo, le hamster des Pike n'était plus dans
sa cage. Je me suis dit qu'il ne fallait pas paniquer, et j'ai
réfléchi aux endroits où un hamster pouvait se cacher...
c'est-à-dire un peu partout ! J'ai eu une de ces peurs !

Il y a des jours où on croit que ça va être le calme plat et puis, boum ! une catastrophe vous tombe dessus sans crier gare.

C'est ce qui est arrivé à Jessica Ramsey l'autre jour. Elle devait garder Becca et P'tit Bout parce que sa mère avait un entretien d'embauche et que son père était au bureau. Elle a été contente de voir Charlotte Johanssen venir sonner à la porte pour jouer avec Becca. Charlotte est fille unique et c'est aussi l'enfant que les membres du Club des baby-sitters préfèrent garder, surtout Lucy. Elle est adorable, très intelligente et très douce. Elle s'entend bien avec Becca et toutes les deux ne manquent pas d'imagination quand il s'agit de trouver quelque chose à faire.

– Et si on jouait au Docteur Maboul ? ou aux petits chevaux ? a proposé Becca.

Charlotte s'est assise sur la banquette à côté de la fenêtre et a répondu :

– Je n'ai pas tellement envie de jouer à un jeu de société.

– Si on jouait à la marchande de bonbons alors ?

C'était un jeu qui pouvait les occuper toute la journée. Elles s'amusaient à être la marchande et la cliente à tour de rôle. Et toutes les deux adoraient les bonbons.

– Qu'est-ce que vous avez comme sucre d'orge ?

Charlotte s'est assise à la table basse comme si c'était le comptoir.

– Nous avons des sucres d'orge à la cerise. Ils sont vraiment délicieux ! Il y a aussi, bien sûr, les sucres d'orge à la réglisse, que vous connaissez déjà. Vous voulez goûter quelque chose ? Je vous en offre un gratuit.

– Je n'arrive pas à me décider.

Becca hésitait en se grattant le menton, puis elle a enchaîné :

– J'étais venue ici parce que je voulais quelque chose de *vraiment* différent.

– Quelque chose de vraiment différent ? Vous avez bien fait de venir ici.

Charlotte a plongé sous la table basse et elle a fait semblant de tirer un panier de bonbons qu'elle a posé devant Becca.

– Voilà ce que nous avons reçu aujourd'hui.

– Qu'est-ce que c'est ?

– Des chewing-gums au Coca. Ils sont en forme de petites bouteilles, en plus, c'est mignon.

– Wouah ! Je n'en avais jamais vu !

– Nous sommes les seuls en ville a en avoir.

Jessi écoutait d'une oreille distraite ce que disaient les filles et elle jetait de temps en temps un coup d'œil à P'tit Bout. Il ne marchait pas encore très bien, mais il ne risquait rien dans la maison des Ramsey. Tout était prévu pour qu'il ne puisse pas se faire mal en tombant. C'est pour ça que Jessi ne s'est pas inquiétée quand il s'est dirigé vers la cuisine. Elle a même laissé la télé allumée avec son émission favorite au cas où il déciderait de revenir s'installer dans le salon. Elle s'est replongée dans son roman jusqu'à ce qu'un jingle attire son attention. C'était le jeu *Pareil, pas pareil* où des enfants doivent trouver l'intrus parmi un groupe d'objets. C'était plutôt amusant et le public riait beaucoup. Les enfants avaient décidé qu'un batteur électrique n'allait pas avec un chien, un chat et un cochon. Le présentateur leur a demandé pourquoi, et ils se sont écriés :

– Parce que c'est pas pareil !

– Mais qu'est-ce qui irait avec le chien, le chat et le cochon, alors ?

– La chèvre ! ont-ils crié en chœur.

– Et pourquoi ?

– Parce que c'est pareil ! Ce sont tous des a-ni-maux ! ! !

– Vous avez raison, bravo !

Jessi a entendu quelqu'un applaudir derrière elle. C'était P'tit Bout, qui était assis par terre à l'entrée de la pièce.

– Eh, P'tit Bout ! Ça te plaît ?

Il l'a regardée avec un grand sourire, puis s'est relevé pour retourner dans la cuisine. Jessi a repris sa lecture.

Vingt minutes plus tard, le drame a commencé. Becca et Charlotte sont entrées en trombe dans la pièce en hurlant :

– Jessi ! Frodo n'est plus là !

Jessica a sauté sur ses pieds.

– Frodo ? Ce n'est pas possible, je lui ai donné à manger ce matin. Quand je l'ai laissé, il se roulait en boule pour dormir.

– Eh bien, maintenant, il n'est plus là.

Jessi s'est aussitôt précipitée dans la cuisine. La cage était bien vide.

– Oh non !

Les Pike lui avaient confié Frodo, et elle avait vraiment fait attention à lui. Ils lui faisaient confiance parce qu'elle aussi avait un hamster et qu'elle savait s'en occuper. Par exemple, elle savait qu'il ne fallait pas le sortir de sa cage sauf pour la nettoyer, ou pour jouer avec lui. Sinon, on était à peu près certain de le perdre. Becca a demandé d'un air anxieux :

– Qu'est-ce qu'on va faire ?

– Le chercher, tiens ! On va se séparer en plusieurs groupes. Il faut regarder dans toute la maison, il peut être n'importe où.

– Mais par où on commence ?

Charlotte avait raison, il fallait s'organiser. Jessi a réfléchi.

– Bon, de toute façon, il est quelque part dans la maison.

Elle ne voulait même pas imaginer qu'il puisse s'être échappé dehors ! Elle s'est adressée aux filles :

– On va regarder sous toutes les tables et les chaises. Les hamsters adorent se cacher. Vérifiez partout où il peut se glisser. N'oubliez pas les placards.

Au bout d'un quart d'heure de recherches intensives, Becca a crié dans les escaliers :

– Jessi ! Monte voir. Je l'ai retrouvé ! Il était dans ma chambre.

– Ouf ! Où était-il passé ?

Jessi était tout essoufflée. Elle venait de grimper les marches deux par deux. Becca et Charlotte étaient agenouillées par terre à côté de la cage de Brume, le hamster des Ramsey. Et dedans, il y avait deux petites boules de poils pelotonnées l'une contre l'autre. C'était trop mignon !

– Il était dans la cage de Brume !

– Je me demande comment il a fait pour entrer dedans ! a dit Becca en le caressant.

Jessi n'en savait pas plus qu'elle.

– Je n'en ai pas la moindre idée. Il n'a certainement pas pu ouvrir la cage tout seul !

L'idée a beaucoup fait rire Becca et Charlotte.

– Et maintenant, qu'est-ce qu'on fait ? a demandé Charlotte.

Jessi a délicatement soulevé Frodo qui était tout ensommeillé.

– Il va retourner dans sa cage, dans la cuisine. Il n'aurait jamais dû la quitter.

En redescendant, elle réfléchissait à ce qui venait de se passer. Il n'y avait qu'une explication possible : Becca. Elle avait certainement dû penser que Frodo s'ennuyait tout seul et que ce serait rigolo de le mettre avec Brume pour lui tenir compagnie. Il fallait tirer ça au clair.

– Becca ! Je sais que tu ne voulais pas mal faire, mais ce n'était pas une bonne idée de mettre Frodo dans la cage de Brume.

– Mais c'est pas moi ! J'ai rien fait ! Je ne me suis même pas approchée de lui.

– Écoute, Becca, Frodo n'a pas pu venir tout seul dans la cage de Brume.

Jessi parlait d'une voix douce pour ne pas braquer sa sœur. Elle ne voulait pas la gronder.

– Mais j'ai rien fait ! J'aurais jamais fait un truc comme ça. Et s'ils ne s'entendaient pas bien ? Et si Frodo mangeait la nourriture de Brume ? Je n'aurais pas risqué de faire du mal à Brume.

Jessi savait que c'était vrai, que Becca ne mentait pas, mais alors que s'était-il passé ?

Quand elle a remis Frodo dans sa cage, P'tit Bout a protesté :

– Non ! Non ! Pareil ! Pareil !

Elle l'a regardé, surprise.

– Qu'est-ce qui se passe, P'tit Bout ?

Elle a refermé la porte grillagée et elle est allée se laver les mains. Son frère s'est précipité sur la cage pour essayer de l'ouvrir.

– Ouvre !

Jessi s'est agenouillée à côté de lui et lui a dit :

– Frodo doit rester dans sa cage.

Mais P'tit Bout ne voulait rien entendre. Il continuait à tirer sur la porte de la cage.

– Pareil ! Pareil !

C'est là que Jessica a tout compris. Il avait mis les deux hamsters ensemble parce qu'ils étaient pareils, et donc ils allaient ensemble. Comme dans le jeu à la télé. Il avait tout compris aux règles !

– Wouah !

P'tit Bout était drôlement intelligent pour son âge ! Un vrai petit génie ! Jessi était impatiente de tout raconter à ses parents.

13

Vendredi

Chère Kristy,

Je ne pensais pas que ça pourrait arriver un jour, mais Lucy est en train de me rendre folle ! Ça ne va pas très bien pour elle et c'est sur moi qu'elle passe ses nerfs.

Et tout ça, à cause des garçons.

Les garçons, ça complique tout, tu ne trouves pas ?

Quand je pense qu'on quitte Sea City demain...

On s'est super bien amusées, mais je crois que je suis quand même impatiente de rentrer à Stonebrook.

Quand tu recevras cette lettre, je serai peut-être déjà là et je t'aurai sans doute tout raconté en détail. Bisous.

Mary Anne

Je ne voulais pas trop en dire sur la carte postale, mais Lucy et moi, on s'est vraiment disputées. Tout ça parce que Toby l'a laissée tomber jeudi soir.

Je ne l'ai su que le vendredi soir après le dîner mais elle a été odieuse toute la journée. Ça a commencé dès le matin: Lucy est sortie de la salle de bains furieuse.

– Tu as encore utilisé ma serviette!

– Non, je n'ai *pas* utilisé ta serviette.

Je suis restée calme. Je déteste les disputes mais je n'allais quand même pas m'excuser pour une chose que je n'avais pas faite. J'avais remarqué que la meilleure chose à faire quand Lucy était de mauvaise humeur, c'était de l'ignorer.

– Tu mens!

Elle s'était plantée devant moi pour me toiser. J'ai essayé de ne pas m'énerver.

– Écoute, Lucy, je te rappelle que *ma* serviette a des fleurs bleues avec le cœur jaune, tandis que *ta* serviette a des fleurs jaunes avec le cœur bleu.

Elle a froncé les sourcils.

– Les fleurs jaunes avec...

– C'est ça!

Je lui ai tourné le dos, et j'ai continué à plier mes affaires. Je savais qu'on allait avoir beaucoup de choses à faire demain avant de partir, alors je prenais un peu d'avance en rangeant mes vêtements.

– Bon, eh bien, peut-être que tu as raison pour les serviettes.

Il fallait bien qu'elle admette son erreur mais elle est restée plantée devant moi. Et je voyais qu'elle cherchait quelque chose à me reprocher.

– Je ne comprends pas pourquoi tu ranges tes affaires maintenant !

– J'aime bien être organisée. Il y aura tellement de choses à faire demain matin.

– Tu es tellement maniaque. Je trouve que c'est terriblement ennuyeux. Je ne supporterais pas d'être comme ça.

– Ça ne risque pas !

En jetant un coup d'œil sur ses produits de maquillage étalés sur la commode, je me suis dit que ce n'était pas près de lui arriver. Elle a alors passé une main sur mes tee-shirts pliés, et a ajouté :

– Cela m'étonne que tu ne repasses pas aussi tes sous-vêtements, toi qui es *si* soigneuse. A moins que tu le fasses en cachette pendant que tout le monde dort.

Et elle s'est dépêchée de quitter la pièce pour ne pas me laisser le temps de réagir.

Elle ne m'a rien dit à propos de Toby de toute la journée. Ce n'est que le soir que j'ai appris la nouvelle. Lucy s'était un peu calmée après le dîner. Avec Mallory, nous étions toutes les trois sous la véranda. La nuit tombait et une petite brise marine rafraîchissait l'air. J'adore ce moment de la journée où tout est calme.

– C'est le dernier soir. Ça va être le moment de dire au revoir.

J'ai soupiré en pensant à Alex. Lucy a haussé les épaules et a annoncé d'une voix blanche :

– Toby m'a déjà dit au revoir. Hier soir.

Puis elle a enfoui sa tête dans ses bras et on l'a entendue sangloter. Mallory était aussi surprise que moi et on s'est regardées sans savoir quoi dire. Elle s'est penchée vers Lucy.

– Mais pourquoi hier ?

Lucy a relevé la tête. Elle avait les yeux pleins de larmes.

– Il m'a plaquée. Vous vous rendez compte ?

Mallory en est restée bouche bée. J'ai alors demandé :

– Pourquoi ? Vous vous êtes disputés ?

– Pas du tout. On ne s'est jamais disputés.

– Mais qu'est-ce qui s'est passé ?

Elle a poussé un grand soupir.

– Je ne sais pas. Il m'a juste dit qu'il avait passé deux semaines formidables avec moi, mais que c'était fini. Il m'a dit aussi que, si on restait ensemble, il ne pourrait pas avoir d'autre petite copine en rentrant chez lui.

– Wouah ! a fait Mallory.

J'ai alors pensé à Logan et je me suis sentie un peu coupable.

– Mais vous pourriez avoir un petit copain ou une petite copine chacun de votre côté, tout en restant en contact, non ?

Lucy a secoué la tête.

– Il ne voit pas les choses comme ça.

Elle s'est relevée, s'est avancée vers la balustrade et a soupiré :

– Tu as vraiment de la chance, Mary Anne, d'avoir Logan qui t'attend à Stonebrook. Comme tu le dis si bien, c'est ton grand amour. Ce doit être agréable d'avoir quelqu'un sur qui on peut compter.

Sur ce, Margot et Claire sont arrivées et la conversation s'est arrêtée là. Mais je n'ai pas pu m'empêcher de penser à Alex et à Logan… la situation n'était vraiment pas très claire. Chaque fois que je m'étais retrouvée avec Alex, on avait passé de super moments. Peut-être même que j'étais amoureuse de lui. Mais je n'en étais pas sûre. Et, quand je pensais à Logan, à sa voix douce et à son sourire si tendre, je me disais que j'étais amoureuse de lui. On ne peut pas être amoureuse de deux personnes à la fois, quand même ! Ou peut-être que si. Je n'en savais rien.

Je devais passer ma dernière soirée à Sea City avec Alex au « vrai » restaurant. On s'était tellement amusés la dernière fois qu'on avait décidé d'y retourner. Mais ça s'est révélé être une très mauvaise idée. Tout a été différent cette fois-ci, allez savoir pourquoi.

D'abord, Alex n'avait rien à dire. Ce qui, bien sûr, ne m'a pas du tout détendue et, dans ces moments-là, je me retrouve incapable de dire quoi que ce soit. Alors on est restés l'un à côté de l'autre sans dire un mot. C'était un véritable calvaire. J'ai cru que j'allais devenir folle. Je me suis forcée à dire quelque chose, juste pour rompre le silence. J'ai pris le premier prétexte venu et j'ai proposé :

– Et si on faisait quelque chose de fou ? D'accord ? On va dire que la règle de ce soir, c'est de ne commander ni poisson ni fruits de mer.

Alex m'a adressé un sourire poli. Il devait penser que j'étais devenue complètement folle.

– C'est comme tu veux.

Il a regardé le menu et a ajouté d'un air perplexe :

– On ne va pas avoir beaucoup de choix. C'est quand même un restaurant de fruits de mer.

– Ce n'est pas grave, on va bien trouver. Et puis, il faut relever le défi.

J'ai essayé de rire, mais je n'étais pas très convaincante. Je commençais à regretter d'avoir lancé cette idée débile.

Alex a de nouveau souri, mais je voyais bien que le cœur n'y était pas. Il s'est plongé dans le menu et a dit après quelques minutes de réflexion :

– On pourrait peut-être essayer les spaghettis ?

– Ah non ! C'est une sauce aux moules.

– Oh, pardon, je n'avais pas fait attention.

Il s'est replongé dans le menu et a finalement proposé :

– Et le sandwich sous-marin géant, qu'est-ce que tu en penses ? Je suis sûr qu'il n'y a pas de poisson dedans.

– Ça ne me paraît pas mal du tout !

J'avais dit ça sur le ton le plus enjoué possible. Vu la situation, cela devait faire un peu bizarre. Quand la serveuse a posé les sandwichs devant nous, je me suis dit que ça allait être un vrai massacre. On n'aurait jamais dû commander ça, c'était énorme ! Je me demandais bien comment j'allais pouvoir manger un sandwich pareil sans m'en mettre partout. J'imaginais déjà la première bouchée avec la mayonnaise qui dégouline, le jambon qui atterrit sur les genoux, et les tranches de tomate qui dépassent de la bouchc ! Très romantique... En plus, ils étaient tellement gros qu'on n'allait jamais pouvoir tout finir. On aurait mieux fait de n'en commander qu'un et de le partager. Ou plutôt, on aurait mieux fait de commander autre chose.

Il faut voir le bon côté des choses : cette fois-ci, on avait une bonne excuse pour ne plus parler. On était déjà bien trop occupés à manger proprement ! Entre deux bouchées, j'ai parlé des petits Pike, tandis qu'Alex me parlait de son équipe de handball. Mais on ne peut pas dire que c'était une vraie conversation. On aurait plutôt dit deux acteurs qui récitaient machinalement les répliques d'une pièce de théâtre. Sauf qu'on ne devait pas jouer la même pièce parce que ça n'avait ni queue ni tête.

J'ai cru que le dîner n'allait jamais finir.

Quand finalement, au bout d'une éternité, on a fini de manger, j'ai pris l'addition. Alex m'a arraché la note des mains.

– Ah non, tu ne peux pas faire ça.

Je l'ai regardé, très étonnée.

– Pourquoi pas ?

– Ce n'est pas aux filles de payer l'addition.

– Bien sûr que si. Avec Logan, on paie chacun à tour de rôle.

– Qui c'est, Logan ?

Oh, oh.

– Euh... C'est mon petit copain à Stonebrook.

C'était dit ! Il fallait bien qu'il l'apprenne d'une manière ou d'une autre. Mais il n'avait pas l'air de le prendre mal.

– Moi aussi, j'ai une petite copine à la maison.

– Ah, c'est chouette.

Je n'en croyais pas mes oreilles, je disais n'importe quoi !

– Qu'est-ce qui est chouette ?

– Ben, que tu aies une petite copine. Et que moi, j'aie un petit copain.

Je m'enfonçais de plus en plus. Alex m'a regardée fixement, et il a éclaté de rire. C'était à mon tour de ne pas comprendre.

– Pourquoi tu ris ?

– J'ai du mal à croire qu'on puisse se dire ça, pas toi ?

Je me suis mise à rire aussi.

– C'est vrai que c'est un peu dingue !

Alex était mort de rire. L'atmosphère s'était enfin détendue. Ouf! Alex était redevenu en une seconde le garçon drôle et gentil que je connaissais. On a subitement retrouvé des sujets de conversation, et on a bavardé le cœur tranquille. Il a finalement bien voulu me laisser payer le repas. Puis on est partis se promener.

On marchait au bord de la mer, et je me suis dit que j'aimais beaucoup Alex, et qu'on avait passé un bon moment ensemble à Sea City. On était copains. Et c'était bien mieux que d'être petits copains. D'autant plus qu'on vivait déjà quelque chose de très romantique chacun de notre côté. Pourquoi compliquer les choses ?

– Tu sais quoi? m'a demandé soudainement Alex. J'ai passé l'une des meilleures soirées de ma vie.

– Tu sais quoi ? Moi aussi !

Nous étions arrivés en bas de la maison des Pike. Il s'est tourné vers moi et m'a serrée fort dans ses bras.

– Amis ?

– Amis.

14

Vendredi

Cher Papa, Chère Sharon,
Je n'arrive pas à croire que je vais vous revoir demain, et Carla aussi. Vous n'aurez même pas encore reçu cette carte. J'ai adoré ces vacances à la mer mais je suis impatiente de rentrer à la maison.
Je vous embrasse.

Mary Anne

Les enfants étaient déjà couchés quand je suis rentrée. M. et Mme Pike étaient dans la cuisine en train de bavarder au calme devant une tasse de thé.

Mme Pike m'a demandé :

– Tu t'es bien amusée ?

– C'était super !

On parlait à voix basse pour ne pas réveiller tout le monde. Elle a souri.

– Ça a l'air d'être du sérieux. Et si tu nous racontais tout ça devant une bonne part de tarte aux pommes ?

J'ai ri.

– C'était super, justement parce que ça n'avait rien de sérieux !

J'ai aussitôt réalisé qu'ils ne pouvaient pas savoir de quoi je parlais et que j'avais envie de le garder pour moi.

– Je vous remercie, mais je ne peux plus rien avaler ce soir. Je crois que je vais aller directement au lit.

– Bonne nuit, alors. Repose-toi bien parce qu'on a beaucoup de choses à faire demain matin.

Je commençais à avoir sommeil. J'ai monté les escaliers sur la pointe des pieds. J'étais sur le point de rentrer dans ma chambre, quand j'ai vu de la lumière sous la porte de la chambre de Mallory et Vanessa. Je suis allée voir ce qui se passait.

– Ça va ? ai-je murmuré en passant ma tête dans l'entrebâillement de la porte.

Mallory était endormie, mais Vanessa était assise sur son lit, un carnet ouvert sur les genoux, et une lampe de poche allumée. Elle m'a fait signe de la rejoindre.

– J'écris à Chris.

Je me suis assise sur le bord du lit, et je lui ai demandé :

– Alors, qu'est-ce que tu as décidé ?

– Eh bien, j'ai retourné le problème dans tous les sens, et je ne vois qu'une solution.

Elle avait l'air très sérieuse en disant ça et j'étais impressionnée. J'avais réfléchi toute la journée à son problème, et je n'avais pas trouvé comment le résoudre. J'étais épatée.

Elle a pris une grande inspiration avant de me dire :

– Voilà ce qui se passe : Chris croit que Mallory est amoureuse de lui en secret.

– C'est vrai.

– Et il veut sortir avec elle samedi soir. La réponse est simple.

– Vraiment ?

Je n'avais aucune idée de ce qu'elle allait ajouter.

– Très très simple. On ne sera plus là samedi soir, puisqu'on s'en va demain. Alors, ce que je vais faire, c'est écrire un autre poème à Chris pour lui dire combien je suis triste de devoir rentrer à Stonebrook.

– Mais, tu ne vas pas lui dire que c'est toi, et pas Mallory, qui l'aimes en secret, et qui lui as envoyé tous ces poèmes ?

Elle a secoué la tête.

– A quoi ça servirait ? De toute façon, c'est Mallory qu'il aime, pas moi. C'est mieux comme ça. Il ne saura jamais la vérité, et Mallory non plus.

J'avais du mal à croire qu'une petite fille de neuf ans avait réussi à trouver ça toute seule. C'était vraiment la meilleure chose à faire.

– Si tu veux bien, je vais te lire le poème que je vais lui laisser. Mais tu dois me promettre une chose. Si tu trouves qu'il est débile, dis-le-moi. Je n'ai pas envie de me ridiculiser encore une fois.

Au même moment, Mallory a fait un bruit bizarre et s'est retournée dans son lit. Vanessa et moi avons retenu notre respiration sans bouger le temps de nous assurer qu'elle dormait toujours. Vanessa m'a dit pour me rassurer :

– Ne t'en fais pas. Elle a le sommeil profond. Elle devait juste faire un rêve.

– Lis-moi le poème.

Cher Chris,
J'aimerais tant te voir ce soir,
Mais le destin en a décidé autrement,
Je quitte Sea City sans te revoir,
Peut-être penseras-tu à moi de temps en temps.
J'emporte avec moi ton sourire,
Très loin je dois partir.
Je t'aimerai toujours
D'un secret amour.

Sa voix tremblait quand elle a récité les derniers mots. J'avais la gorge nouée par l'émotion.

– C'est très beau. Tu as trouvé les mots justes et c'est loin d'être débile.

– Tu es sûre ?

Je l'ai prise dans mes bras et je l'ai serrée fort.

– Certaine. Je suis très fière de toi, Vanessa. Et je sais que ce n'était pas facile.

– C'est la chose la plus dure que j'aie dû faire de toute ma vie.

Elle est restée blottie dans mes bras. Je savais qu'elle se retenait pour ne pas éclater en sanglots.

– Est-ce que tu pourras venir avec moi le laisser sur le comptoir du Palais de la Crème glacée ?

– Bien sûr.

J'aurais voulu la consoler, mais j'avais du mal à parler. Et moi aussi, je retenais mes larmes. Il suffit que je voie quelqu'un en train de pleurer pour que je me mette à sangloter.

– Ne pleure pas, Mary Anne.

Cela n'a fait que précipiter les choses. Avant même qu'on s'en rende compte, on pleurait à chaudes larmes l'une dans les bras de l'autre.

Puis je me suis ressaisie.

– Je ferais mieux de retourner dans ma chambre maintenant. Il faut que tu dormes, il est tard.

– D'accord.

Elle a éteint la lumière et s'est pelotonnée sous sa couverture. Elle a réussi à me faire un sourire, mais ses yeux étaient encore tout mouillés. Elle m'a murmuré alors :

– Merci de m'avoir aidée.

– C'est normal.

Puis, au moment de refermer la porte derrière moi, une voix tonitruante m'a fait sursauter :

– Je t'avais dit que je voulais de la crème solaire, pas de l'écran total !

C'était Mallory qui s'était redressée sur son lit, et qui pointait un doigt accusateur sur moi. Mon cœur s'est arrêté de battre, et je me suis sentie comme un criminel pris sur le fait. J'ai quand même réussi à balbutier :

– Qu'est-ce que… qu'est-ce que tu as dit ?

J'ai cherché Vanessa du regard. Elle a rallumé la lumière.

– Recouche-toi, Mallory. C'est un rêve.

Vanessa avait parlé sur un ton calme et apaisant. Je n'en revenais pas.

– Elle dort vraiment, là ? On dirait qu'elle est complètement réveillée.

Vanessa a haussé les épaules et m'a dit en souriant :

– Elle fait ça tout le temps. Ne t'inquiète pas, elle parle souvent dans son sommeil. Ça fait toujours un peu bizarre au début, de voir ça, mais je commence à avoir l'habitude maintenant.

Elle s'est levée pour aller recoucher Mallory. Il lui a suffi de la prendre par les épaules et de la pousser doucement en arrière jusqu'à ce qu'elle soit de nouveau allongée. Elle s'est laissée faire sans résister, puis a cligné des yeux plusieurs fois et s'est rendormie profondément. Vanessa est restée encore quelques secondes à côté d'elle avant d'aller se recoucher.

– Elle ne se rappellera de rien demain matin.

Je suis retournée dans ma chambre sur la pointe des pieds. J'étais morte de fatigue et je n'avais qu'une envie : me mettre au lit. Mais il y avait encore un obstacle sur mon parcours : Lucy. Elle était couchée, mais ne dormait pas. Je l'ai trouvée assise dans son lit en train de lire. Elle a refermé son livre dès que je suis arrivée.

– Je suis contente que tu sois de retour. Je t'attendais.

Je ne savais pas si j'aurais encore la force de surmonter ça.

– Écoute, Lucy, si tu cherches encore un prétexte pour te disputer avec moi, tu vas devoir attendre demain matin, parce que là...

Il faut reconnaître qu'elle avait été plus raisonnable, voire plus gentille, en début de soirée qu'avant, mais je me méfiais quand même. En général, les gens qui ont un chagrin d'amour sont un peu soupe au lait.

– Non, je ne cherche pas la dispute, Mary Anne. En fait, c'est tout le contraire. J'ai vraiment été très bête et je voulais m'excuser d'avoir été méchante avec toi.

Je sentais les larmes me monter à nouveau aux yeux. « Oh non ! Pas encore », ai-je pensé. Lucy m'a souri et elle a continué :

– Tu veux bien me pardonner ?

– Bien sûr que oui. Mais s'il te plaît, ne dis plus rien ou je me mets à pleurer.

– D'accord. Je ne veux pas que tu te transformes en chutes du Niagara, sinon il faudra dormir en faisant la planche. Au fait, comment ça s'est passé ce soir avec Alex ?

– C'était super. Vraiment super.

Elle avait bien fait de changer brusquement de sujet. En repensant à ma soirée, toute envie de pleurer s'est aussitôt envolée. Lucy était surprise de me voir sourire béatement.

– Ce n'était pas triste de se dire au revoir ?

J'ai secoué la tête.

– Non, c'était formidable. Parce que je me suis rendu compte de quelque chose de très important.

– Ah bon ?

– Oui, j'ai réalisé qu'Alex était un très bon copain et que Logan était mon petit copain. Mon seul amour.

En disant ça, j'ai senti mes joues s'enflammer.

– Et tout est devenu clair. Maintenant, je sais exactement où j'en suis.

– Je suis contente pour toi.

– Je suis désolée que ça n'ait pas marché entre Toby et toi.

J'ai pris mon pyjama, et j'ai commencé à me déshabiller. Lucy a soupiré et a ajouté :

–Au moins, on s'est bien amusées. On ne s'est pas ennuyées une seule minute.

Elle avait raison, j'ai répété en écho :

– Pas une seule minute…

– Tu sais quoi, Mary Anne ? Je crois que je suis contente de rentrer à Stonebrook.

– Mmm… Moi aussi.

Mon pyjama enfilé, j'ai sauté dans mon lit. Lucy m'a encore demandé :

– Tu ne crois pas qu'on risque de s'ennuyer à Stonebrook après ça ?

J'ai bâillé, et je lui ai répondu en enfonçant ma tête dans l'oreiller :

– Non. Je pense qu'on va trouver ça plutôt… calme.

Lucy a ajouté quelque chose, mais je tombais de sommeil, et je me suis endormie avant qu'elle ait fini sa phrase. Je devais déjà rêver quand elle a éteint la lumière.

15

– Qui a pris les serviettes de plage ?

– Mon maillot de bain est encore mouillé !

– Le matelas pneumatique a un trou.

– On verra ça plus tard. De toute façon, il faut le dégonfler maintenant.

Ça a été la même bousculade au départ qu'à l'arrivée. Peut-être même pire encore. Parce qu'il y avait une grosse différence : ranger ses affaires pour rentrer à la maison, ce n'est pas aussi amusant que de les déballer dans un nouvel endroit.

On traînait tous un peu des pieds. La maison avait l'air subitement toute vide maintenant que la plupart de nos affaires étaient chargées dans les voitures.

M. Pike préparait le petit déjeuner tandis que j'aidais sa femme à vider et à nettoyer le frigo.

– On avait bien calculé les provisions, il ne reste presque plus rien.

Mme Pike m'a tendu un Tupperware de légumes et s'est tournée vers Lucy qui vidait les placards.

– De ton côté, qu'est-ce qui reste ?

– Pas grand-chose. Il y a un sachet de chips, des chewing-gums, et un paquet ouvert de biscuits. Et... Beurk ! Plein de fourmis !

En effet, il y en avait plein qui ramassaient les miettes de gâteau qui traînaient.

M. Pike l'a taquinée :

– Emballe-les aussi, on pourra les faire griller au barbecue en rentrant !

Les enfants voulaient prendre un dernier bain de mer après le petit déjeuner, mais le ciel était couvert, alors ils ont dû abandonner leur projet. Ouf ! J'étais bien contente. Maintenant que les vacances étaient finies, je n'avais qu'une envie : rentrer à Stonebrook. Le plus vite serait le mieux. Et en plus, j'avais encore une chose à faire avant de partir. J'avais promis à Vanessa d'aller avec elle au Palais de la Crème glacée.

Lucy s'est installée pour prendre le petit déjeuner et, en regardant par la fenêtre, elle a soupiré :

– J'aurais bien aimé qu'il fasse beau. C'est notre dernier jour, et j'aurais voulu bronzer encore une petite heure. Mes jambes ne sont pas encore parfaites : elles sont plus bronzées devant que derrière.

– Mais tes jambes sont très bien.

Cela faisait deux semaines que Lucy n'avait qu'un seul but : un bronzage parfait. Elle prenait toujours sa montre pour aller à la plage et chronométrait précisément le temps qu'elle passait au soleil. Elle se mettait sur le dos, puis sur le ventre, en changeant de position toutes les demi-heures pour être sûre d'avoir un bronzage uniforme. (Elle me faisait penser à un poulet rôti sur sa broche, mais je ne le lui ai pas dit.) Quant à moi, j'étais toujours aussi blanche. C'est normal, je n'avais pas quitté ma longue tunique et mon chapeau de tout le séjour.

Adam a demandé à son père :

– Est-ce qu'on peut aller jouer sur la plage avant de partir ?

Jordan a aussitôt enchaîné :

– Oui ! On va construire un dernier château de sable.

M. Pike s'est tourné vers sa femme.

– Qu'est-ce que tu en penses ? Je te laisse décider.

– Eh bien, je ne sais pas trop. Les maillots de bain sont déjà dans les valises.

Nicky est intervenu :

– Mais on n'a pas besoin de nos maillots de bain. On ne va pas se baigner.

– Vous avez gagné ! Allez-y, mais soyez de retour à onze heures, je ne voudrais pas partir trop tard.

Puis elle s'est tournée vers Lucy et moi.

– Je pense que je n'ai plus besoin de vous ici. Si vous avez des choses à faire avant de partir, profitez-en.

Lucy a dit :

– Je crois que je vais aller avec les garçons sur la plage. Qui sait, peut-être que je vais pouvoir quand même bronzer un peu !

Je l'ai prise à part dans l'entrée avant qu'elle ne sorte, et je lui ai expliqué rapidement :

– J'ai un truc à faire en ville avec Vanessa. Je peux te laisser t'occuper des enfants avec Mallory ?

– Pas de problème.

Lucy avait l'air intriguée, mais elle ne m'a pas posé de question. J'ai dit à Mme Pike que sa fille voulait faire un dernier tour en ville, puis j'ai fait signe à Vanessa de me suivre. Elle avait son poème dans la main, et nous sommes parties au Palais de la Crème glacée.

Je me demandais comment cela allait se passer, mais Vanessa avait l'air sereine. Sur le chemin, elle m'a expliqué ce qu'elle avait prévu de faire. Je me suis rendu compte qu'elle avait pensé à tout dans les moindres détails.

– Ralentis un peu. Je voudrais arriver là-bas à dix heures un quart pile.

– Pourquoi ? Qu'est-ce qui se passe à dix heures un quart ?

– C'est l'heure à laquelle l'autre serveur prend sa pause. Alors Chris est très occupé parce qu'il reste tout seul.

Elle m'impressionnait de plus en plus.

– Et qu'est-ce qu'on va faire exactement ?

Elle a souri.

– Tu verras.

On est arrivées au Palais de la Crème glacée un peu avant l'heure et on a attendu en épiant par la fenêtre que l'autre serveur prenne sa pause. Quand enfin Chris s'est retrouvé seul derrière le comptoir, un groupe de filles est entré bruyamment dans le magasin.

– Parfait.

Le hasard faisait bien les choses, et Vanessa semblait ravie qu'il y ait plein de monde.

– Chris ne va pas savoir où donner de la tête avec toutes les commandes !

Elle m'a prise par la main, et m'a entraînée derrière les filles. Chris était face au comptoir en train de préparer des cornets de glace. Vanessa restait hors de sa vue, et attendait qu'il se serve de la machine à chantilly. Dès qu'il s'est retourné, elle s'est frayé un passage pour déposer son poème sur le comptoir. Elle s'est aussitôt éclipsée. Avant même que je m'en rende compte, on était dehors sur le trottoir, et tout était fini.

On a fait quelques pas pour s'éloigner, le cœur battant à toute vitesse et on est tombées dans les bras l'une de l'autre. Vanessa s'est écriée, soulagée :

– On l'a fait !

– Oui, on l'a fait !

J'étais contente de voir qu'elle avait le sourire.

On est arrivés à Stonebrook dans l'après-midi. Les Pike m'ont déposée devant chez moi. Dès que la voiture s'est arrêtée, je me suis ruée dehors.

Mme Pike m'a tendu une enveloppe, et m'a dit d'une voix chaleureuse :

– Tu as fait du bon travail, bravo !

Je savais qu'il y avait un chèque dans l'enveloppe, mais c'était la dernière chose qui comptait à ce moment-là. Je ne pensais qu'à rentrer chez moi et revoir tout le monde. Je leur ai fait un signe de la main, et je me suis précipitée vers la porte d'entrée. J'ai entendu Lucy me crier par la fenêtre de la voiture :

– Au revoir, Mary Anne !

J'ai fait irruption dans la cuisine où Sharon m'a accueillie à bras ouverts.

– Oh, je suis contente que tu sois rentrée ! Tu nous as beaucoup manqué, tu sais ?

– Vous m'avez manqué aussi.

Papa est arrivé à son tour, suivi de près par Tigrou. Il m'a embrassée, tandis que le chat se frottait contre mes jambes.

– Il n'arrête pas de miauler depuis que tu es partie. Il a dû se sentir abandonné.

J'ai pris Tigrou dans mes bras pour lui faire un câlin. Il s'est mis à ronronner comme un moteur de voiture. Je savais que c'était sa façon de me souhaiter la bienvenue. J'étais contente d'être rentrée. J'ai regardé autour de moi comme si c'était la première fois que je voyais cette pièce. On s'était drôlement bien amusés à Sea City, mais c'était super de se retrouver à la maison.

– Où est Carla ?

– Elle fait une sieste dans sa chambre, mais elle m'a demandé de la réveiller à la minute où tu rentrerais.

Une sieste en plein milieu de l'après-midi ? Qu'est-ce qui n'allait pas ? J'ai demandé à sa mère :

– Elle est malade ?

– Non, mais elle est revenue de Californie hier. Elle est fatiguée à cause du décalage horaire. Un vrai zombie ! Attends une minute, je vais la prévenir que tu es là.

Je me suis dit que j'avais un peu de temps pour passer un coup de fil avant que Carla ne descende. Après quelques sonneries, Logan m'a répondu.

– Salut, c'est moi, Mary Anne.

J'ai essayé de parler calmement, mais il a dû sentir à quel point j'étais excitée.

– Tu es rentrée !

Il avait l'air très content de m'entendre, et je n'ai pas pu m'empêcher de sourire jusqu'aux oreilles.

– Je viens juste d'arriver.

– Tu m'as manqué.

– Toi aussi.

On a décidé de se voir après le dîner. Au moment où je raccrochais, Carla descendait les escaliers. Elle était en peignoir avec la tête de quelqu'un qui n'a pas dormi depuis deux jours. Elle était toute pâle, les yeux un peu vitreux, et ses cheveux, d'habitude si beaux, étaient ternes.

– Salut ! a-t-elle lancé joyeusement.

– Salut, toi !

Je l'ai prise dans mes bras et je lui ai demandé :

– Tu es sûre que ça va ?

Elle a eu un long bâillement et s'est laissée tomber sur le canapé.

– Ça va. Je crois juste que je pourrais dormir un an sans m'arrêter.

Sharon nous a regardées en souriant, puis elle est retournée dans la cuisine.

– Je vais vous faire un thé à la cannelle, les filles. Je suis sûre que vous avez des tas de choses à vous raconter.

– C'est très gentil de ta part, maman, a réussi à dire Carla entre deux bâillements.

On s'est installées l'une en face de l'autre, confortablement calées sur des coussins. Carla s'est étirée, et m'a dit :

– Bon, tu commences. Je veux *tout* savoir sur Sea City.

– Tout ?

– Tu n'as qu'à commencer par Alex et Toby. Toby, c'est bien le garçon avec qui Lucy est sortie ? Ensuite tu m'expliqueras ce qui s'est passé avec Vanessa.

J'ai pu constater qu'elle avait bien reçu toutes mes cartes postales et qu'elle s'en souvenait parfaitement.

– J'en ai pour un bout de temps, tu sais.

Je me suis assise en tailleur, et Tigrou est venu sur mes genoux. J'ai commencé :

– Le problème, c'est qu'il y avait trop de garçons. C'est ce qui a tout compliqué.

– C'est bon. Ne tourne pas autour du pot, raconte-moi tout en détail. On a tout le temps devant nous.

J'ai pris ma respiration et je me suis lancée :

– Tout a commencé quand on a vu Alex et Toby sur la plage. Je devrais plutôt dire quand ils nous ont vues...

On a papoté jusqu'à l'heure du dîner. Après le repas, on est montées dans ma chambre, et on a continué à tout se raconter pendant que je défaisais mes valises. Carla avait écouté avec attention l'histoire de Vanessa et m'a demandé :

– Tu crois qu'elle pense encore à son chagrin d'amour ?

– Ça lui a passé maintenant. Elle a drôlement bien pris les choses. Je suis très fière d'elle.

J'ai pris une pile de vêtements pour les ranger dans la commode, mais un bout de papier a attiré mon attention. Il y avait une feuille coincée entre deux tee-shirts. C'était un poème de Vanessa qui avait dû le laisser là exprès.

Chère Mary Anne,

L'amour peut blesser, l'amour fait pleurer.
Un coeur brisé ne peut plus chanter.
Les garçons vont et viennent,
Mais une amie toujours reste tienne.

Une amie est une perle rare,
difficile à trouver,
J'ai de la chance de t'avoir à mes côtés.
Tu m'as aidée à surmonter, un chagrin d'amour,
Je ne l'oublierai jamais,
tu es mon amie pour toujours.

Merci, Mary Anne.

Vanessa

J'en avais les larmes aux yeux.
– Je crois que Vanessa va bien maintenant.

Chers lecteurs,

Dans Mary Anne et les garçons, *Mary Anne se trouve déchirée entre Alex et Logan. A la fin du livre, elle réalise que Logan est le garçon qui lui convient. Beaucoup d'entre vous m'écrivent pour me dire qu'ils sont inquiets de ne pas avoir encore de petit copain ou de petite copine. Si Mary Anne est prête pour vivre une histoire d'amour, la plupart des filles et des garçons de son âge ne le sont pas. En fait, on se sent souvent plus à l'aise en restant amis plutôt qu'en sortant ensemble. C'est le cas de Mary Anne et Alex. Ou de Kristy et Bart. Il est difficile de savoir quand on est prêt pour ce genre de chose. Le plus important est de faire ce que l'on sent être bon pour soi.*

Bonne lecture,
Ann M. Martin

LE CLUB DES BABY-SITTERS

KRISTY, je t'aime

1

Dans ma tête, je répétais : « Concentre-toi, concentre-toi, Jackie ! »

Et puis, soudain, j'ai hurlé :

– Ne lâche pas la balle des yeux !

Je l'ai fait sursauter et, du coup, il a raté une frappe facile.

– Bon sang !... Concentre-toi, concentre-toi, ai-je murmuré à nouveau en fixant Jackie Rodowsky.

La partie entre les Imbattables et les Invincibles touchait à sa fin.

Vous vous demandez sûrement qui sont les Imbattables et les Invincibles ? Des équipes de base-ball pour enfants, ici, à Stonebrook dans le Connecticut. Je suis l'entraîneur des Imbattables et Bart, celui des Invincibles. (Au passage, je dois avouer que j'ai un faible pour Bart.)

Et ce jour-là, pour la toute première fois dans l'histoire du base-ball, il semblait bien que mes Imbattables avaient une chance de gagner. Les joueurs sont des enfants trop jeunes pour entrer en Petite Ligue. Autrement dit, comme vous avez dû le deviner, ce ne sont pas de super joueurs. (Enfin, la plupart.) Il y en a une qui baisse la tête chaque fois que la balle arrive sur elle. On a aussi une joueuse qui n'a que deux ans et demi. Elle utilise une batte et une balle spéciales pour ne pas risquer de se faire mal et il faut toujours lui dire quoi faire. Mais vous savez quoi ? Elle est quand même sacrément douée pour son âge.

Les Invincibles sont plus âgés et plus costauds. Je ne sais pas pourquoi ils ne sont pas en Petite Ligue. Ils doivent vouloir garder Bart comme entraîneur. Ça peut se comprendre.

En fait, les Invincibles avaient toujours battu les Imbattables avec facilité.

Jusqu'à ce jour-là.

Les deux équipes étaient à égalité, les Imbattables avaient très bien joué. Le seul problème à l'horizon, c'est que notre batteur était Jackie Rodowsky, la catastrophe ambulante. Pauvre Jackie. Il n'a vraiment pas de chance, il attire toujours les accidents.

Le lanceur des Invincibles avait pourtant l'air nerveux car la partie était serrée.

– Allez, tu vas y arriver !

J'ai tendu mon pouce levé vers Jackie.

Le lanceur a envoyé la balle, Jackie l'a frappée et a fait un *home run* ! Quatre points de plus pour nous.

– On a gagné, on a gagné ! braillaient les Imbattables.

Je criais avec eux, même si je savais très bien que les Invincibles avaient joué avec des handicaps. Leur meilleur batteur avait la varicelle, leur lanceur était parti en week-end, et deux de leurs bons joueurs avaient été disqualifiés parce qu'ils s'étaient bagarrés.

Mais, bon. Notre équipe avait gagné et nos pom-pom girls devenaient complètement folles.

– On a gagné, on a gagné, on a gagné !

Elles n'arrêtaient pas de hurler. Puis, elles se sont mises à chanter en chœur :

– Deux, quatre, six, huit ! Qui sont les meilleurs ? Les Imbattables, les Imbattables ! Ouais ! ! !

Pour la première fois, leur slogan signifiait quelque chose.

Au fait, je ne vous ai pas dit que nos supporters sont Vanessa Pike, Helen Braddock, qui ont neuf ans, et Charlotte Johanssen qui, elle, en a huit. Le frère d'Helen, Mathew, fait partie des Imbattables. C'est l'un de nos meilleurs joueurs. Il est sourd et nous communiquons avec lui par la langue des signes. Beaucoup des frères et sœurs de Vanessa (elle en a sept) sont dans l'équipe, et même leur plus petite sœur, Claire, qui a cinq ans et pique des colères terribles. Elle se met à crier : « C'est pas juste, c'est pas juste ! » dès qu'elle n'est pas d'accord avec l'arbitre, ce qui arrive assez souvent.

Enfin bon, j'attendais que tous les parents, frères ou sœurs de mes Imbattables passent les prendre. Chaque arrivée était ponctuée d'un « Papa, on a battu les Invincibles, j'te jure ! » ou bien d'un « On a enfin gagné une partie ! »

Une fois tous les gamins repartis, je me suis dirigée vers la voiture de mon grand frère, Samuel, qui attendait pour nous raccompagner à la maison, mes frères et sœurs et moi. (Sam a dix-sept ans et peut donc conduire ; il a une vieille voiture d'occasion, mais bon, elle roule.)

Bon, il faut peut-être que je me présente. Je m'appelle

Kristy Parker. J'ai treize ans et je suis en quatrième au collège de Stonebrook. J'ai trois frères, un demi-frère, une demi-sœur et une sœur adoptée. David Michael, mon frère de sept ans, et Karen et Andrew, mes demi-frère et sœur qui ont sept et quatre ans font partie des Imbattables. Sam devait d'abord déposer Karen et Andrew chez leur mère puis nous ramener David Michael et moi à la maison. Bien sûr, on aurait pu marcher mais l'équipement est vraiment très lourd, c'était donc plutôt sympa de sa part de nous raccompagner.

Samuel m'aidait justement à mettre les battes et tout le reste dans le coffre quand j'ai entendu une voix :

– Je peux te raccompagner chez toi ?

Je me suis retournée et j'ai vu Bart.

Mon cœur a fait un de ces bonds ! Il m'a fallu du temps pour reprendre mon souffle. J'ai regardé mon frère :

– Sam, je peux ? Tu n'auras qu'à laisser l'équipement dans le coffre, je t'aiderai quand je serai rentrée.

– Aucun problème. (Mon frère est trop cool !)

– OK, à tout à l'heure, David Michael. On se voit vendredi après-midi, Karen et Andrew. (Ils passent un week-end sur deux et deux semaines l'été à la maison. Le reste du temps, ils vivent avec leur mère et leur beau-père.)

– Salut ! m'ont-ils répondu en chœur.

David Michael, Karen et Andrew étaient toujours aussi excités d'avoir battu les Invincibles.

Sam a fait hoqueter son tas de ferraille et je me suis tournée vers Bart. Je ne savais pas trop quoi dire. D'un côté, j'étais super contente que mon équipe ait gagné mais, de l'autre, on avait battu ses Invincibles. Bart ne devait pas être fou de joie.

– Toutes mes félicitations, tes joueurs ont été super, ils se sont vraiment bien débrouillés aujourd'hui.

Il avait l'air sincère.

– Merci.

Ses compliments me faisaient plaisir, vraiment. Mais, en même temps, nos conversations se limitaient au base-ball et à nos équipes.

Nous marchions sans rien dire. Je n'arrivais pas à trouver quelque chose pour rompre le silence. Enfin, Bart s'est lancé :

– Devine ce qui s'est passé dans les vestiaires au collège, aujourd'hui ? (Bart ne fréquente pas le même collège que moi. Il est dans une école privée.)

– Quoi ? ai-je demandé, un peu inquiète. (Avais-je vraiment envie de savoir ce qui s'était passé dans le vestiaire des garçons ?)

–Il y a un type qui faisait l'idiot après la gym, il se balançait aux tuyaux du plafond comme un singe. D'un seul coup, un tuyau a cédé et on s'est tous retrouvés trempés !

– Et le garçon, il s'est fait mal ?

– Lui, sûrement pas, son surnom, c'est le Bœuf. Rien ne peut lui faire de mal.

– Nous dans notre classe, une fois, pendant une partie de hockey sur gazon, une fille qui a de sérieux problèmes de coordination a pris la balle et l'a lancée droit sur la tête du prof !

Du coup, c'est Bart qui s'est mis à rire.

– J'aimerais bien voir à quoi tu ressemblerais avec un uniforme de mon collège.

– Pourquoi ?

Il a haussé les épaules.

– Je pense que ça t'irait bien, c'est tout.

– Je ne suis pas jolie en uniforme des Imbattables ?

Je rigolais mais ma blague a fait rougir Bart jusqu'aux oreilles.

– Allez, laisse tomber, je te faisais juste marcher. Et le collège, quoi de neuf ?

– Ça va, comme d'hab.

– Ouais, moi c'est pareil.

– Et le Club des baby-sitters ?

– Ça marche très bien ! (Avec mes amies, on a une sorte d'association. On fait du baby-sitting dans le quartier, je vous raconterai plus tard.)

– Et tes copines, elles vont bien ?

– C'est un interrogatoire ou quoi ? ai-je répliqué en riant.

– Non, c'est pas ça mais j'aimerais en savoir un peu plus sur toi... On ne parle toujours que de base-ball.

– OK, alors... Mallory a eu son premier rendez-vous avec un garçon ; pour Claudia, ça se passe mieux au collège. Par contre, je m'inquiète un peu pour Lucy.

– Lucy, c'est celle qui a du diabète ?

J'ai acquiescé.

– Elle n'est pas vraiment malade, c'est juste qu'elle n'a pas l'air bien ces derniers temps.

Bart m'écoutait attentivement. A mon tour, je lui ai demandé :

– Et toi, comment ça va ?

– Pas trop mal. Kyle m'énerve un peu mais ça va. (Kyle est le petit frère de Bart.) Mes parents ne me lâchent pas, ils ne supportent plus que je répète avec mon groupe au sous-sol.

– Tu as un groupe !

– Ouais...

– Et tu joues de quel instrument ?

– De la guitare, électrique, acoustique… tout quoi.

–Je n'étais pas au courant. Et vous avez déjà fait des concerts ?

– Quelques-uns, mais on pourrait en faire plus si on trouvait un endroit pour répéter. Personne ne veut de nous dans son sous-sol.

– Et pourquoi pas un garage ?

– Ça résonne trop. Après les voisins se plaignent.

– Ah…

Nous avons continué à discuter de son groupe, de musique, du collège… et, avant même que je m'en rende compte, nous étions devant chez moi.

Emily Michelle, ma sœur adoptive, était assise sur les marches du perron avec Mamie, ma grand-mère. Elle s'est précipitée vers moi pour me serrer contre elle. (Elle m'arrive aux genoux.)

– Salut, Emily.

Je l'ai prise dans mes bras, puis j'ai dit bonsoir à Mamie.

– Bon, a lancé Bart, je ferais mieux d'y aller, j'avais promis à ma mère de rentrer directement après le match. Euh… alors à très bientôt, d'accord ?

– Au prochain match.

– Peut-être avant, m'a répondu Bart, puis il s'est éloigné en sifflotant.

Je l'ai suivi du regard pendant un bon moment, il est vraiment trop craquant.

2

– Alors, Emily chérie, comment ça va? ai-je demandé à ma petite sœur en la ramenant à Mamie.

– David Michael m'a parlé de votre match, m'a appris ma grand-mère. Il était tellement excité qu'il avait du mal à parler.

– Ah, ça, oui ! Les Imbattables ont vraiment très bien joué aujourd'hui.

Je me suis tournée vers Emily :

– Peut-être qu'un jour, tu feras partie des Imbattables, toi aussi. Tu aimerais jouer au base-ball ?

– Oui. (En fait, elle n'avait rien compris à la question.)

Nous sommes toutes les trois rentrées à l'intérieur. Notre maison est très grande. Pour être honnête, c'est même une immense villa. Mon beau-père, Jim, est millionnaire. Quand maman l'a épousé, nous avons dû quitter notre petite maison, car il fallait des chambres pour mes trois frères et moi, mais aussi pour Karen et Andrew, et maintenant pour Emily Michelle et Mamie. (Mamie est la mère de maman ; elle est vraiment spéciale, elle n'a rien d'une grand-mère normale. Elle joue au bowling et a des tonnes d'amis.)

Mamie préparait le dîner pendant que je m'occupais d'Emily, quand le téléphone a sonné. J'ai crié :

– Je prends !

J'ai décroché dans le bureau.

– Allô ?

– Salut, c'est Louisa.

– Salut !

Louisa habite juste en face, c'est la première amie que je me suis faite lorsque j'ai emménagé dans le quartier. (A vrai dire, au début, on ne pouvait pas se voir mais maintenant, on s'adore.) On ne se voit pas beaucoup car elle va au même collège que Bart. Elle fait partie du Club des baby-sitters, mais elle ne vient pas aux réunions. (Je vous expliquerai tout plus tard.)

– Alors, comment s'est passé le match ? a-t-elle voulu savoir.

Je me suis mise à tout lui raconter, elle avait l'air aussi heureuse que moi.

– J'essayerai de venir la prochaine fois.

Quand j'ai raccroché, j'ai réfléchi une seconde. Je crois que j'ai vraiment de la chance d'avoir d'aussi bonnes amies.

Emily Michelle est arrivée dans le bureau pour regarder ses dessins animés. (Je me demande comment elle fait, mais sans savoir lire l'heure, elle sent toujours quand commencent ses émissions !) Pikachu et Sacha s'agitaient sur l'écran pendant que je pensais à mes amies.

Ma meilleure amie s'appelle Mary Anne Cook et c'est la secrétaire du club. (J'en suis la présidente.) Nous étions voisines avant que maman épouse Jim. Nous avons grandi ensemble. Mary Anne a perdu sa mère très jeune et elle a longtemps vécu seule avec son père, qui était très strict avec elle. Heureusement, avec le temps, il s'est assoupli.

Mary Anne est très timide, extrêmement sensible et elle pleure facilement. (Tout le contraire de moi. Je suis plutôt extravertie, je parle beaucoup et il faut m'en faire voir avant que je me mette à pleurer.) Elle est aussi très romantique et, même si elle est timide, c'est la seule d'entre nous à avoir un petit ami, Logan Rinaldi. Il est drôle et vraiment adorable, même si, avec Mary Anne, ils ont eu quelques problèmes dernièrement.

Je trouve que nous nous ressemblons beaucoup, Mary Anne et moi. Nous sommes toutes les deux petites (je suis la plus petite de ma classe), et nous avons toutes deux les cheveux châtains et les yeux marron. Mary Anne s'habillait comme une petite fille avant que son père ne lui laisse plus de liberté. Maintenant, ses vêtements ne sont pas vraiment excentriques mais assez à la mode.

Ces derniers mois, la vie de Mary Anne a connu beaucoup de changements mais, avant de vous en parler, il faut que je vous présente Carla Schafer.

Carla est notre suppléante (si une des filles ne peut pas venir à la réunion du club, elle la remplace), et c'est aussi l'autre meilleure amie de Mary Anne. Carla, David, son petit frère, et leur mère ont emménagé à Stonebrook l'année dernière en milieu de cinquième, après le divorce de leurs parents. La mère de Carla a voulu retourner vivre dans la ville où elle avait grandi. Carla et David ont eu du mal à oublier la Californie. Carla a fini par s'y faire mais David ne s'est jamais habitué à sa nouvelle maison et il est retourné vivre avec son père, en Californie, au bout de quelques mois. Cette moitié de sa famille manque beaucoup à Carla, et elle va les voir aussi souvent qu'elle le peut. Cependant, maintenant, elle a une demi-sœur et un beau-père. Et devinez qui c'est? Mary Anne et son père !

En fait, le père de Mary Anne et la mère de Carla sont tombés amoureux l'un de l'autre au lycée, mais ils ont pris des chemins différents après leur diplôme. Quand Mme Schafer est revenue à Stonebrook, elle et M. Cook ont recommencé à se voir et, après pas mal de temps, ils se sont finalement mariés ! Ils forment donc tous (avec Tigrou, le chat de Mary Anne) une grande famille. Ils habitent une vieille demeure que Mme Schafer a achetée lors de son retour dans le Connecticut.

Quelques petits détails sur Carla : elle est très indépendante, sûre d'elle et bien organisée (heureusement, parce que sa mère est une vraie tête en l'air). Elle et sa mère (ainsi que David et son père) ne mangent pas de viande et adorent la nourriture bio. Carla est magnifique. Elle a de longs cheveux blonds doux comme de la soie. Ses yeux sont d'un bleu éblouissant et elle s'habille comme elle l'entend. Mes amies et moi trouvons qu'elle a tout à fait le « style californien ». Carla a deux trous dans chaque oreille. (Mary Anne et moi, nous ne nous ferons jamais percer les oreilles.)

Claudia Koshi est la vice-présidente du club. Quand Mary Anne et moi habitions encore dans notre vieux quartier de Bradford Alley, nous vivions juste à côté de chez Claudia.

Nous avons donc grandi toutes les trois ensemble. Claudia vit avec ses parents et Jane, sa grande sœur qui est surdouée. Je ne rigole pas. Jane est encore au lycée mais elle prend déjà des cours à l'université. C'est très difficile pour Claudia. Elle est intelligente mais elle n'est pas assez appliquée comme disent toujours ses professeurs. Au lieu de faire ses devoirs, Claudia préfère lire un bon roman d'Agatha Christie (elle en est folle), ou dessiner. L'art passe toujours en priorité. Ce n'est pas étonnant, c'est une artiste géniale. Elle sculpte, elle peint, elle dessine, elle fait des collages. Et elle fabrique elle-même ses bijoux !

Voilà une autre caractéristique de Claudia. Ses vêtements sont géniaux. C'est une vraie *fashion victim*. J'adore sa façon de s'habiller. Elle porte toujours des trucs originaux comme des chapeaux, des petits hauts asymétriques ou des pantalons avec des poches partout, et des bracelets qu'elle fabrique elle-même. (Elle crée aussi des bijoux pour Lucy MacDouglas, la trésorière du club et sa meilleure amie.)

Claudia est américano-japonaise. Ses cheveux sont longs et d'un noir de jais, elle les arrange toujours de façon originale. Elle a les yeux en amande et un teint génial, j'adorerais avoir le même. Franchement, ce n'est pas juste que j'aie des boutons qui apparaissent toujours au bout du nez alors que Claudia n'a pas la plus minuscule imperfection… Surtout qu'elle mange n'importe quoi, il y a toujours un paquet de bonbons caché sous son lit. (Ses parents ne sont bien sûr pas d'accord.) Sinon, elle a aussi deux trous dans une oreille et un dans l'autre.

Comme je vous l'ai déjà dit, Lucy MacDouglas est notre trésorière. Deux choses sur Lucy :

D'abord, c'est la plus mature de nous toutes. Ensuite, c'est celle qui a eu le plus de problèmes (enfin, à mon avis).

Lucy vient de New York, elle a grandi là-bas. Je pense que c'est pour ça qu'elle est si chic dans sa façon de s'habiller. Elle a les cheveux permanentés, les oreilles percées et elle est totalement folle des garçons. Mais sa vie n'a pas été facile. Tout d'abord, la firme pour laquelle travaille son père l'a transféré à Stamford, près de Stonebrook. Toute la famille a dû déménager et quitter New York, Lucy était en plein milieu de sa cinquième. Ils ne sont restés ici qu'un an car son père a à nouveau été muté à New York. Peu de temps après, les MacDouglas ont divorcé. En plus, Mme MacDouglas a décidé de retourner à Stonebrook alors que son ex-mari, lui, a choisi de rester à New York pour son travail. Avec qui Lucy allait-elle vivre? Ça a été très difficile pour elle de prendre une telle décision. Finalement, elle a suivi sa mère pour notre plus grande joie. Mais Lucy se sent coupable et elle va voir son père le plus souvent possible.

En plus, comme je vous l'ai déjà dit, elle a du diabète. En fait, ça veut dire qu'elle peut avoir de graves malaises si elle ne fait pas très attention à son régime sans sucre, si elle ne se fait pas régulièrement ses piqûres d'insuline (beurk!) et si elle ne surveille pas ses analyses de sang. Imaginez un peu sa vie. En ce moment, je trouve qu'elle n'a pas bonne mine et tout le monde s'inquiète un peu. Elle doit retourner voir un grand spécialiste à New York.

Les deux derniers membres du Club des baby-sitters sont plus jeunes que nous. Elles sont en sixième au collège de Stonebrook alors que nous, nous sommes en quatrième. Elles s'appellent Mallory Pike et Jessica Ramsey. Ce sont les meilleures amies du monde, c'est clair. Elles ont énormément de choses en commun, mais avec tout de même quelques différences. Tout d'abord, elles sont toutes deux aînées de leur famille, sauf que Mallory a sept frères et sœurs (c'est la grande sœur de Claire et de Vanessa), alors que Jessi n'a qu'une petite sœur de huit ans, Rebecca, et un frère encore bébé, John Philip Ramsey Junior que tout le monde appelle P'tit Bout. Mallory et Jessica ont toutes les deux onze ans, cet âge horrible où les parents ne vous laissent rien faire alors que vous avez l'impression de ne plus être une enfant. On vient tout juste de les autoriser à se faire percer les oreilles. Jessi et Mal trouvent vraiment que leurs parents les traitent comme des bébés. En plus, la mère de Jessica vient juste de trouver un travail, du coup, sa tante Cecilia est venue habiter chez eux pour s'occuper des enfants et Jessi a parfois l'impression qu'elle se prend pour sa baby-sitter.

Un autre point commun : Mallory et Jessica adorent lire, surtout des histoires sur les chevaux, et aussi écrire. (En fait, c'est surtout Mallory qui aime écrire mais elle a convaincu Jessica de tenir un journal.)

Les différences maintenant. Plus tard, Mallory aimerait être auteur-illustrateur de livres pour enfants alors que Jessica voudrait devenir danseuse professionnelle. Elle suit des cours de danse classique depuis des années. Elle fait des pointes et a déjà tenu de grands rôles dans des ballets, devant un public très important. Elle prend des leçons plusieurs fois par semaine dans une école spéciale à Stamford. Elle a dû passer une audition juste pour pouvoir prendre des cours.

De plus, il n'y a pas plus différentes physiquement que Jessica et Mallory. Jessi est noire, elle a de longues jambes très fines, ses yeux sont sombres avec de très longs cils.

Mallory, elle, a des cheveux roux qui partent dans tous les sens, des lunettes et un appareil, autant dire qu'elle ne se sent pas très bien dans sa peau en ce moment. En plus, elle a des taches de rousseur qu'elle déteste.

Voyons, je pourrais terminer ces présentations en vous en disant un peu plus sur moi. Je suis active, j'ai toujours plein de nouvelles idées. (Certaines personnes me trouvent un peu autoritaire.) Je suis le seul membre du club à ne toujours pas porter de soutien-gorge parce que je n'en ai pas besoin! Je ne me soucie pas beaucoup de mon apparence, de toute façon. Je ne cherche pas à être à la mode comme certaines de mes amies. J'ai plutôt l'air d'un garçon manqué mais peu importe. Je porte tous les jours des vêtements confortables comme des jeans, des tee-shirts, des grands pulls où je suis bien à l'aise.

Mon père me manque. Il ne m'appelle jamais. J'aimerais qu'il soit comme Jim ou le père de Carla. Ils font tous les deux des efforts pour pouvoir voir leurs enfants. Et pourtant M. Schafer et Carla sont séparés par plus de quatre mille kilomètres.

Que dire d'autre? Je pense que tous les garçons sont des idiots à part Bart, Logan (le petit ami de Mary Anne), et les garçons que je garde. Je trouve même que Charlie, mon frère de quinze ans, est un véritable imbécile. J'aime beaucoup les animaux. Nous avons une chienne, Louisa (comme mon amie qui me l'a donnée à la mort de notre premier chien), et un vieux chat, Boo-Boo, qui appartient à Jim. J'ai parfois l'impression que ma maison est un zoo, mais j'aime quand ça bouge.

Voilà, vous connaissez tout le monde maintenant. Je sais

que j'ai beaucoup de chance d'avoir de telles amies et aussi une famille unie, même si elle est un peu compliquée.

J'en étais à ces considérations quand, tout à coup, j'ai vu ma petite sœur sortir de sous le bureau de Jim avec une basket que j'avais perdue, en disant fièrement : « Chauchure. » Je l'ai serrée très fort dans mes bras.

3

– Merci, Sam.

– Je te reprends dans une demi-heure.

Nous étions lundi et mon frère venait de me déposer devant chez Claudia pour la réunion du club avec son tas de ferraille. (Maintenant que j'habite dans un autre quartier, il doit m'emmener et me ramener lorsque je vais aux réunions. Le club le paie pour ces déplacements.)

Je suis entrée chez Claudia sans prendre la peine de sonner. Ça ne posait aucun problème, parce que je me doutais que Claudia était toute seule chez elle et puis, de toute façon, les membres du club entrent toujours sans sonner.

– Salut, Claudia, ai-je dit en entrant dans sa chambre.

(Je me sens toujours plus à l'aise lorsque Jane n'est pas là. Elle est très sympa mais elle ne peut s'empêcher de nous corriger lorsqu'on fait une faute de grammaire ou de vocabulaire. C'est sûrement parce qu'elle est surdouée.)

– Salut.

Claudia était couchée sur son lit, plongée dans *Mort sur le Nil*, une de ses jambes posée sur un coussin.

– J'imagine qu'il va bientôt pleuvoir.

Elle s'est cassé la jambe il y a quelque temps et depuis, chaque fois qu'il va pleuvoir, elle lui fait mal. On peut dire que Claudia fait un assez bon baromètre.

– Ouais, m'a-t-elle répondu. Tu penses que ça gênera Lucy et les autres de s'asseoir par terre avec Jessica et Mallory ? Ma jambe me fait vraiment souffrir, aujourd'hui.

– Non, je ne pense pas. Tu veux que je te cherche un paquet de bonbons ?

– Hmmmm.

Claudia a fermé son livre d'Agatha Christie pour se concentrer.

– Attends, essaie dans l'arm… Non, je sais.

Elle a glissé sa main sous son lit pour en tirer un paquet de chips et un de caramels.

– Tiens, je pense que ça fera l'affaire.

Mary Anne et Carla sont alors arrivées, je me suis donc installée à mon poste de présidente sur le fauteuil de Claudia, j'ai mis ma visière et j'ai glissé un stylo derrière mon oreille. J'étais prête.

– Salut, tout le monde, ai-je dit.

– Salut, m'ont-elles répondu.

Elles s'étaient déjà installées par terre. D'habitude, Claudia, Mary Anne et Carla s'assoient sur le lit, Lucy sur la chaise de bureau de Claudia, Jessica et Mallory, par terre, et moi, à la place d'honneur. (Le fauteuil me donne l'impression d'être plus grande.)

J'ai regardé le réveil de Claudia qui est l'horloge officielle du Club des baby-sitters. Au passage de dix-sept heures vingt-neuf à dix-sept heures trente, la réunion commence même si tout le monde n'est pas arrivé. Je suis intransigeante là-dessus et donc les membres du club sont rarement en retard.

Notre club tient ses réunions trois fois par semaine, les lundi, mercredi et vendredi de dix-sept heures trente à dix-huit heures. En tant que présidente, j'essaie d'être la plus professionnelle possible. Mais je devrais d'abord vous expliquer comment le club s'est formé avant de vous raconter comment il fonctionne.

En début de cinquième, avant tous les bouleversements, je vivais dans Bradford Alley, en face de chez Claudia. David Michael n'avait alors que six ans et, depuis que maman travaillait à plein temps, Samuel, Charlie et moi, nous le gardions à tour de rôle après l'école. (Je gardais aussi d'autres enfants de temps en temps.) Un jour, aucun de nous n'était disponible et ma mère a dû appeler des baby-sitters. Je me suis dit en la voyant multiplier les appels qu'il serait beaucoup plus simple si, en une seule fois, elle pouvait contacter plusieurs baby-sitters. J'ai donc parlé de mon idée à Claudia et Mary Anne et nous avons fondé le Club des baby-sitters.

Il fallait d'autres baby-sitters dans notre club, nous n'étions pas assez nombreuses. Lucy s'est alors jointe à nous. Elle venait juste d'arriver de New York et elle était devenue amie avec Claudia. Dès le début, le club a été un succès. (Nous avons fait beaucoup de pub avec des prospectus et même une vraie publicité dans le journal.) Nous avons eu tellement de travail qu'il a fallu très vite trouver un nouveau membre. Carla qui était la toute nouvelle amie de Mary Anne est alors entrée dans le club. Lucy a ensuite déménagé pour New York, Mallory et Jessica l'ont remplacée et enfin, Lucy est revenue à Stonebrook. Le club compte donc sept membres, et je pense que c'est assez. La chambre de Claudia est pleine.

Je vais maintenant vous expliquer comment fonctionne le club et quelles sont les responsabilités de chacune.

Je suis la présidente, comme vous le savez déjà. Mon rôle est de veiller au bon fonctionnement du club et de trouver de nouvelles idées – comme les coffres à jouets, le journal de bord et l'agenda. Nous avons chacune un coffre rempli de vieux jouets, de jeux, de livres et aussi de quelques albums de coloriage et de crayons de couleur. Les enfants les adorent, donc les parents sont contents, et donc ils nous rappellent et nous avons encore plus de travail.

L'agenda est l'affaire de Mary Anne et de Lucy mais je préfère vous parler d'abord du journal de bord. Après chaque baby-sitting, nous devons y noter nos impressions. C'est un peu fastidieux mais très utile. Nous le lisons ensemble une fois par semaine et comme ça, nous savons quels problèmes ont rencontré les autres avec les enfants.

Maintenant, voyons... Claudia est la vice-présidente parce qu'elle a son propre téléphone et son propre numéro, sa chambre est donc le lieu idéal pour nous réunir. Grâce à nos pubs, les gens savent quand se tiennent nos réunions et n'appellent qu'à ces moments-là.

Mary Anne est la secrétaire, elle s'occupe de l'agenda dont je vous ai déjà parlé sauf pour les comptes parce que c'est Lucy qui s'en charge. Mary Anne a inscrit tous les clients, avec leur numéro de téléphone, leur adresse, le tarif qu'ils payent et leur nombre d'enfants, etc. Le plus important, ce sont les pages de rendez-vous. Elle note tous les baby-sittings à assurer et les membres du club qui s'en chargent. Elle fait un travail formidable. Je ne sais pas comment elle s'y prend, il faut tenir compte des cours de danse de Jessica, des leçons de dessin de Claudia, et aussi des rendez-vous chez le médecin ou le dentiste. Mary Anne est géniale, elle ne fait jamais d'erreur. (En plus, elle a la plus belle écriture de nous toutes.) En tant que trésorière, Lucy collecte nos cotisations hebdomadaires le lundi. Elle est très bonne en maths. (Ça ne me fait pas plaisir de devoir l'admettre mais, en ce qui concerne les maths, elle est aussi forte que Jane, la sœur de Claudia.) Bon bref, elle collecte les cotisations, les met dans notre coffre (une grande enveloppe) et distribue l'argent lorsque c'est nécessaire. Les cotisations servent à dédommager Samuel pour les déplacements, à aider Claudia à régler sa note de téléphone, à payer quelques nouveautés pour les coffres à jouets et à couvrir le coût de nos soirées pyjama et de nos soirées pizza. Lucy garde aussi la trace de ce que nous gagnons dans l'agenda. Juste pour information, car chacune de nous garde ce qu'elle a gagné.

Carla est notre suppléante. Elle peut remplacer n'importe quel membre du club lorsqu'il ne peut pas assister à une réunion. Ça n'arrive pas souvent, mais Carla a un rôle important car elle doit bien connaître chaque poste. Sinon, comme elle n'a pas grand-chose à faire, nous la laissons répondre au téléphone.

Jessica et Mallory sont les baby-sitters juniors. Elles ne peuvent assurer des gardes qu'après l'école et durant le week-end. Elles ne peuvent pas travailler le soir sauf si elles gardent leurs propres frères et sœurs. Elles nous sont d'une grande aide. Pas seulement parce que ce sont de très bonnes baby-sitters mais aussi parce qu'elles nous libèrent les après-midi et nous permettent de travailler le soir.

Les derniers sont des membres intérimaires. Louisa Kilbourne, mon amie, et Logan Rinaldi, le petit ami de Mary Anne. Ils nous remplacent lorsque nous sommes toutes déjà prises par des baby-sittings. Les membres intérimaires n'assistent pas aux réunions, Louisa, elle, est trop occupée par d'autres activités et Logan parce qu'il se sent un peu mal à l'aise à l'idée de se retrouver dans une chambre pleine de filles, trois fois par semaine pendant une demi-heure. Ça ne le gêne pas de déjeuner avec nous au collège, il peut s'échapper quand il le souhaite. Mais, c'est autre chose dans la chambre de Claudia.

Enfin, voilà le Club des baby-sitters.

J'avais gardé les yeux fixés sur le réveil de Claudia et, quand il a affiché dix-sept heures trente, j'ai toussoté. Tout le monde était là et il était temps de commencer la réunion.

– Aujourd'hui, la trésorière doit récolter les cotisations.

Toute contente, Lucy a fait passer l'enveloppe et chacune y a glissé des pièces en grommelant pour la forme. Puis, elle a déposé l'argent sur le bureau de Claudia pour le compter et nous a annoncé que la caisse contenait plus de vingt dollars. J'ai tout de suite dit :

– Bon, alors donne-moi de quoi payer Sam.

Elle m'a tendu ce qu'il fallait avec une mine peinée.

– Et moi, j'ai besoin de fournitures pour mon coffre à jouets, a ajouté Carla. Mes feutres sont inutilisables et quelqu'un, je soupçonne Jenny Prezzioso, a gribouillé toutes les pages de mon nouvel album de coloriage.

– Ma Barbie a perdu sa tête, a renchéri Jessica. Il me faut une nouvelle poupée.

Tout le monde s'est mis à rire.

Le téléphone a sonné pour la première fois et Carla a décroché :

– Allô, Club des baby-sitters. Oh, bonjour, madame Kuhn.

Les Kuhn ne font pas partie de nos clients réguliers mais leurs enfants sont des Imbattables, alors Mme Kuhn nous appelle de temps en temps pour un baby-sitting. Mary Anne a donné la garde à Mallory.

Carla l'a rappelée pour lui apprendre qui ferait la garde, puis le téléphone a sonné à nouveau. Et encore, et encore et encore. Ça a été l'une de nos réunions les plus chargées.

L'un des derniers appels venait de Mme Pike, la mère de Mallory. Elle avait besoin de deux baby-sitters (il faut bien être deux pour garder autant d'enfants) pour samedi après-midi. Mary Anne a confié cette garde à Mallory et Jessica. La plupart du temps, nous nous arrangeons pour garder nous-mêmes nos propres frères et sœurs. Il n'y a heureusement pas de problèmes entre nous lors de la distribution des gardes.

A six heures, nous avons pris ce que Claudia espérait être le dernier appel. (Si quelqu'un appelle après six heures, la pauvre, elle doit se charger de tout toute seule. Voilà le problème lorsque l'on a son propre numéro de téléphone. D'un autre côté, elle est tranquille quand elle a une conversation privée alors que nous, nous devons nous cacher en espérant que personne n'écoute sur un autre poste.)

Dès que Carla a eu raccroché, nous avons dit au revoir à Claudia et nous sommes parties. Samuel m'attendait. Il n'a pas oublié de me réclamer son argent avant de démarrer.

4

Je n'avais pas encore retiré mon blouson que David Michael s'est précipité vers moi en hurlant :

– Louisa a appelé quatre fois pendant que tu n'étais pas là ! Elle a dit que tu devais la rappeler dès que tu serais rentrée à la maison. Elle a dit que c'était très, très, très important.

– Pourquoi ?

– Elle a pas voulu me raconter, elle a juste dit qu'il fallait que tu la rappelles tout de suite.

Ce que j'ai fait. Tout de suite. Au cas où ce serait très privé, j'ai pris le téléphone sans fil et je me suis isolée dans le débarras.

– Allô, Louisa ?

La liaison n'était pas très bonne même l'antenne tirée au maximum, mais je l'ai entendue me répondre :

– Kristy ? C'est toi ?

– Oui, alors qu'est-ce qui se passe ?

– Je t'entends mal, on dirait que tu es dans un tunnel.

– Je suis avec le sans-fil... shrshr... débarras. Ton message avait l'air tellement mystérieux que j'ai préféré être au calme.

– Ah oui, c'est vrai. Tu ne vas pas me croire. Aujourd'hui, j'ai pris le courrier en fin d'après-midi, et devine quoi ? Il y avait... shr... lettre pour toi.

– Ah oui, bah ! le facteur a dû se tromper. Mais c'est quoi... shr... lettre ?

– Non, tu ne comprends pas... shr... pas le facteur qui a mis cette lettre dans notre boîte, il n'y a ni timbre ni oblitération... shr... pas d'adresse. C'est juste écrit : « Kristy » avec plein de cœurs autour.

– Arrête ! Tu me fais marcher !

– Je te jure, je dirais même que ça ressemble à une lettre d'amour...

– Une... shrshr... je ne comprends... shr... pas d'amoureux...

– Kristy ! m'a hurlé Louisa dans l'oreille. Je n'entends rien, tu ne veux pas sortir de ton placard ?

– Pas question... shrshr... mes frères.

– Kristy !

C'était maman.

– Louisa, je dois te laisser, tu peux passer avec... shr... dîner ?

– Si je peux passer avec la lettre après... shr... ? Pas de problème. Je ne...shr... pas rester longtemps mais...shr... envie de savoir ce qu'il y a dans cette lettre et surtout qui l'a écrite... Enfin, si tu me laisses regarder.

– Je ne sais pas trop. C'est... shr... personnel, on verra.

– KRISTY !

Cette fois, c'était Charlie qui m'appelait de sa douce voix pour manger.

– Louisa, je te laisse, à plus tard.

Je suis sortie du débarras en quatrième vitesse pour filer dans la cuisine, j'étais en retard pour le dîner.

– Désolée, me suis-je excusée en me glissant à ma place sur le banc.

Nous mangeons à une très grande table avec des bancs de chaque côté et la chaise haute d'Emily Michelle à un bout.

– Il fallait que je parle avec Louisa, leur ai-je expliqué. Elle va passer tout à l'heure, on a un dossier à faire ensemble.

Je ne sais pas comment j'ai fait pour manger, je ne pouvais pas penser à autre chose qu'à ces cœurs autour de mon prénom sur l'enveloppe. Je ne suis pas vraiment le genre de fille à qui on envoie des lettres avec des cœurs.

A huit heures, on a sonné à la porte.

– J'y vais ! ai-je hurlé. (Eh oui, mon frère n'est pas le seul à avoir du coffre dans la famille !)

David Michael était aussi impatient et curieux que moi. Il avait pris le message de Louisa, m'avait vue m'isoler dans le cagibi et m'avait observée pendant le dîner. Comme par hasard, il se trouvait juste derrière moi lorsque j'ai ouvert la porte.

– Salut, Louisa, ai-je murmuré, la gorge serrée d'angoisse.

Elle a d'épais cheveux blonds bouclés (comme Lucy) et les yeux bleus. Je ne dirais pas qu'elle est aussi belle que Carla ou que Lucy, non elle est plutôt « intéressante ». J'ai entendu une fois quelqu'un dire que ce n'était pas vraiment un compliment, qu'on dit ça pour ne pas dire moche mais je ne suis pas d'accord, enfin pas dans le cas de Louisa. Elle est vraiment intéressante, elle a les pommettes saillantes et de très grands yeux. Ces cils sont très clairs, mais elle a le droit de se maquiller, alors elle met du mascara noir tous les matins. Et elle a le nez en trompette, très petit. (Elle m'a avoué une fois qu'elle aimerait bien se le faire refaire mais ses parents refusent. Ils ne sont pas stricts, ils pensent juste qu'elle devrait attendre ses dix-huit ans pour prendre une telle décision.)

Mon amie est entrée, elle portait toujours l'uniforme de son école. Louisa, Bart et près de la moitié des enfants du quartier vont dans une école privée. Karen, Andrew et beaucoup d'autres vont dans une autre école privée. Mes frères et moi, nous sommes pratiquement les seuls à aller dans une école publique dans le coin.

– Alors ? ai-je demandé avec impatience à Louisa.

Elle a sorti une enveloppe de sa poche et me l'a tendue. J'étais tellement excitée que j'avais du mal à respirer. Mais j'avais tout de même encore assez de présence d'esprit pour me souvenir que David Michael était juste derrière moi.

– On ferait mieux d'aller dans ma chambre.

Nous avons monté les escaliers mais il nous suivait toujours comme un petit chien.

Quand nous sommes arrivées à la porte de ma chambre, il était encore là comme un idiot. J'ai dû lui mettre les points sur les « i ».

– David Michael, c'est personnel, tu ne peux pas entrer dans ma chambre !

– Mais je veux savoir ce qui se passe !

– Je te le dirai peut-être après, mais ça ne va sûrement pas t'intéresser, ce sont des histoires de filles.

– Beurk, oublie ! Les filles, c'est trop nul ! a-t-il répondu comme je m'y attendais.

J'ai jeté un regard entendu à Louisa et nous sommes entrées dans ma chambre. J'ai fermé la porte et nous nous sommes jetées sur mon lit.

Nous avons observé l'enveloppe. Au milieu, il y avait juste « KRISTY » tapé à la machine avec un autocollant en forme de cœur sur le I et d'autres autocollants de chaque côté.

– Ce n'est peut-être pas pour moi, il n'y a pas mon nom de famille, juste un prénom. Je ne suis pas la seule Kristy en ville.

– Peut-être, m'a répondu Louisa, mais il n'y a aucune Kristy chez moi et tu es la seule de tout le quartier. J'en suis sûre, je connais presque tout le monde.

Je continuais de regarder cette enveloppe pendant qu'elle me parlait, je ne pouvais pas quitter mon prénom des yeux.

– Bon, tu l'ouvres, cette lettre ! Je n'en peux plus, moi, ça fait des heures que j'attends.

J'ai donc ouvert l'enveloppe. Tout à coup, je me suis sentie un peu gênée. Ce qui était écrit pouvait être très personnel.

– Écoute, Louisa, je préfère la lire d'abord toute seule, tu comprends ?

– D'accord.

Elle s'est retournée en fermant les yeux. J'ai lu la lettre qui était tapée à la machine.

Chère Kristy,
Je trouve que tu es très jolie.
Tu es la fille la plus sympa que
je connaisse. J'aimerais bien être ton petit
ami. J'espère pouvoir te le dire moi-même.
Je t'embrasse,
Ton Admirateur Secret.

Je me suis redressée sur le lit.

– Ouais, c'est pas mal, qu'est-ce que tu en penses ?

J'ai tendu la lettre à Louisa qui l'a lue en souriant.

– Ouah ! Tu as un admirateur secret. C'est super romantique.

Sa réaction m'a surprise. Elle est un peu comme Lucy. Il y a plein de garçons qui sont amoureux d'elle. En plus, avec son maquillage, on dirait qu'elle est plus vieille que moi. Et là, elle était tout excitée à cause d'une petite lettre d'amour !

– Je suis sûre que c'est encore une super blague de Charlie, ai-je simplement conclu.

– Et pourquoi aurait-il mis la lettre dans ma boîte, c'est ridicule.

– Pour mieux me faire tomber dans le panneau. Et c'est pour ça qu'il l'a tapée à la machine, sinon j'aurais tout de suite reconnu sa sale écriture.

– Quelle nouille ! m'a élégamment répondu Louisa. Tu sais très bien de qui elle vient, cette lettre !

– De qui alors ?

– Bah... de Bart, bien sûr !

– Bart ! Ça ne va pas ! Pourquoi il ne me l'aurait pas dit lui-même ?

– Ce ne sont pas des choses faciles à dire, m'a-t-elle expliqué comme si elle en avait déjà fait l'expérience.

– OK, mais pourquoi tous ces cœurs ? Les garçons ne font pas ce genre de trucs, y a qu'une fille pour faire ça.

– Une fille qui aimerait bien être ton petit ami ? Kristy, ne sois pas ridicule. Il voulait juste que sa lettre soit jolie.

– D'accord. Et alors, pourquoi Bart, qui connaît très bien mon adresse, aurait-il mis l'enveloppe dans ta boîte ?

Elle a froncé les sourcils.

– Ça, je n'en sais rien. Mais, de toute façon, c'est le seul qui aurait pu t'envoyer une telle lettre. Tu vois quelqu'un d'autre ?

C'est vrai que je ne pensais à personne d'autre, à part Charlie.

– Bon écoute, il faut que j'y aille, m'a dit Louisa, j'ai un contrôle d'histoire la semaine prochaine. Et si tu appelais Bart ? Il fera peut-être une allusion à la lettre.

– Tu as peut-être raison…

Je l'ai raccompagnée à la porte, puis je suis allée dans la cuisine pour appeler Bart. Je me disais que, si je ne voulais pas attirer l'attention, il valait mieux que je ne me cache pas encore dans le débarras.

C'est son petit frère qui a répondu et il a hurlé : « BART ! » Ensuite, j'ai entendu un gros bruit, il devait avoir laissé tomber le combiné.

– Désolé pour mon frère, s'est excusé Bart quelques secondes plus tard. Il faudrait lui apprendre les bonnes manières. Alors, tu voulais me demander quelque chose ?

– Oh, rien de spécial, ai-je répondu, comment va ton groupe ?

– Bien, mais on n'a toujours pas d'endroit pour répéter.

Nous avons discuté pendant un quart d'heure. De son groupe, d'un de mes profs que j'ai du mal à supporter, et puis de plein d'autres choses.

Mais il n'a fait aucune allusion à la lettre de l'admirateur secret. Moi non plus. Une fois le téléphone raccroché, j'étais sûre que ce n'était pas lui qui l'avait écrite, même si Louisa était persuadée du contraire. Mais si ce n'était pas lui, alors qui pouvait bien être ce fameux admirateur secret ?

5

Mardi

Aujourd'hui, j'ai gardé les filles Perkins. Comme elles avaient un entraînement de l'équipe des Imbattables, je les ai emmenées au terrain de base-ball. Myriam et Gabbie m'ont aidée à pousser Laura dans son landau. Elles sont vraiment chouettes les unes avec les autres. Je connais peu de frères et sœurs aussi proches. Ça me donne envie d'avoir une petite sœur.
Enfin... rien à dire sur l'après-midi. Comme Myriam et Gabbie font partie de l'équipe de Kristy, c'est elle qui s'en est occupée. Moi, je n'avais plus que Laura à surveiller. Elle a fait une longue sieste à l'ombre et j'ai discuté avec Louisa qui était venue voir l'entraînement.
Après, j'ai ramené les filles chez elle. Et c'est tout !
Ah, si... Louisa est vraiment sympa.

A en juger par ce qu'elle a écrit dans le journal de bord, la journée de mardi a été très calme pour Lucy. Mais pas pour moi par contre !

Ça a commencé quand je suis sortie, très tôt le matin, pour prendre le journal de Jim sur le pas de la porte et que j'y ai trouvé, outre l'habituel journal, une enveloppe avec mon prénom dessus. J'ai vite ramassé les deux, j'ai déposé le journal sur la table de la cuisine pour foncer dans ma chambre afin d'ouvrir la lettre au calme. Quelle panique ! En plus, comme je n'étais pas encore habillée, j'allais être en retard au collège.

L'enveloppe n'était pas aussi décorée que la première mais il y avait quand même un autocollant en forme de cœur rose collé au dos. A l'intérieur, j'ai trouvé une autre lettre tapée à la machine.

Très chère Kristy,

Je n'arrête pas de penser à toi. Je crois que je suis amoureux. Je ne sais pas. Je n'ai jamais été amoureux avant. Tu es aussi belle que la montagne sous la neige.

Je t'embrasse.

Ton Admirateur Secret.

La fin était un peu exagérée (« pompeuse » comme dirait l'un de mes profs), mais je m'en fichais. Je crois que c'était la première fois que quelqu'un, enfin à part ma mère et ça ne compte pas, me disait que j'étais belle.

Évidemment, j'ai parlé des deux lettres à mes amies pendant le déjeuner au self. Et, comme Louisa, elles étaient toutes persuadées que mon admirateur secret n'était autre que Bart. J'étais la seule à avoir des doutes.

J'avais donc reçu une deuxième lettre le matin, alors imaginez ma surprise lorsque j'en ai découvert une troisième dans notre boîte aux lettres en rentrant du collège ! Elle était très courte.

> Je t'aime, je t'aime, je t'aime.
> Bisous,
> Ton Admirateur Secret.

J'étais sur un petit nuage. Louisa m'a accompagnée à l'entraînement de base-ball. Je n'ai rien dit de tout le trajet. Je me récitais juste la lettre en boucle. Et ce n'était que le début de mes émotions...

Pendant ce temps-là, après les cours, Lucy se rendait chez les Perkins. Elle a été accueillie à la porte par deux petites filles toutes joyeuses, Myriam et Gabbie. (Elles ont six et trois ans. Et devinez quoi ? Leur famille occupe mon ancienne maison.)

– Un câlin, Lucy ! a crié Gabbie. Un câlin !

Lucy l'a donc prise dans ses bras pour la serrer contre elle. Quand elle l'a reposée par terre, Myriam, toute souriante, a dit :

– Je sais presque faire du vélo sans les petites roues !

Elle était toute fière.

Quelques minutes plus tard, une fois leur mère partie, Lucy leur a demandé :

– Alors, les filles, prêtes pour l'entraînement ?

– OUI ! ont crié en chœur Myriam et Gabbie.

Elles portaient des protège-tibias, des tennis et leur tee-shirt des Imbattables.

– Il faut mettre vos casquettes, leur a rappelé Lucy, vous allez être en plein soleil pendant tout l'après-midi.

Les filles ont pris leurs casquettes pendant qu'elle mettait son chapeau rose à Laura et se couvrait elle-même d'un superbe foulard, très chic. Puis, elles sont sorties de la maison.

Gabbie et Myriam poussaient leur petite sœur dans son landau chacune leur tour. Quand elles sont arrivées au terrain de base-ball, Myriam a couru vers moi et Lucy s'est installée avec Laura sous un arbre.

– Tu veux t'asseoir sur mes genoux ? a-t-elle demandé à la petite.

Mais elle s'était déjà endormie. « Plutôt facile comme baby-sitting », s'est dit Lucy en prenant un livre.

Elle était en train de lire quand je suis arrivée près d'elle.

– Lucy ! lui ai-je crié avant même d'être à sa hauteur. J'ai reçu une troisième lettre cet après-midi !

Je lui ai tout raconté et elle m'a adressé un grand sourire plein de sous-entendus.

– Hé, Kristy !

C'était Louisa. Elle avait déjà rencontré Lucy mais elles ne se connaissaient pas très bien.

– Écoute, Kristy, je crois que tu devrais y aller, les gamins s'impatientent.

J'ai donc rejoint mes Imbattables pour l'entraînement en laissant Lucy, Laura et Louisa sous leur arbre. J'espérais qu'elles allaient discuter un peu. J'avais envie que Louisa fasse mieux connaissance avec les autres membres du club.

Elles ont effectivement discuté.

– Je ne t'ai jamais vue à l'entraînement des Imbattables avant, a dit Lucy pour lancer la conversation. (Elle jetait de temps en temps un œil sur Laura qui continuait à dormir tranquillement.)

– Je n'ai pas le temps d'habitude, comme je n'ai pas non plus le temps de venir aux réunions. Je reste souvent au collège l'après-midi car je fais partie de pas mal de clubs et, les autres jours, il faut que je garde ma petite sœur, Maria, ou bien j'ai des baby-sittings. Mais aujourd'hui, rien du tout ! Alors, je me suis dit que j'allais venir voir l'entraînement. Beaucoup d'enfants que je garde font partie de l'équipe. Kristy est vraiment géniale avec eux.

– Quel âge a ta sœur ? a demandé Lucy. Elle joue au baseball ?

– Elle a huit ans mais elle ne fait pas de sport, elle déteste ça. Ce qu'elle aime, c'est faire ses devoirs ! Tu imagines ?

Lucy a souri.

–Je connais quelqu'un comme elle. C'est Charlotte Johanssen. Elle aussi a huit ans et fait partie des pom-pom girls des Imbattables. Elle est là-bas. Je l'adore, c'est comme une petite sœur pour moi.

L'entraînement avait commencé et se passait plutôt bien.

Simon Newton a même failli attraper la balle quand elle est arrivée vers lui. Claire a raté un coup sans faire de colère. David Michael et Nicky Pike (l'un des frères de Mallory), mes deux meilleurs lanceurs, se sont vraiment bien débrouillés.

Quand l'entraînement s'est terminé, Louisa et Lucy ont rejoint Charlotte, Vanessa et Helen pour pousser les acclamations d'usage.

J'ai quitté les Imbattables qui commençaient à s'en aller pour retrouver mes amies, Louisa, Lucy et Mallory qui gardait les enfants Kuhn.

– Vous savez quoi ? Je crois qu'on peut battre les Invincibles une deuxième fois, même avec tous leurs joueurs.

– Les gamins progressent, c'est sûr, a approuvé Lucy alors que Gabbie et Myriam nous rejoignaient.

– Chut ! Laura dort, a chuchoté Gabbie à notre intention, en se penchant sur sa petite sœur.

Nous nous sommes retenues de rire et nous avons parlé plus bas.

– Il faut que j'y aille, a dit Louisa, je dois préparer le dîner.

– Je suis contente que vous ayez pu faire connaissance, Lucy et toi.

– Moi aussi, a renchéri Lucy.

Elle a échangé un sourire avec Louisa, puis elle est retournée chez les Perkins avec Gabbie et Myriam.

Plus tard dans la soirée, j'ai appelé Lucy.

– Alors, lui ai-je demandé, comment s'est terminé ton baby-sitting ?

– Bien, les filles sont des anges. Laura s'est réveillée sur le chemin et ses sœurs lui ont chanté des berceuses jusqu'à ce qu'on arrive chez elles. Mme Perkins était déjà là. Alors, je suis tout de suite rentrée chez moi.

– Tu sais pas quoi ? lui ai-je tout de suite dit. Dès que vous êtes parties, Bart est arrivé et il m'a encore raccompagnée à la maison. Et tu ne devineras jamais ce qu'on a décidé...

– De vivre votre amour au grand jour !

– Arrête !

– Oh, on a bien le droit de rigoler un peu.

– Ouais, bon, on a décidé de faire un tournoi entre nos deux équipes.

– Vraiment ? Et en combien de parties ?

– On n'est pas tout à fait d'accord. Moi, je veux trois parties. Bart pense que les gamins sont trop jeunes et qu'une suffirait. Je ne suis toujours pas d'accord mais j'ai accepté pour ne pas que l'on se fâche.

– Bien, et est-ce qu'il t'a donné des indices qui pourraient te laisser penser que c'est ton admirateur secret ?

– Rien du tout. C'est pour ça, je suis sûre que ce n'est pas lui.

– Mais, c'est forcément lui !

– J'ai l'impression d'entendre Louisa.

J'ai commencé à lui expliquer pourquoi, à mon avis, ce ne pouvait pas être Bart, mais j'en avais assez de toujours devoir répéter la même chose. Alors, j'ai changé de conversation.

– Tu ne vas jamais croire ce que j'ai fait.

– Quoi ?

– J'ai demandé à Bart s'il voulait bien venir avec moi au bal d'Halloween et il a accepté.

Pas de réponse, Lucy était tellement longue à réagir que j'ai fini par me poser des questions.

– Lucy, Lucy, tu es toujours là ?

Finalement, je l'ai entendue éclater de rire.

– J'en crois pas mes oreilles, c'est génial que tu aies eu le courage ! Mais, le bal a lieu dans quelques jours seulement, il va falloir que tu trouves un déguisement, et puis un maquillage, une coiffure…

Lucy était paniquée. Elle avait l'air bien plus excitée que moi.

6

– D'après vous, ça se mange, ce truc ?

J'étais en train d'analyser ce que j'avais osé choisir au self. Vraiment, je ne voyais aucun rapport entre le contenu de l'assiette et le nom qu'on avait donné au plat.

– Tu es trop téméraire, Kristy, m'a répondu Claudia. Tu aurais mieux fait de prendre un sandwich ou une salade Là, au moins, pas de surprise.

J'ai repoussé mon assiette en faisant la moue.

Claudia, Lucy, Mary Anne, Carla, Logan et moi, nous étions à notre table habituelle à la cafétéria. (Mallory et Jessica ne mangent pas en même temps que nous.)

– Je pourrais utiliser cette pâtée pour un autre usage, ai-je dit en dirigeant ma fourchette vers Mary Anne. Je suis sûre que tu as besoin d'un masque désincrustant.

– Arrête ça tout de suite ! m'a-t-elle lancé, l'air dégoûté.

– Qui, à cette table, pourrait penser que cette fille a un admirateur secret ? a demandé Carla en me montrant du doigt.

– Ou qu'elle est présidente d'un club ? a ajouté Lucy. Bon, s'il te plaît, Kristy, ou tu poses ça ou tu le manges !

J'ai posé ma fourchette, je n'allais sûrement pas manger ça.

Nous avons parlé de nos baby-sittings pendant un moment. Mary Anne a raconté que la très distinguée Mme Prezzioso avait enfin accepté d'acheter un jean à sa fille, Jenny. Jusqu'alors, il était plutôt difficile de faire la différence entre Jenny et les doubles rideaux de leur salon. Ensuite, Carla nous a appris que Mathew Braddock allait participer à une pièce de théâtre de son école spécialisée pour la soirée d'Halloween. Cette pièce serait entièrement en langue des signes.

Du coup, j'ai pensé au bal et nous nous sommes mises à discuter de qui y allait avec qui, déguisé comment, etc. Mary Anne et Logan y allaient ensemble, bien sûr. Claudia espérait que Woody Jefferson l'inviterait. Lucy essayait de trouver le courage de demander à un nouvel élève de son cours d'anglais de l'accompagner, et Carla a dit qu'elle irait toute seule.

– Je ne suis pas la seule ! a-t-elle affirmé pour se défendre.

Et elle a ensuite ajouté qu'elle me trouvait drôlement culottée d'avoir demandé à Bart de venir avec moi. (Tout le monde était déjà au courant, les nouvelles vont vite au Club des baby-sitters.)

– En parlant de Bart, a ajouté Mary Anne, tu as reçu de nouvelles lettres ?

– Oui, ce matin.

– Et tu ne nous as rien dit ! a hurlé Claudia.

– Désolée ! C'est la quatrième, je pense que je commence à m'habituer.

– A t'habituer ! a répété Carla.

– Ma vieille, si j'avais un admirateur secret qui m'envoyait des lettres d'amour..., a commencé Lucy.

– Chuut ! Vous ne pourriez pas être plus discrètes ?

– Si je parle moins fort, tu ne vas pas pouvoir m'entendre avec tout ce boucan.

C'était vrai, mais j'avais remarqué que Cokie Mason et sa petite cour, Grace Blum et deux autres filles, Lisa et Bea, étaient assises à la table juste à côté. Elles semblaient beaucoup trop calmes.

– Hé, ai-je murmuré.

Mes amies se sont penchées vers moi.

– On est partis pour une conversation de filles ? a demandé Logan.

– On peut dire ça, ai-je répondu.

– Bon, ben, à plus tard.

Logan s'est levé précipitamment et il est parti.

– J'ai apporté les lettres avec moi, regardez.

J'ai étalé les feuilles sur la table. J'avais aussi apporté les enveloppes parce que j'adorais les autocollants qui étaient dessus.

Les filles se sont penchées pour mieux les voir.

– Je t'aime, je t'aime, je t'aime, a lu Mary Anne. C'est tellement romantique.

– Et poétique, a ajouté Claudia.

– Mais vous ne pensez quand même pas sérieusement qu'elles viennent de...

Je me suis tue. Les garçons d'une table voisine nous regardaient avec curiosité et Cokie Mason ne nous quittait pas des yeux. Elle s'est ensuite tournée vers Grace, a murmuré quelque chose et elles ont ricané.

Je me suis dépêchée de ramasser les lettres.

– Ne fais pas attention à Cokie et à sa troupe, m'a dit Lucy.

– Ouais, je suis sûre qu'elles sont jalouses, a ajouté Mary Anne, ça m'étonnerait que l'une d'elles ait jamais reçu de lettre d'un admirateur secret.

– Je me demande pourquoi les lettres sont tapées à la machine, a dit Lucy comme pour elle-même.

– Oh ! je vous ai déjà dit que c'était pour déguiser son écriture, ai-je sifflé avec impatience.

– Donc, les lettres sont forcément de Bart Taylor. Qui d'autre aurait besoin de déguiser son écriture ? m'a répondu Lucy.

– Charlie, ai-je répliqué.

Cokie et ses copines se sont levées pour quitter la cafétéria, sans nettoyer leur table bien sûr.

– Quelles truies ! ai-je lancé.

Comme vous avez pu le deviner, nous n'apprécions pas beaucoup Cokie et sa bande et nous avons de bonnes raisons pour ça.

– Tu te souviens de la fête d'Halloween de l'an dernier ? m'a demandé Mary Anne juste au moment où j'allais dire la même chose, je suppose que c'est un signe de notre amitié.

– Ma vieille, je ne vois pas comment on pourrait oublier ça, a dit Claudia.

– Quoi ? De quoi vous parlez ? a demandé Lucy. (Elle était à New York à l'époque.)

– L'an passé, Mary Anne a commencé à recevoir des lettres bizarres, menaçantes, qui disaient qu'on lui avait jeté un sort.

Et, à partir de ce moment-là, nous avons vraiment vécu des trucs bizarres. Nous pensions que... Enfin, je ne sais pas vraiment ce qu'on pensait, a expliqué Claudia, hésitante. Bref, nous avons fini par découvrir que tout ça venait de Cokie et de ses copines. Elles voulaient nous faire passer pour des débiles aux yeux de Logan. Elles étaient jalouses et elles le voulaient pour elles.

– Et qu'est-ce qui s'est passé ? a demandé Lucy.

– C'est nous qui les avons fait passer pour des débiles dans le cimetière, le soir d'Halloween.

– Ne demande pas ce qui nous a possédées, a ajouté Carla en rigolant.

Nous nous sommes toutes mises à rire.

– Je ne sais pas comment on a trouvé le courage de faire ça, mais on l'a fait, ai-je dit, et en plus toutes réunies. Mallory et Jessica étaient avec nous. Le Club des baby-sitters au complet.

Nous sommes restées un moment silencieuses, nous remémorant cet épisode de l'histoire de notre club. La cloche a sonné, alors nous avons nettoyé notre table avant de quitter la cafétéria.

Cet après-midi-là, j'ai gardé David Michael et Emily Michelle. Comme d'habitude, maman et Jim étaient au travail, Charlie et Samuel étaient à leurs entraînements de sport et Mamie au bowling. Elle fait partie de la Ligue des seniors. Elle joue vraiment bien. Elle a même gagné un trophée qui orne sa chambre.

C'est un sacré personnage. Tout le monde l'adore, surtout Emily Michelle.

Lorsque Mamie est partie au bowling, David Michael, Emily

et moi, nous étions devant la porte pour lui dire au revoir et ma petite sœur, comme chaque fois, s'est mise à pleurer en la voyant s'éloigner dans son Tacot rose, la vieille voiture qu'elle a elle-même repeinte en rose, sa couleur préférée.

– Allez, viens, lui ai-je dit en fermant la porte, Mamie revient bientôt, elle est juste partie au bowling.

– Tu veux qu'elle soit une championne, non? a ajouté David Michael. Alors, elle doit s'entraîner.

– Gâteau, a très sagement répondu Emily Michelle.

– Je crois que notre petite sœur apprend très vite, ai-je dit à David Michael. D'accord, mais un seul.

– Gâteau aussi, m'a lancé mon petit frère chéri. Mamie me manque aussi.

Je lui ai donné un bon coup dans l'épaule et il a grogné. Je ne suis pas entraîneur de base-ball pour rien.

Nous étions tous les trois en train de terminer notre petit goûter lorsqu'on a sonné à la porte.

– J'y vais. Tu surveilles Emily, David Michael.

J'ai ouvert la porte mais il n'y avait personne. Par contre, j'ai trouvé une enveloppe par terre. Mon cœur s'est mis à battre très fort. Encore une lettre de mon admirateur secret! Je l'ai tout de suite lue, sans même refermer la porte et mon cœur s'est mis à battre encore plus fort mais pas pour la raison que vous imaginez. Cette lettre était... bizarre.

JE T'AIME, JE T'AIME, JE T'AIME MAIS FAIS ATTENTION. L'AMOUR EST INCONSTANT. LES AMIS AUSSI. PRENDS GARDE À TON ADMIRATEUR SECRET.

J'ai tout de suite appelé Louisa, en priant pour qu'elle soit chez elle pour une fois et qu'elle puisse me rejoindre. Elle était là et elle est venue chez moi immédiatement. Pendant que David Michael et Emily Michelle regardaient la télé, Louisa et moi, nous sommes allées parler de la lettre dans la cuisine. Nous l'avons lue et relue, examinée sous tous les angles.

– Ça m'embête de l'admettre mais je crois que j'avais tort, a dit Louisa d'une voix mal assurée. Cette lettre ne peut pas venir de Bart. Ça vient de quelqu'un de bizarre, il n'y a pas de doute.

– Et si c'était de Bart. Et s'il était devenu fou?

– Il n'est pas fou, je vais au collège tous les jours avec lui et je peux te dire qu'il va très bien. Cette lettre doit venir de quelqu'un d'autre.

– Non, elle ressemble aux autres.

– Et pourquoi, alors que tu ne voulais pas le croire avant, es-tu maintenant si sûre que les lettres, et surtout celle-ci, viennent de Bart?

– Non, enfin… je ne sais pas. Mais, en tout cas, si elle vient de lui, j'ai invité un fou au bal d'Halloween.

7

Samedi

Aujourd'hui, Jessi et moi, nous avons gardé mes frères et sœurs.

Et je vous assure qu'il y a de l'Halloween dans l'air.

J'allais le dire. Nous n'avons entendu parler que de ça pendant tout l'après-midi.

Mais c'était plutôt marrant, non?

Ouais. Je crois que j'aimerais bien avoir toujours l'âge de me faire un déguisement pour sortir et faire peur aux gens, récolter des bonbons.

Eh non, tu es trop vieille maintenant!

Bon, c'est vrai. Bref, les enfants ont passé l'après-midi à faire des projets pour Halloween. Ils vont construire une maison hantée dans notre sous-sol.

Et faire payer la visite, si je puis me permettre.

Mais ça va t'intéresser, Kristy. Vanessa a une idée qui concerne les Imbattables, le tournoi et Halloween...

Mallory et Jessica ont vraiment passé un bon après-midi. Lorsque Jessica est arrivée chez les Pike, elle a découvert Claire qui se baladait dans le salon avec un masque de clown sur le visage en appelant tout le monde « stupide-petite-bêbête-gluante ».

Margot a annoncé qu'elle voulait se déguiser en clown pour Halloween.

– Oh, ce n'est vraiment pas original, lui a répondu Vanessa qui n'a que neuf ans et veut déjà devenir poète.

– Ah, oui. Alors, toi, tu vas te déguiser en quoi ? a rétorqué Margot. (Elle a sept ans.)

– En poète, a-t-elle répondu avec un petit ton supérieur.

– Bah, et ça ressemble à quoi un poète ? a demandé Nicky. (Il a huit ans.)

Mais il n'a pas attendu la réponse et il a ajouté :

– Au fait, je ferais bien de me trouver un costume.

– On doit tous en trouver un, a répliqué Byron, l'un des triplés de la famille de Mallory qui ont dix ans.

– Moi, je veux être une girafe, a affirmé Claire.

– Dans tes rêves, lui a aimablement rétorqué Jordan. (Un autre des triplés.) T'as qu'à tirer sur ton cou jusqu'à ce qu'il fasse cinquante centimètres de plus et là tu pourras porter un masque de girafe.

Mallory et Jessica se sont mises à rire. Elles étaient assises dans le salon devant la télé avec tous les enfants Pike. Il faisait gris et personne n'avait envie d'aller jouer dehors.

– Je porterai le cou de la girafe sur la tête, a annoncé Claire fière de son idée, avec le masque tout au bout. Et je ferai des petits trous dans le cou pour pouvoir voir au travers, et toc ! a-t-elle lancé à Jordan.

– Tu dois admettre que c'est une bonne idée, a dit le troisième des triplés, Adam.

Les enfants avaient tous l'air vraiment très impressionnés.

– Cette année, je veux me déguiser en Peter Pan, a affirmé Nicky.

– C'est nul, a dit Jordan, moi je serai en momie.

– Très original, s'est moquée Mal, je suis sûre que personne n'a jamais eu cette idée.

Jordan s'est mis à bouder puis son visage s'est illuminé.

– Je sais, je serai une momie sans tête. Ça, c'est original !

– Je me demande comment je dois m'habiller pour avoir l'air d'un poète, a murmuré Vanessa.

– Déguise-toi en stylo, a suggéré Margot.

– Non, je veux être un poète. Enfin, je veux dire une poétesse. Mallory, à quoi ça ressemble, une poétesse ?

– Je ne sais pas, je vais réfléchir.

Les triplés ont commencé à fouiller dans la malle à vêtements et à accessoires des Pike. Ils en ont sorti des chapeaux, des masques et une mallette de médecin. Puis, Adam a trouvé une bobine de fil.

– Qu'est-ce que ça fait là ? a demandé Jessica.

– Je n'en sais rien, mais ça me donne une idée.

– Quoi ? se sont écriés les autres.

– On pourrait faire une maison hantée dans notre sous-sol. On la construirait le jour d'Halloween, c'est un samedi, et pendant toute la journée, les enfants pourraient y venir. Il y aurait des fantômes, plein de trucs qui bougent et qui font peur. Avec le fil, on ferait des toiles d'araignée. Si on fait payer l'entrée un dollar, tout le monde s'y retrouvera !

– C'est une idée géniale, a répondu Jordan.

– Est-ce que je peux participer ? a demandé Nicky. (Parfois, les triplés font des choses de leur côté. Et ils laissent souvent Nicky tout seul, alors qu'il est le seul autre garçon de la famille.)

– Bien sûr, a répondu Adam. Nous allons avoir besoin de beaucoup de monde. Il va falloir quelqu'un pour accueillir les visiteurs à la porte et les conduire au sous-sol, quelqu'un d'autre pour les diriger dans la maison hantée, et il faudra aussi des gens déguisés en fantôme ou en momie sans tête. Les vraies personnes font plus peur que les mannequins.

– Et tu sais quoi d'autre ? a dit Vanessa. Il faudrait que, dans une partie de la maison, on mette des bandeaux sur les yeux des gens. On leur ferait toucher des trucs dégoûtants comme des spaghettis chauds pleins de sauce, ou des grains de raisin pelés. On leur dirait que les spaghettis sont de la cervelle et le raisin des yeux. Ça devrait vraiment leur faire peur !

– Vanessa, tu es un génie ! s'est exclamé Jordan.

– Pas vraiment, en fait j'ai vu ça à la télé.

– Ouais, bah de toute façon, c'est une super idée et on va le faire.

– Et on passera une cassette avec des sons de maison hantée, a ajouté Adam. Des gémissements, des hurlements, des portes qui grincent, des bruits de chaînes sur le sol, de tonnerre ou de vent dans les arbres !

Adam était surexcité. Claire avait l'air un peu effrayée mais elle tentait de ne rien laisser paraître. Elle ne voulait pas être mise hors du coup.

Tous les enfants Pike se sont tus pendant un moment et leurs pensées ont dû s'éloigner de leur projet de maison hantée car la question suivante a été :

– Vous croyez qu'on peut vraiment battre les Invincibles? (C'était Nicky.)

– Tu parles du tournoi? lui a demandé Margot.

Nicky a acquiescé.

– Qu'est-ce que tu en penses, Mallory?

– Je ne sais pas. Vous les avez déjà battus. Mais je pense qu'il faudra que vous soyez très concentrés et que vous fassiez attention à ne pas être trop nerveux.

– Et les pom-pom girls vont faire très attention à... heu... à mener les Imbattables à la victoire, a ajouté Vanessa d'un air théâtral. Hé, j'ai une idée. Comme le tournoi se jouera juste avant Halloween, Charlotte, Helen et moi, nous devrions porter des déguisements.

– Ça serait cool, a dit Nicky.

Puis il a regardé par la fenêtre et a ajouté:

– Mallory, il ne pleut pas. Est-ce que Claire, Margot et moi, on peut aller dans le jardin pour nous entraîner à envoyer et à recevoir la balle?

– Bien sûr.

Ils sont alors sortis pendant que les triplés, restés à l'intérieur, planifiaient leur projet de maison hantée. Vanessa a téléphoné à ses collègues pom-pom girls pour discuter des costumes. Elle a d'abord appelé Helen:

– Salut, je viens d'avoir une super idée, écoute...

Elle lui a expliqué son plan, puis elle a ajouté:

– Quoi? Oh, je vois ce que tu veux dire. Je vais y réfléchir. Tu préviens Charlotte et tu me rappelles après, d'accord?

Elle a raccroché et elle est retournée dans le salon où Mallory donnait un coup de main aux triplés pour leur projet. (Jessica était dehors avec Claire, Margot et Nicky.)

– Helen a dit que nous devrions toutes les trois nous habiller pareil, a expliqué Vanessa à sa grande sœur. On serait les trois quelque chose mais on n'a pas encore trouvé quoi.

– Et pourquoi pas Riri, Fifi et Loulou? a suggéré Adam en ricanant.

– Ou les trois petits cochons ? a renchéri Jordan.

– Non !

– Ils te font marcher, Vanessa, lui a gentiment fait remarquer Mallory.

Le téléphone a sonné et Vanessa s'est précipitée dessus en hurlant :

– C'est probablement Helen. J'espère bien qu'elle a eu une meilleure idée que vous avec Charlotte.

Quelques minutes après, elle a réapparu.

– Charlotte et Helen arrivent.

– Super ! a dit Jordan. Juste ce qu'il nous fallait, encore des filles.

– C'est bon, arrête, l'a prévenu Mallory.

L'équipe des pom-pom girls est montée dans la chambre que Mallory partage avec Vanessa. Elles ont discuté pendant à peu près une heure des costumes, puis elles sont descendues au salon, tout excitées.

– Ça y est, on a trouvé ! a crié Charlotte qui est plutôt discrète d'habitude.

– Alors, vous allez vous déguiser en quoi ? a demandé Mallory, intéressée.

Les filles se sont regardées en gloussant et elles ont annoncé en chœur :

– Les trois mousquetaires.

– Et on fera la tournée des voisins avec le même costume, a

ajouté Vanessa. Comme ça, pas la peine de chercher de quoi doit avoir l'air une poétesse.

– Les mecs, a dit Adam avec envie, on aurait dû y penser. Ça serait parfait pour des triplés.

– Vous pouvez aussi vous déguiser en vampires si vous voulez, a généreusement proposé Vanessa.

– Sûrement pas, s'est exclamé Jordan. Pas question de reprendre une idée de filles.

Elles l'ont ignoré et ont filé chercher le livre d'Alexandre Dumas dans la bibliothèque. Elles voulaient regarder comment les mousquetaires étaient habillés pour faire leurs costumes. Les triplés sont retournés à leur préparation de maison hantée.

Du jardin, on a entendu Nicky hurler :

– *Home run* !

L'après-midi a été, Mallory et Jessica sont d'accord, vraiment sympa.

8

Au début, en voyant l'air si étonné de mes amies, je n'ai rien compris. Finalement, Mary Anne s'est levée et elle est venue me murmurer à l'oreille :

– L'horloge, Kristy.

On était lundi après-midi. Les sept membres du club étaient réunis dans la chambre de Claudia. Comme d'habitude, j'étais assise dans mon siège de présidente, visière en place, stylo à l'oreille. Ce qui avait étonné tout le monde, c'est que l'horloge était passée de dix-sept heures vingt-neuf à dix-sept heures trente, puis à trente et une sans que je dise un mot. Je n'avais pas ouvert la séance. J'étais juste assise là, sur mon siège, les yeux dans le vide.

– Oh, hum... Commençons la réunion, ai-je dit en hâte.

Puis, je me suis tue.

– Kristy, est-ce que ça va ?

– Oui, j'ai juste oublié l'heure, c'est tout.

– Tu as aussi oublié de me demander de récolter les cotisations, a dit Lucy. On est lundi.

– Oh, oui… donc, Lucy va passer parmi vous pour les cotisations.

– Non, sans rire !

Mes amies en sont restées bouche bée.

– Quoi ? leur ai-je demandé.

– Ben, qu'est-ce qui ne va pas ? s'est inquiétée Mary Anne. Tu n'as jamais raté l'heure du début de la réunion.

– Ouais, finalement, tu ne fais peut-être pas une si bonne présidente, m'a taquinée Carla.

J'ai essayé de rire aussi, mais je n'y suis pas arrivée.

– Kristy ! On voit bien que ça ne va pas, a affirmé Claudia. Allez, raconte.

J'ai soupiré et puis je me suis lancée :

– OK, je ne savais pas trop comment vous le dire mais j'ai reçu d'autres lettres de l'admirateur secret.

– Et alors ? Les premières lettres ne te mettaient pas dans cet état, a remarqué Lucy en souriant.

Je sais qu'elle essayait de me détendre mais ça ne marchait pas.

– Les quatre dernières lettres, ai-je commencé, étaient… bizarres.

Les filles ont eu l'air intriguées et je savais que nous n'allions pas avoir une réunion normale.

– Et qu'est-ce qu'elles disaient ? a voulu savoir Jessica.

– Bon, ben... la première lettre n'était pas trop mal. Juste un peu curieuse, ai-je répondu, elle disait : « Je t'aime, je t'aime, je t'aime. Mais sois prudente, l'amour est inconstant. Les amis aussi. Prends garde à ton Admirateur Secret. »

Ou quelque chose comme ça. Et la deuxième, c'était: « Les violettes sont bleues, le sang est rouge, je me souviendrai de toi après ta mort. »

– QUOI ?!! ont hurlé mes amies.

– Ouais, c'est exactement ce que disait la lettre. Je ne peux pas l'oublier. La troisième parlait encore de sang, mais je ne m'en souviens pas bien. J'ai reçu la quatrième juste avant que Sam ne m'accompagne ici, regardez.

J'ai sorti un morceau de papier de ma poche de jean. Les autres se sont regroupées autour de moi pour lire la lettre. Je me sentais un peu étouffée.

– C'est pas vrai ! s'est écriée Lucy.

Elle m'a pris le papier des mains pour le lire à voix haute :

– «Je veux être avec toi à jamais. Nous serons ensemble pour l'éternité. Je vais donc venir te chercher.»

– Hein ? a crié Mary Anne. Qu'est-ce que c'est que ça ?

– Alors, maintenant, vous êtes toujours aussi sûres que les lettres viennent de Bart ?

– Non, évidemment ! ont-elles toutes répondu.

– Elles sont sûrement de Charlie, a ajouté Claudia.

– C'est ce que je n'ai pas arrêté de vous dire au début et personne n'a voulu m'écouter !

Je criais, mais j'étais à bout de nerfs.

– Maintenant que les lettres sont bizarres, vous vous dites que, après tout, elles sont peut-être de mon frère. Mais, même Charlie n'irait pas aussi loin. Je le connais trop bien. Il se serait arrêté au bout de deux lettres et il aurait trouvé un moyen de me faire savoir qu'il était derrière tout ça. Il est trop fier de ses blagues et il n'est pas très patient.

– Mais alors, qui a écrit ces horreurs ? a demandé Mallory.

Tout le monde était retourné à sa place.

– Ça ne peut tout de même pas être Bart, a-t-elle ajouté.

– Je ne sais pas trop, ai-je répondu. Peut-être qu'il a perdu la tête.

Lucy me dévisageait, perplexe.

– Écoute, Lucy, avant que tu ne dises quoi que ce soit, ai-je dit très vite, les lettres sont réelles. Quelqu'un les a forcément envoyées.

La chambre était on ne peut plus silencieuse. Mes amies ne trouvaient rien à dire. Il m'a semblé que je devais leur rappeler une petite chose.

– J'ai eu la formidable idée d'inviter Bart au bal d'Halloween, souvenez-vous.

– Hein? a encore crié Mary Anne. Kristy, tu ne vas quand même pas aller au bal avec un fou dangereux?

– Oh, là, là, là, là! C'est affreux! a ajouté Claudia pour me remonter un peu plus le moral.

– Hé, attendez un peu, a dit Mallory pour calmer le jeu, tu n'es pas sûre du tout que les lettres viennent de Bart.

– Oui, mais rien ne prouve le contraire! ai-je signalé. Et je ne suis pas vraiment prête à courir le risque.

– Qu'est-ce que tu veux dire? a demandé Carla.

– Je vais lui dire que, finalement, je ne veux plus aller à cette fête avec lui.

– Oh, Kristy! s'est exclamée Lucy encore une fois.

Le téléphone a sonné avant qu'elle ne puisse continuer. J'avais complètement oublié qu'on était à une réunion du club.

Nous avons donc pris les appels pendant quelques minutes, et organisé les gardes pour les enfants Rodowsky, Kuhn, Perkins et pour Jenny Prezzioso.

A peine le téléphone avait-il cessé de sonner que Lucy a repris :

– Tu ne peux pas faire ça à Bart, surtout si tu ne sais pas si les lettres viennent de lui ou pas. Il faut que tu ailles le voir et que tu lui demandes en face s'il est l'auteur des lettres et, si oui, pourquoi il t'a écrit ces horreurs.

Elle a frissonné.

– Je n'arrête pas de penser à celle qui dit : « Je me souviendrai de toi après ta mort. » Ça me fait froid dans le dos.

– Alors, tu imagines ce que je ressens, moi ! ai-je dit. Je ne vois pas comment je pourrais lui demander ça. Tu te vois, toi, interroger un fou pareil ?

– Mais, tu n'es pas sûre que c'est un... enfin, que c'est lui, a dit Jessica. Il faut lui laisser le bénéfice du doute.

– Attends une minute ! ai-je crié. Oh, non ! Je viens juste de penser à quelque chose.

– Quoi ? ont demandé toutes mes amies.

– Si les lettres ne sont ni de Bart, ni de Charlie, elles peuvent être de n'importe qui.

– Bon, et alors..., a commencé Lucy.

Mais, je lui ai coupé la parole :

– N'oubliez pas que je suis riche. Enfin, je veux dire que je suis la belle-fille de Jim Lelland et qu'il est millionnaire. Et si un malade avait décidé de me kidnapper pour demander une rançon à Jim ? Je suis sûre qu'il serait prêt à le faire pour moi.

– Tu sais, a dit Mallory, en cours, on vient juste d'étudier un livre qui raconte l'histoire d'un garçon qui s'est fait kidnapper. Mais, il est tellement insupportable que les parents ne veulent pas le récupérer et refusent donc de payer la rançon. Les kidnappeurs se retrouvent avec le garçon sur les bras.

Jessica, Carla et Mary Anne ont ricané. Je voyais Claudia et Lucy tout tenter pour ne rien laisser paraître mais elles ne pouvaient s'empêcher de sourire.

– Arrêtez, les filles, je suis sérieuse, ai-je dit. J'ai bien reçu ces lettres, Jim est bien millionnaire, et les kidnappings sont des choses qui arrivent, et pas seulement à la télé. Ça arrive aussi en vrai. Vous croyez que les scénaristes trouvent leurs histoires dans des pochettes-surprises ?

Je les ai clouées sur place. Plus personne ne souriait.

Mais Lucy, la sceptique du groupe, m'a dit :

– Allez, Kristy, c'est ridicule. Personne n'a l'intention de te kidnapper.

– Alors, je t'écoute. Explique-moi d'où viennent ces lettres.

Toutes les filles évitaient de croiser mon regard. La réunion s'est terminée dans un silence de plomb.

Plus tard, ce soir-là, j'étais dans ma chambre à faire mes devoirs. Nul besoin de vous dire que j'avais du mal à me concentrer. J'ai laissé tomber mon travail et je me suis levée pour sortir les lettres de leur cachette dans mon livre préféré, *Le Base-ball*. Je les ai étalées sur mon lit dans l'ordre où je les avais reçues. Je les ai lues et relues attentivement. J'ai examiné le papier, les autocollants, les enveloppes.

Nul doute, c'était l'œuvre d'un fou.

Mais, je n'allais pas me laisser faire !

J'ai sauté du lit. Je me suis précipitée aux fenêtres. Personne de louche dehors, les fenêtres étaient bien fermées.

Puis, j'ai vérifié que ma porte était bien verrouillée. Maman et Jim nous répètent tout le temps qu'il ne faut surtout pas fermer nos portes à clef la nuit car, s'il y a un incendie, c'est trop dangereux. Mais, je me suis dit qu'il y avait plus de risques pour que je me fasse kidnapper que pour qu'un feu se déclare dans la maison.

Franchement, pourquoi maman avait-elle eu besoin d'épouser un millionnaire ? Cette maison était immense, il y avait plein de recoins où quelqu'un pouvait se cacher, c'était affreux !

Et j'ai soudain pensé à quelque chose d'horrible. Le kidnappeur pourrait pénétrer dans ma chambre même les fenêtres fermées. Il lui suffirait de mettre un chiffon autour de sa main et de donner un grand coup dans la vitre. Je suis au deuxième étage, mais il pouvait très bien appuyer une échelle au mur et monter sans faire de bruit. En pleine nuit, personne ne le remarquerait.

J'essayais de trouver un moyen de bloquer mes fenêtres quand j'ai réalisé autre chose : le kidnappeur pouvait agir à n'importe quel moment de la journée. Il pouvait m'attraper lorsque je sortais du bus pour rejoindre l'école ou quand je me rendais à un baby-sitting. Il y avait plein d'autres moments où il n'aurait aucun problème pour m'enlever. Il fallait que je sois le plus souvent possible avec du monde, cela rendrait la chose plus difficile.

Je me suis demandé si je devais parler de tout cela à maman et à Jim. Je ne savais pas quoi faire. Non, ils penseraient sans doute que j'étais folle.

J'ai allumé la radio. Il fallait que j'écoute les infos pour savoir si aucun criminel ne s'était échappé de prison. On parlait de la conférence de presse du président, d'un accident d'avion, de la lutte contre la drogue. Puis, la météo et les résultats sportifs mais rien d'autre.

OK, ce fou ne s'était pas évadé. C'était pire, il n'avait jamais été capturé.

Je n'ai pas terminé mes devoirs ce soir-là.

9

Deux jours après, j'ai parlé à Louisa de ma théorie du kidnappeur fou. Elle a répliqué que c'était moi qui étais folle d'avoir eu une telle idée. En fait, elle avait une nouvelle théorie.

–Je pense, a commencé Louisa qui avait lu toutes les lettres que j'avais reçues, que Bart est derrière tout ça.

– Mais avant tu étais sûre que Bart ne pouvait pas écrire de telles choses, que tu le connaissais trop bien et que...

– Je sais, mais écoute. Je pense qu'il a peur que tes Imbattables soient plus forts que son équipe lors du tournoi et qu'il a décidé de te faire peur. Il essaie de te déstabiliser pour que tu ne sois pas capable de diriger tes joueurs lors du match et pour que son équipe gagne.

J'étais complètement paniquée. Surtout que, Louisa et moi, nous étions sur le chemin du terrain de base-ball pour un match contre les Invincibles. (Tout le long, je gardais un œil sur la route pour voir s'il n'y avait aucune voiture qui roulait étrangement lentement ou avec un conducteur cagoulé.)

David Michael, les enfants Papadakis et quelques autres Imbattables marchaient devant nous en bavardant, sans faire attention à Louisa et à moi.

– Si c'est Bart l'admirateur secret, il est... il est méprisable ! me suis-je exclamée.

– Je sais, m'a dit Louisa. Je suis tout à fait d'accord et, à partir de maintenant, je ne lui adresserai plus jamais la parole.

Je ne savais plus quoi penser. D'un côté, j'étais rassurée que, finalement, il n'y ait aucun kidnappeur fou à mes trousses, mais j'étais aussi très en colère contre Bart. Et la colère, c'est bon signe chez moi, ça me donne plein d'énergie, exactement ce qu'il fallait pour bien diriger mes joueurs et battre l'équipe de cet immonde garçon nommé Bart Taylor.

– Tu sais ce qui n'allait pas non plus avec ta théorie de kidnappeur fou ? a ajouté Louisa alors que nous arrivions au terrain de base-ball.

– Non, quoi ? lui ai-je demandé, même si j'en avais un peu assez d'entendre critiquer ma théorie.

– Si un kidnappeur voulait obtenir une rançon de Jim, je pense qu'il enlèverait plutôt Karen ou Andrew qui sont vraiment ses enfants. En plus, ils sont plus petits donc plus faciles à capturer.

J'ai commencé à faire un peu la tête. Je n'avais pas vraiment aimé la façon dont Louisa insinuait que les vrais enfants étaient plus importants que les rapportés. Elle n'a pas remarqué que je n'avais pas apprécié ses dernières paroles. Elle avait aperçu Mary Anne et Carla qui étaient assises sous un arbre. Carla avait emmené les enfants des Braddock pour le match. (Matt fait partie des Imbattables et Helen des pompom girls.) Mary Anne était juste venue comme ça, pour encourager mes joueurs. Louisa est allée les rejoindre et je les ai vues discuter. J'avais envie d'aller leur dire bonjour mais j'en voulais encore à Louisa, même si je savais qu'elle ne voulait pas me blesser. Sur le terrain, les Imbattables étaient prêts à jouer et me semblaient très excités. Les Invincibles, de leur côté, avaient l'air en forme et concentrés.

J'ai repéré Bart qui était au milieu de ses joueurs. Il m'a fait un signe, je l'ai ignoré. (Comment osait-il me sourire ?)

La partie a commencé. Les Imbattables prenaient la batte en premier. J'ai placé Matt Braddock comme premier batteur. Il est sourd et on pourrait penser que cela le gêne, mais il est l'un de nos meilleurs joueurs.

Le lanceur des Invincibles a envoyé la balle vers lui et... pan ! Il a frappé la balle avec tellement de force que j'ai eu l'impression qu'elle allait atteindre un carreau de l'école élémentaire de Stonebrook. Mais elle est retombée sur le sol et un joueur de Bart s'est rué vers elle. Pendant ce temps-là, Matt franchissait les bases. Il avait perdu la balle de vue et hésitait à aller en troisième base.

Nicky Pike lui a signé quelque chose mais Matt a froncé les sourcils. Il n'avait pas compris et ne savait quoi faire. Du coup, il n'a pas bougé. Quelques secondes plus tard, la troisième base des Invincibles portait triomphalement la balle. Helen s'est pris la tête dans les mains.

– Qu'est-ce qui s'est passé ? lui ai-je demandé.

– Nicky a signé « nage » au lieu de « cours ». Matt aurait pu faire un *home run* mais il ne comprenait pas ce qui se passait.

Ce n'était pas grave. J'ai dit à Helen de lui expliquer après le match que ce n'était pas sa faute et que je ne lui en voulais pas et j'ai ajouté qu'il était nécessaire qu'elle redonne quelques cours de langue des signes à Nicky.

Ensuite, c'était au tour de Claire Pike. Ce n'est pas une grande batteuse et je voulais qu'elle sorte du jeu le plus vite possible. Mais, elle m'a surprise. Je pense qu'elle s'est surprise elle-même lorsque sa batte a touché la première balle.

Elle a hésité un moment avant de courir vers la première base.

Mais... le lanceur a attrapé la balle en plein vol.

– Batteur éliminé ! a crié l'arbitre.

Claire a tout de suite réagi comme à son habitude :

– C'est pas juste, c'est pas juste !

J'ai laissé Nicky et Vanessa la calmer et j'ai envoyé Jake Kuhn à la batte. Il a raté ses trois coups. Matt était en troisième base, la main sur la hanche. Il avait l'air déçu. Je ne pouvais pas lui en vouloir.

– Deuxième batteur éliminé ! a crié l'arbitre.

Jackie Rodowsky a pris la batte en troisième. Il a manqué une fois la balle avant de l'avoir. Mais son coup était trop bas.

– Troisième batteur éliminé ! a asséné l'arbitre.

– Ne vous inquiétez pas, ai-je calmement dit à mes joueurs avant qu'ils ne se découragent complètement. On en est toujours à match nul. Nicky, tu vas lancer. Essaie de garder le score à zéro partout. Les autres, jouez de votre mieux.

Malheureusement, il n'a pas réussi à maintenir le score. A la fin du premier tour, on en était à trois à zéro, pour les Invincibles bien sûr.

– Allez, tout le monde, ai-je lancé à mes joueurs pendant qu'ils changeaient à nouveau de côté. Je sais que vous pouvez y arriver. Vous allez reprendre l'avantage, j'en suis sûre, je le sens. Allez, on joue.

– OK, Kristy Parker, a dit Gabbie Perkins.

Je suis toujours émerveillée par la volonté de ces gamins. Parfois, Claire pique une colère ou alors ils sont un peu abattus mais, la plupart du temps, ils s'encouragent les uns les autres et sont très compréhensifs quand un joueur fait perdre des points à l'équipe. Ils se serrent les coudes comme des professionnels, quoi. Ils devaient vraiment être préoccupés à l'idée de se faire battre par les Invincibles alors qu'ils avaient enfin réussi à être plus forts qu'eux.

Les Imbattables ont rejoint la zone des batteurs silencieusement. Buddy Barrett a pris place pour frapper. Il était nerveux mais essayait de ne rien laisser paraître.

Le lanceur des Invincibles a envoyé une balle rapide.

Buddy était prêt. La balle a volé dans les airs, mais en dehors de la surface de jeu...

... Et est retombée sur la tête de Louisa.

– Oh, désolé, désolé !

Buddy ne savait pas quoi faire pour s'excuser. Nous nous étions tous rués vers Louisa pour voir comment elle allait.

– Ça va ?

– Je pense, a-t-elle répondu en se frottant le crâne.

– Tu es sûre que tu n'as rien ? a insisté Buddy anxieusement.

– Oui, ne t'inquiète pas, rien de cassé.

Louisa lui a souri pour lui montrer qu'elle ne lui en voulait pas du tout. Buddy la couvait d'un regard anxieux.

Bart nous avait rejoints avec quelques-uns de ses joueurs.

–Ça va Louisa? a-t-il demandé comme s'il se sentait concerné.

Elle se frottait toujours le crâne tout en souriant à Buddy, mais elle n'a pas répondu à Bart. Elle ne l'a même pas regardé. (Carla et Mary Anne non plus. J'avais l'impression qu'elle leur avait fait part de ses soupçons.)

Quand Louisa a fini par réussir à nous convaincre qu'elle allait vraiment bien (elle a même demandé à garder la balle qui l'avait heurtée), les deux équipes sont finalement retournées sur le terrain. Buddy est resté un moment pensif et, après avoir reçu un dernier sourire de Louisa, il nous a rejoints.

Le reste de la partie s'est déroulé comme le premier tour. Les Imbattables n'ont pas fait le poids face aux Invincibles, malgré tous leurs efforts et malgré les hurlements des pom-pom girls. Les Invincibles ont gagné dix à un. A la fin de la partie, Bart est venu me retrouver.

– Bonne partie, Kristy. Tu as bien dirigé tes joueurs.

Je l'ai foudroyé du regard. Comment pouvait-il me torturer et, en même temps, être si gentil avec moi? Bart avait l'air contrarié et confus, mais il a fait comme si de rien n'était. Lorsqu'il m'a demandé s'il pouvait me raccompagner, je lui ai répondu que j'étais très occupée et j'ai rejoint Louisa, Mary Anne et Carla.

Elles étaient justement en train de parler de Bart et des lettres:

– Peut-être qu'il n'essaie pas de t'effrayer pour le tournoi, a commencé Carla. Peut-être qu'il était contrarié à cause de la petite dispute que vous avez eue sur la façon dont devait se dérouler le tournoi. Les lettres ont changé juste après, non?

J'ai hoché la tête.

– Tu sais comme les garçons sont rancuniers, a ajouté Louisa.

J'ai haussé les épaules.

– De toute façon, ce qu'il fait est vraiment moche.

Mes amies étaient d'accord.

Je devais retourner avec mes Imbattables pour vérifier que tous les parents venaient bien récupérer les enfants et je devais aussi aider Samuel à charger les équipements. Il nous a raccompagnés à la maison, Karen, Andrew, David Michael et moi. J'essayais de ne pas trop penser à Bart.

Dans quoi m'étais-je embarquée ? Je devais toujours aller au bal d'Halloween avec lui. Et qu'il soit fou ou machiavélique (s'il était l'auteur des lettres parce que, sinon, je n'osais même pas imaginer qui cela pouvait bien être), je devais trouver une excuse pour ne pas aller à cette fête avec lui.

Un peu plus tard, j'étais à la maison, toujours en train d'essayer de trouver une solution quand le téléphone a sonné. Et bien sûr, c'était Bart. Génial !

Je n'ai pas pris la peine de prendre le sans-fil pour m'isoler. J'ai pris le téléphone des mains de maman et j'ai dit :

– Salut Bart, je suis désolée mais je ne peux pas te parler.

Et j'ai raccroché.

Alors que je reposais le combiné, je l'ai entendu crier :

– Hé, Kristy !

Mais ça ne m'a rien fait de lui raccrocher au nez. Pas après ce qu'il m'avait fait.

Quelle journée ! Et vous imaginez le mal que j'ai eu à m'endormir cette nuit-là !

Mardi

Cet après-midi, j'ai gardé Buddy, Liz et Maud Barrett. Les Imbattables avaient un entraînement. Comme le tournoi approche, Buddy et Liz sont très excités. Ils ont même acheté un minuscule tee-shirt des Imbattables pour leur petite sœur. Je l'ai mis à Maud par-dessus son sweat car il faisait plutôt froid. Je l'ai ensuite installée dans sa poussette et nous sommes partis. J'ai une grande nouvelle : Buddy m'a avoué qu'il était amoureux de Louisa ! Liz s'est bien moquée de lui, mais Buddy a coupé court à ses taquineries en la menaçant de dire ce qu'il savait sur elle. Il semblerait que Liz ait

commis un crime inavouable... J'ai bien peur que son frère ne l'utilise contre elle pendant un bon bout de temps. Sinon, je n'ai pas entendu Maud de tout l'entraînement. Elle a essayé de se faire une copine : Laura Perkins qui dormait à côté de nous dans sa poussette pendant que Myriam et Gabbie étaient sur le terrain.
(Claudia gardait les Perkins.)
On ne peut pas dire que l'entraînement ait calmé Buddy car Louisa était là...

Quand Mary Anne est arrivée chez les Barrett, elle n'a trouvé personne en retard pour une fois.
Les enfants étaient habillés et prêts pour l'entraînement de base-ball, Mme Barrett était sur le point de partir, la maison était en ordre et Fred, le chien, avait été sorti.

– Au revoir, mes chéris.

Mme Barrett a enfilé son manteau en embrassant Buddy (huit ans), Liz (cinq ans) et Maud (deux ans). Elle a ensuite souhaité bonne chance à Buddy et Liz pour l'entraînement, puis elle est partie.

– Bon, allons-y. Si on veut être à l'heure sur le terrain, il ne faut pas perdre de temps.

Buddy a regardé Liz.

– Tu vas le chercher ou j'y vais ?

– J'y vais !

Mary Anne ne comprenait rien à ce qui se passait mais elle n'a pas eu longtemps à attendre. Liz est revenue comme une flèche en cachant quelque chose dans son dos. Elle l'a sorti d'un seul coup pour le montrer fièrement à Mary Anne.

– C'est un tee-shirt des Imbattables pour Maud, a expliqué Buddy.

– Ouais, elle vient à presque tous les matchs, on peut dire qu'elle fait partie de l'équipe, a ajouté Liz.

Mary Anne lui a donc enfilé son tee-shirt d'Imbattables par-dessus le sweat qu'elle portait déjà.

Toute la compagnie est sortie. Dans sa poussette, Maud n'arrêtait pas de parler en pointant du doigt tout ce qu'elle croisait sur son passage.

– Oh, chien, gentil chien !... Oh, sentir fleur, Mary Anne, sentir fleur !... Beurk, sent pas bon, la fleur !

Puis, après un moment de silence, Buddy a posé la question qui le tracassait :

– Tu crois que la fille de la dernière fois va revenir aujourd'hui ?

– Quelle fille ? a demandé Mary Anne.

– Louisa, tiens.

Liz avait vu juste. Buddy était tout rouge.

– C'est parce que je lui ai fait mal la dernière fois. Je veux juste voir si elle va bien.

– Bud-dy est a-mou-reux, Bud-dy est a-mou-reux !

Liz chantait à tue-tête, son frère a commencé à s'énerver.

– Tais-toi, Liz. Arrête !

– Bud-dy et Loui-sa vont se ma-rier !

– Tais-toi ! Si tu dis un mot de plus, je dis ce que je sais à propos de ce que tu sais à Mary Anne et à maman. Alors ?

Elle s'est immédiatement tue. Elle a baissé la tête et n'a plus ouvert la bouche du trajet.

Au terrain d'entraînement, tout le monde s'est extasié. Tout d'abord sur le tee-shirt de Maud puis sur les costumes des pom-pom girls. Elles étaient toutes les trois avec de grandes capes, des épées et des moustaches.

Quelques enfants se sont un peu moqués d'elles mais Charlotte, Vanessa et Helen n'y ont pas prêté attention. Elles savaient très bien que leurs costumes étaient chouettes.

– On espère vous encourager le mieux possible, a dit Helen aux joueurs qui étaient là.

Tout le monde était de bonne humeur. Je l'ai senti dès que je suis arrivée sur le terrain. David Michael m'accompagnait. Il n'avait pas arrêté de me parler du tournoi sur le chemin. Et puis, j'ai découvert les filles et leurs costumes, Maud dans son super tee-shirt.

Je devais être la seule à ne pas me sentir prête à jouer. Je ne savais toujours pas quoi faire pour le bal. En plus, en quittant la maison, j'avais trouvé une nouvelle lettre. Dieu merci, David Michael était encore à l'intérieur lorsque je l'ai aperçue devant la porte d'entrée. Je n'aurais pas voulu qu'il la voit !

Attention, Kristy. Je serai là plus vite que tu ne le crois. Et quand je t'aurai trouvée, voilà où tu finiras, Kristin Amanda Parker.

J'ai regardé dans l'enveloppe. Il y avait une petite carte d'Halloween en forme de cercueil.

J'ai d'abord eu envie de tout mettre à la poubelle tellement j'étais énervée mais je me suis dit que j'en aurais peut-être besoin comme pièce à conviction.

Nous sommes arrivés très fatigués au terrain de base-ball car nous avions tout l'équipement à porter. Samuel m'avait promis de venir me chercher après l'entraînement, mais personne n'avait pu nous aider pour l'aller. En plus, je dois avouer que je n'étais pas en très bonne forme. Je ne dormais pas très bien depuis quelques nuits et puis, après ce que je venais de recevoir… Je ne pensais pas au base-ball mais au bal et à Bart. Alors, à part les costumes des pom-pom girls, l'entraînement ne s'est pas bien passé et ce n'est pas seulement de ma faute. Même si mes Imbattables étaient motivés, ils ont tous simplement mal joué. Jackie Rodowsky est tombé à plusieurs reprises pendant ses tours de base. Simon Newton a recommencé à se baisser pour éviter la balle au lieu de la frapper. Et David Michael était en dessous de son niveau habituel.

Après deux parties catastrophiques, j'ai rassemblé les joueurs pour leur parler :

– Écoutez-moi bien tous, souvenez-vous de ce que je vous ai appris, OK ? Faites attention à chaque mouvement. Restez concentrés à chaque minute du jeu. D'accord ?

– D'accord.

– Vous voulez qu'on fasse une pause avant de reprendre l'entraînement ?

– Juste une petite…

C'était la petite voix de Myriam.

– D'accord, alors dix minutes pour tout le monde !

J'ai ensuite traversé le terrain pour rejoindre Mary Anne et

Claudia qui se trouvaient sous les arbres avec Maud, Laura Perkins… et Louisa.

– Salut, tout le monde. Tiens, Louisa, tu es arrivée quand? Je croyais que tu étais prise cet après-midi.

– L'entraînement de hockey a été annulé, alors j'en ai profité.

– Cool, ça me fait plaisir que tu sois là.

– A moi aussi.

Buddy Barrett, qui se trouvait juste derrière moi, ne quittait pas Louisa des yeux. (Mais moi, je ne savais pas encore qu'il était amoureux d'elle.)

– Buddy, lui ai-je lancé, tu peux aller faire quelques frappes avec Jackie, s'il te plaît?

– OK.

Il avait l'air déçu mais j'avais envie de me retrouver seule avec mes amies.

– Tu as un problème, Kristy? m'a tout de suite demandé Mary Anne.

– Ouais, ça.

J'ai sorti l'enveloppe de ma poche pour montrer son contenu. Leur réaction a été la même que la mienne:

– Quelle horreur! (Claudia)

– C'est affreux! (Louisa)

– C'est immonde! (Mary Anne)

Après ça, plus personne ne trouvait quoi que ce soit à dire. J'avais l'impression que nous nous posions toutes la même question: Bart pouvait-il réellement être à l'origine de menaces de si mauvais goût?

– Bon, ai-je fini par dire, je dois reprendre l'entraînement Il va falloir nous encourager!

Les Imbattables sont retournés sur le terrain. David Michael a ouvert le jeu en lançant la balle, Buddy Barrett l'a frappée avec un grand bang ! J'ai vu Mary Anne, Louisa et Claudia se baisser en se protégeant la tête. Mais, elles n'avaient pas à avoir peur, c'était le plus beau coup de la journée.

– Super ! a crié Louisa.

Malheureusement, après, Jake Kuhn a tout gâché. Après avoir frappé une bonne balle, il s'est emmêlé les pieds et s'est écroulé avant de toucher la base.

– Out ! a hurlé Nicky Pike.

Enfin, Buddy a réussi un autre beau coup. Les pom-pom girls se sont mises à hurler et à bouger dans tous les sens.

– Qui sont les meilleurs ? Qui sont les meilleurs ? Les Imbattables, les Imbattables ! Ouais !

A la fin de leur prestation, leurs capes étaient toutes tortillées et le pantalon de Vanessa avait glissé sur ses genoux.

– Vanessa ! a crié Helen.

– Merci, j'ai vu !

La pauvre faisait ce qu'elle pouvait pour le remonter.

– Je pense qu'il va falloir retravailler un peu nos costumes..., a remarqué Charlotte.

A la fin de ce troisième tour, j'ai rappelé toute l'équipe. Ils ne semblaient pas avoir bien compris le petit discours que je leur avais fait quelques minutes plus tôt. Margot Pike était plus attentive à la pelouse qu'au terrain : elle cherchait un trèfle à quatre feuilles (ce qui n'était peut-être pas une si mauvaise idée). Buddy n'avait d'yeux que pour Louisa, et David Michael jouait plus avec les papillons qu'avec sa batte. De toute façon, il valait mieux arrêter là les dégâts, même moi, je n'étais pas concentrée.

Mary Anne a récupéré Buddy et Liz pour les ramener chez eux. Liz avait l'air assez contrariée mais Buddy, lui, était tout simplement au septième ciel.

– Vous avez entendu Louisa tout à l'heure ? Elle a crié : « Super ! » pour me féliciter !

– Bud-dy et Loui-sa vont se ma-rier...

– Liz, un mot de plus et...

– OK, OK.

Mary Anne a souri en les voyant se taquiner mais son sourire s'est tout de suite effacé quand elle s'est souvenue du cercueil que Bart m'avait envoyé.

Après notre désastreux entraînement, Bart est apparu sur le terrain de jeu. Il m'a une fois de plus proposé de me raccompagner, et j'ai une fois de plus répondu non. Samuel est arrivé pile au bon moment.

– Kristy, explique-moi ce qui ne va pas.

Bart était planté là alors que je montais dans la voiture de mon frère.

– Pourquoi tu ne veux plus me parler ? Et pourquoi Louisa non plus ne veut plus me parler ? Mais enfin, qu'est-ce que je vous ai fait ?

Sans rien dire, j'ai demandé à mon frère de démarrer et nous nous sommes éloignés. Sam voulait des explications. Mais, à lui non plus, je n'ai pas voulu répondre.

Et lorsque Bart a téléphoné le soir même, j'ai dit à Charlie de lui répondre que j'étais partie au pôle Nord. Mon frère a, comme vous pouvez l'imaginer, pris beaucoup de plaisir à remplir ce rôle. Et imaginez ma surprise et ma gêne lorsque, le lendemain après-midi, je suis allée ouvrir la porte et que j'ai découvert Bart qui me fixait, les sourcils froncés.

– Je peux entrer ?

– Euh... oui, vas-y.

Mamie était à la maison, ainsi que Charlie, je ne risquais donc pas grand-chose. En plus, je dois avouer qu'il est plus facile de demander à son frère de faire une commission au téléphone que de claquer la porte au nez de quelqu'un.

Bart a fait un pas à l'intérieur de la maison. J'ai fermé la porte en prenant une grande inspiration. Je ne savais ni quoi faire ni quoi dire.

– Je crois qu'on doit parler en privé. On peut aller dans ta chambre ?

– Ma chambre... Oui, oui, pas de problème.

Je suis allée prévenir Mamie dans la cuisine que Bart était là et que nous montions dans ma chambre. Cette situation me paraissait étrange après tout ce qui était arrivé. Il n'était venu que de très rares fois chez moi, et jamais dans ma chambre. Une semaine plus tôt, j'aurais souhaité plus que tout au monde le voir là mais, maintenant, j'avais peur. Je me suis assise sur ma chaise de bureau et Bart a pris le fauteuil.

– Alors ? a-t-il demandé en essayant de trouver une position dans mon petit fauteuil.

– Alors...

– Kristy, je ne comprends rien à rien. Peux-tu m'expliquer quel est le problème ?

– Je pense que tu le sais très bien.

– Non ! Si je savais ce qui se passe, je ne serais pas là.

– Je te trouve plutôt à l'aise après ce que tu m'as fait !

– Ce que je t'ai fait ! Mais, je te jure que je ne comprends rien à ce que tu racontes et j'aimerais bien que tu m'expliques pourquoi Louisa et toi, vous avez décidé du jour au lendemain de ne plus m'adresser la parole. Surtout lorsqu'on pense que nous sommes sensés aller au bal ensemble, tous les deux !

Bart commençait à hausser la voix, il avait l'air en colère et bien sûr, moi, j'étais terrifiée. Heureusement que Mamie et Charlie n'étaient pas loin. Mais, je ne devais pas laisser transparaître mon angoisse.

– D'accord, tu veux que je t'explique ce qui se passe... Eh bien, je vais t'expliquer ce qui se passe, je vais t'expliquer...

J'ai traversé ma chambre pour sortir les lettres de leur cachette et je les ai étalées sur le lit.

– Voilà ce qui se passe, si tu as vraiment besoin d'explications.

Bart a regardé les lettres, surtout les premières, puis il a rougi.

– C'est bien toi qui m'as écrit ça.

– Oui, enfin juste les trois premières. Les autres, ce n'est pas moi.

Il est resté un moment silencieux, il lisait les dernières lettres. Tout à coup, il a relevé la tête, l'air choqué.

– Mais qu'est-ce que c'est que ces horreurs ? C'est hallucinant ! Et comment as-tu pu penser une seule seconde que j'avais pu écrire des choses pareilles ? C'est immonde !

Il me montrait le cercueil de la dernière enveloppe. Il avait vraiment l'air bouleversé.

– Je... je ne sais pas. On en a beaucoup parlé avec les

filles. On s'est dit que… que tu voulais peut-être m'effrayer à cause du tournoi.

– Mais vous êtes complètement folles !

– Chuut !

Bart avait hurlé, je ne voulais surtout pas que mon frère ou ma grand-mère rapplique.

– C'est une histoire de fous, a-t-il repris en s'efforçant de ne pas parler trop fort. Enfin, tu imagines bien que je ne vais pas tricher pour un tel tournoi, pour n'importe quel tournoi en fait.

Il a fait une pause, puis il m'a demandé :

– Est-ce que c'est pour ça que Louisa ne m'adresse plus la parole ?

J'ai acquiescé. Bart semblait hors de lui.

– Écoute, c'est quand même bien toi qui m'as envoyé les premières lettres ?

– Euh… oui, enfin, seulement les gentilles.

Ça alors ! Donc il était amoureux de moi. C'était génial sauf que, pour l'instant, il était très en colère, et qu'il y avait tout de même bien une personne qui m'avait envoyé les autres lettres.

– Écoute, lui ai-je dit, je suis vraiment désolée de t'avoir soupçonné (je ne lui ai pas dit que c'était en fait une idée de Louisa). Mais comprends-moi, il fallait bien trouver qui envoyait ces lettres. Et c'était moins effrayant de penser que tu voulais juste me faire peur que d'imaginer qu'un criminel…

– Un quoi ?

– C'est la seule autre explication. J'ai bien peur que quelqu'un ne veuille me kidnapper pour demander une rançon à Jim.

– Je comprends maintenant que tu aies eu si peur mais, tout de même, m'accuser de faire un truc si lamentable. Comment as-tu pu penser ça de moi ? Enfin, oublie, ce n'est pas très important.

Pendant un moment, Bart et moi, nous nous sommes juste regardés. Je me sentais un peu bizarre. J'étais heureuse et j'avais un peu honte de moi. J'ai trouvé le courage de dire :

– Merci pour tes lettres. Elles m'ont beaucoup plu. C'est pour ça que je les ai gardées.

– C'est vrai ?

– Oui, c'est la première fois qu'on m'envoie des lettres... (J'allais dire des lettres d'amour !) ... des lettres aussi gentilles. Je ne les jetterai jamais.

Bart a souri.

– Tu sais, je te trouve vraiment chouette, Kristy. J'avais envie que tu le saches. Mais, et les autres alors, d'où viennent-elles ?

– Je n'en sais rien. Louisa et moi, on les a lues et relues des centaines de fois et on n'arrive toujours pas à comprendre.

Il s'est concentré sur les dernières lettres que j'avais reçues. Il les a lues plusieurs fois, a même frissonné au passage : « Je me souviendrai de toi après ta mort. »

– Tu vois pourquoi j'ai peur ?

– Oui, je comprends mais je ne vois pas pourquoi tu penses qu'elles viennent d'un fou. C'est peut-être un peu exagéré...

– Je sais, je sais. On dirait un film. Mais je n'ai aucune autre idée.

– C'est peut-être une personne de ton entourage. Tu connais quelqu'un qui pourrait t'en vouloir ?

J'ai lentement secoué la tête.

– Non, je ne vois personne. Peut-être Alan Gray, il est en classe avec moi. Mais il est beaucoup trop débile.

Bart a rigolé.

– Et Charlie ?

C'est moi qui me suis mise à rire.

– Tout le monde y a pensé. Il faut dire qu'il a une sacrée réputation derrière lui. Même moi, au début, je pensais aussi que c'était lui. Je ne pensais pas qu'il y avait quelqu'un capable de m'envoyer des lettres d'a... des lettres aussi gentilles. Mais, quand elles sont devenues bizarres... Là, ça dépasse la simple blague.

– Ouais, si on réfléchit bien, combien de personnes sont au courant de ces lettres ?

– Eh bien, il y a juste Louisa et mes amies du club, et toi maintenant. Oh, et David Michael était là quand Louisa m'a apporté la première. Elle était arrivée dans sa boîte aux lettres, je ne sais pas trop pourquoi.

– C'est la faute de cet idiot de Kyle. Je... je lui avais demandé de mettre la lettre dans ta boîte parce que... ben, j'avais un peu peur de le faire moi-même. Si quelqu'un m'avait vu, tu aurais su que la lettre était de moi. Kyle s'est trompé de boîte, pourtant je lui avais bien tout expliqué, il est vraiment nul.

– Je ne te demande pas d'explication, tu sais.

– Bon, donc il n'y a pas grand monde qui soit au courant.

– Je suppose, mais qu'est-ce... ?

J'ai été interrompue par David Michael qui m'appelait d'en bas :

– Kristy, téléphone !

J'ai laissé Bart dans ma chambre et je suis allée décrocher le poste de l'étage. C'était Louisa, je lui ai fait un court résumé de la situation et je l'ai invitée à nous rejoindre. Je me disais que, à trois, il nous serait plus facile de résoudre ce mystère.

Elle est donc arrivée quelques secondes après. Elle s'est tout de suite excusée auprès de Bart. Et puis, elle s'est assise sur le lit en faisant attention de ne pas déranger les lettres.

– Alors, vous avez une piste? nous a-t-elle demandé comme un inspecteur en pleine enquête policière.

– Non, mais on a tout de même avancé. On sait maintenant qu'il y a deux auteurs. Bart a écrit les premières, les gentilles, comme tu le pensais. Mais une deuxième personne a écrit les suivantes. La question est: «Qui?» Et ne me réponds pas Charlie!

Bart a ajouté:

– Kristy n'a pas d'ennemi *a priori*. Et vous savez ce que je trouve le plus étrange? Les dernières lettres... Eh bien, elles ressemblent aux miennes. La personne qui les a écrites a forcément lu les premières. Je n'y comprends rien, personne ne m'a vu les écrire...

Louisa et moi, nous n'avions rien à répondre. Kyle était trop jeune pour faire quelque chose d'aussi horrible, et Bart n'avait pas d'autre frère ou sœur.

– C'est forcément quelqu'un qui n'est pas bien dans sa tête, ai-je soupiré. Il n'y a pas d'autre solution. Il devait surveiller la maison, il a vu Kyle déposer les lettres et les a lues avant que je ne les trouve. Tu ne les as pas bien fermées. Elles étaient juste attachées avec un autocollant. C'est facile à enlever et à remettre.

Je me suis pris la tête entre les mains.

– Il y a donc vraiment un kidnappeur après moi!

– Je suis sûr que non, qu'il y a une autre explication, plus simple, a affirmé Bart. Il faut juste la trouver. Malheureusement, je n'ai pas d'idée…

– Moi non plus.

– Moi non plus.

Cette nuit-là, j'ai eu beaucoup de mal à m'endormir. Je pensais sans arrêt au kidnappeur tapi dans l'ombre, guettant le meilleur moment pour me sauter dessus. Chaque craquement de parquet me faisait sursauter. J'ai entendu une voiture freiner brusquement et j'ai bien failli en tomber du lit. Je suis restée prostrée contre le mur pendant un bon moment… après avoir cru voir un visage à ma fenêtre.

12

Le samedi précédant Halloween et le bal, je me suis pour une fois réveillée paisiblement sans nœud au ventre.

Le jour du tournoi était arrivé et le base-ball occupait toutes mes pensées. C'était un grand événement. Les Invincibles et les Imbattables s'étaient entraînés dur et ils étaient prêts pour le grand match.

Les parents, les frères et sœurs de chaque joueur allaient assister au tournoi. Et tous nos amis ainsi, bien sûr, que les membres du club. Et les trois mousquetaires seraient là pour encourager les Imbattables.

Toute la maison était en effervescence, ce matin-là. Karen et Andrew ne devaient pas passer le week-end avec nous mais ils étaient tout de même venus très tôt pour le match. Ils étaient avec David Michael à courir partout dans un état... enfin, ils étaient comme fous.

– Où sont nos tee-shirts ? a hurlé Karen.

Je l'ai entendue alors que je descendais pour prendre mon petit déjeuner.

– On a besoin d'un petit déj super énergétique.

Voilà que David Michael s'y mettait. Pauvre maman. Quand je suis arrivée dans la cuisine, je les ai découverts tous les trois assis devant d'énormes bols de céréales et des piles de toasts.

– M'man, il me faut des sucres lents ! Et pour vous aussi !

Maman n'avait pas l'air d'apprécier le ton impérieux de David Michael. Andrew non plus.

– Je ne pourrai jamais avaler tout ça. On a déjà pris notre petit déjeuner à la maison.

– On se calme, OK ? leur ai-je dit avant que maman n'éclate.

Ils étaient complètement surexcités comme le jour de notre premier match contre les Invincibles.

– Mangez juste ce que vous avez envie.

Je me suis ensuite tournée vers maman.

– Tout est prêt pour la buvette ? (Comme pour le premier match, nous avions prévu une buvette pour récolter un peu d'argent pour l'équipe. Nous espérions bien que, cette fois-ci, tout le monde pourrait avoir sa propre casquette brodée.)

– Tout est prêt, ma chérie, ne t'inquiète pas. Sam et Charlie apporteront les tables. Oh, et j'ai préparé quelques cookies que vous pourrez vendre avec les boissons.

– Génial, maman ! Je t'adore. Grâce à toi, la buvette va être un succès.

– C'est normal, je suis là pour ça.

– Merci quand même.

Après le petit déjeuner, comme avant chaque match, le téléphone a commencé à sonner. Les enfants sont toujours angoissés avant de jouer. Les uns ne retrouvent plus leur tee-shirt, les autres ont oublié la technique mise au point à l'entraînement. Cette fois-ci, la petite sœur de Jake Kuhn était malade et ne pouvait pas venir jouer. J'ai essayé, comme chaque fois, de calmer les uns et de rassurer les autres, à commencer par David Michael, Andrew et Karen qui, sur une échelle de panique allant de un à dix, en étaient à onze.

Le match commençait à midi, mais je devais être sur le terrain plus tôt. Nous avons donc tous quitté la maison à onze heures moins le quart. Une véritable expédition : deux voitures chargées de tables, de rafraîchissements, d'équipements de base-ball plus la famille au grand complet.

Lorsque nous sommes arrivés, nous étions les premiers mais je savais qu'une véritable foule n'allait pas tarder à envahir la pelouse.

J'avais raison. Vers onze heures vingt, il y avait déjà un monde fou. Samuel et Charlie, qui s'étaient portés volontaires pour tenir la buvette, étaient au travail. Les Imbattables me tournaient autour, tout angoissés. Ils ne quittaient pas des yeux les joueurs adverses qui commençaient à arriver. Les Invincibles, impressionnants comme à leur habitude, portaient les tee-shirts et les casquettes au nom de leur équipe. (Si tout se passait bien, nous aussi, nous pourrions frimer bientôt.) Sont ensuite arrivées leurs quatre pom-pom girls avec la panoplie complète : jupe plissée, tee-shirt près du corps et casquette aux couleurs des Invincibles... Impressionnant ! D'habitude, Vanessa, Helen et Charlotte viennent avec leur tee-shirt des Imbattables, une jupe et des tennis blancs.

Mais, le jour du grand tournoi, c'étaient les trois mousquetaires. Les gens les regardaient en se demandant ce qu'elles pouvaient bien faire dans un tel accoutrement. Enfin, au moins, on peut dire qu'elles attiraient l'attention.

J'espérais juste que leurs pantalons et leurs capes n'allaient pas les gêner.

J'étais en train de motiver mes joueurs quand, je ne sais pas trop pourquoi, j'ai levé les yeux vers le public... pour apercevoir Cokie et sa bande ! Que pouvaient-elles bien faire ici ? Aucune d'elles n'avait de frère ou de sœur dans mon équipe ni dans celle de Bart. On ne peut pas vraiment dire qu'elles font partie de nos amies, alors quel mauvais coup étaient-elles en train de préparer ? Elles étaient sûrement là pour nous tourner en ridicule, mon équipe et moi. Je ne savais pas ce qu'elles mijotaient, mais j'étais bien décidée à les empêcher de nuire.

J'étais sur le point d'aller leur parler quand j'ai réalisé que, tout d'abord, les Imbattables avaient besoin de moi et que, ensuite, je pouvais compter sur mes amies du club pour s'occuper de Cokie et compagnie si elles posaient le moindre problème. Je me suis donc concentrée sur le tournoi.

– Bon, les enfants, nous avons encore un peu de temps avant le début du match. J'aimerais que vous fassiez quelques lancers pour vous échauffer.

Ils se sont répartis en groupes et ont commencé à s'entraîner. J'en ai profité pour rejoindre Mary Anne. Je lui ai montré Cokie.

– D'après toi, qu'est-ce qu'elle fait là, celle-là ?

– Elle doit être venue voir le match, comme nous.

– Tu sais très bien que ce n'est pas son genre, elle est...

– Aïe !

Un cri strident nous a interrompues et, sans même me retourner, j'ai su grâce à ma fidèle intuition que ce gémissement ne pouvait venir que de Jackie, la catastrophe ambulante.

– Oh, non !

Je me suis retournée. Ça n'avait pas l'air grave. Jackie se frottait l'épaule mais il n'avait rien. J'ai soupiré. J'espérais vraiment que mes Imbattables étaient prêts pour le tournoi. Ils s'étaient entraînés dur, et je savais qu'ils étaient capables de battre les Invincibles une nouvelle fois.

Mary Anne a rejoint Louisa, Logan et le reste du club. J'ai cherché Bart du regard. Il était en train de séparer deux de ses meilleurs joueurs qui se bagarraient. Nous nous sommes souri. Je peux vous dire qu'il est plutôt difficile de vouloir écraser l'équipe adverse quand leur entraîneur est aussi craquant.

Bart s'est approché pour me parler :

– Salut.

– Salut, Bart.

– Alors, ton équipe est prête ?

– J'espère, et la tienne ?

– Je pense que oui. Ils sont survoltés. Je crois qu'ils ne supportent pas l'idée de se faire battre une nouvelle fois par les Imbattables.

Je ne pouvais pas leur en vouloir. Intérieurement, je jubilais. Je ne pouvais pas m'en empêcher. J'ai lancé :

– Alors, mêmes règles que d'habitude, on tire à pile ou face pour voir quelle équipe lance la première ?

– OK, coach ! m'a répondu Bart en souriant. (Quel sourire !...)

Il s'est éloigné pour discuter avec ses joueurs. J'allais moi-même rejoindre mon équipe quand je me suis retrouvée face à Cokie.

– Salut, Kristy !

– Salut.

– Alors, comment ça va ?

– Comment va quoi ?

– Ben, la vie, tout quoi.

– Bien.

– Et… ton équipe est prête pour le grand match ?

– Cokie, qu'est-ce que tu fabriques ici ?

– Je suis venue assister au tournoi, c'est tout.

– Et pourquoi ?

– Pour encourager ton équipe. J'espère bien que tes Imbattables vont gagner !

– Pardon ?

Je n'en revenais pas.

– Mais, qu'est-ce que tu crois ? Évidemment. Je suis là pour le match. Tu sais, je ne suis pas ton ennemie, Kristy.

Alors là, c'était la meilleure.

– Je suis venue pour t'encourager. Tu as l'air un peu déprimée depuis quelque temps. Je ne voudrais pas que ton équipe perde…

– Ça va très bien ! J'ai même un petit ami et, en plus, il m'accompagne au bal d'Halloween.

– Vraiment ? Vous devez beaucoup vous aimer.

– Oui, on pense même passer notre vie ensemble !

Là, je ne sais pas ce qui m'avait pris. J'étais sûre que Cokie n'allait pas me rater. Mais, au lieu de ça, elle a simplement dit :

– Tu veux dire que vous allez vous marier, mais c'est formidable. Vous serez ensemble pour l'éternité.

Cokie a brusquement changé de couleur. C'était trop tard, je me suis tout de suite rappelé où j'avais déjà entendu cette expression : « ensemble pour l'éternité », c'était dans une lettre du fou !

– C'était toi ! C'est toi qui as écrit ces lettres !

Elle était piégée. Elle ne trouvait rien à répondre. Elle a commencé à reculer mais elle n'allait pas s'en tirer aussi facilement. Je suis peut-être un peu petite mais, au collège, tout le monde sait que je suis sportive et qu'il ne faut pas me chercher.

– Attends un peu !

Je l'ai attrapée par la manche.

– Toi, tu restes là, j'ai quelques questions à te poser !

Elle avait l'air tellement paniquée que j'étais certaine qu'elle répondrait à n'importe laquelle de mes questions.

– C'est toi qui as envoyé toutes ces lettres pour me faire peur ?

– Oui.

Elle avait les yeux rivés au sol. Je ne la lâchais pas. Je n'en avais pas fini avec elle.

– Pourquoi ?

–Parce que… parce que tu nous as tournées en ridicule, mes amies et moi, au cimetière, et devant Logan en plus.

– Vraiment ! Mais tu as la mémoire courte ! C'est toi qui as commencé en faisant passer Mary Anne pour une folle aux yeux de Logan.

Cokie ne répondait pas, j'ai donc continué :

– Comment savais-tu à quoi ressemblaient les premières

lettres ? Les tiennes avaient des autocollants et étaient tapées à la machine comme celles de Bart.

– Eh bien, on ne peut pas dire que tu étais vraiment discrète. A la cafétéria, tu exhibais les lettres. Tout le monde pouvait les voir.

Cokie parlait comme si tout était de ma faute.

J'ai desserré mon étreinte. Je ne savais plus quoi penser. J'étais soulagée qu'il n'y ait aucun détraqué à ma poursuite. Je n'avais plus à avoir peur. Mais j'étais aussi furieuse après cette peste.

– Dès lundi, je peux te jurer que tout le collège sera au courant de ce que tu as fait, Cokie, l'ai-je prévenue. Si tu craignais de passer pour une folle aux yeux de Logan, tu as plutôt intérêt à te préparer à ce qui va arriver maintenant.

Elle s'est enfuie pour rejoindre Grace, Lisa et Bea qui étaient dans le public et elles sont parties en courant.

Je devais avant tout rejoindre mes amies pour leur dire ce que je venais d'apprendre, mais il était près de midi et le match allait débuter. Après tout ça, j'étais remontée à bloc, plus prête que jamais pour le tournoi. J'ai rejoint Bart.

– Il est temps de démarrer la partie. Et j'ai une grande nouvelle. Je sais qui a écrit les lettres. On n'a plus rien à craindre. Je te raconterai tout après le match.

– OK, coach.

Nous avons rassemblé nos équipes et tiré à pile ou face. Les Imbattables allaient lancer les premiers.

13

La partie a assez bien commencé. J'ai envoyé Matt Braddock comme premier batteur. Il a frappé la balle avec un grand poum ! et il a couru à la troisième base.

J'ai ensuite envoyé Jake Kuhn à la batte. Il a atteint la première base et a permis à Matt de faire son *run*.

Mes joueurs étaient euphoriques, mais aussi très concentrés sur le jeu. Les plus jeunes ont souvent un peu tendance à gigoter en attendant leur tour de frapper, et il faut alors que je demande à mes amies de m'aider pour les tenir. Mais là, je n'avais pas de problème de ce genre.

A la fin du premier tour, le score était de deux à un en faveur des... Imbattables ! Le jeu était tendu. Je ne quittais pas le bord du terrain, attentive à la moindre action, mâchant et remâchant mon chewing-gum. J'ai glissé un œil vers Bart et j'ai bien vu qu'il commençait lui aussi à être nerveux.

Pendant le deuxième tour, même si c'était un peu risqué, j'ai laissé Gabbie Perkins, Claire Pike, et Jackie Rodowsky aller à la batte. Gabbie (avec ses règles spéciales) s'est bien débrouillée, Claire a été éliminée mais elle n'a pas piqué de colère, et Jackie a fait un *home run* ! Il a perdu l'équilibre lorsque ses coéquipiers se sont jetés sur lui pour le féliciter, mais les Invincibles n'ont rien vu et personne ne s'est moqué de lui.

Les Invincibles étaient maintenant sur leurs gardes. Ils étaient assez anxieux en voyant la tournure que prenait la partie.

Lors du troisième tour, alors que les Imbattables avaient un point d'avance, j'ai jeté un œil vers Bart. Il me regardait avec un air de défi. C'était bien ma veine. On venait juste de régler cette sordide histoire de lettres, et voilà qu'on se retrouvait en rivalité sur le terrain. Si les Imbattables gagnaient le tournoi, Bart serait-il toujours d'accord pour aller au bal avec moi ? Il y avait de quoi se poser la question en voyant sa tête. Mais ce n'était pas le moment. Je l'ai chassé de mon esprit pour revenir au match et murmurer à David Michael :

– Écrase-les !

Le score était de six à cinq (toujours en notre faveur) lorsque nous avons fait une pause. J'ai rassemblé mon équipe.

– Vous faites tous du super boulot ! Vous jouez bien, vous êtes concentrés et vous ne vous laissez pas impressionner par les Invincibles. Je suis fière de vous !

Les Imbattables rayonnaient. J'ai rejoint le stand de rafraîchissements pour vérifier que tout se passait bien. Charlie était content de lui.

– Tu as assez d'argent pour acheter des casquettes pour une

dizaine d'équipes. On n'a pas arrêté de la matinée. Et je dois dire que ton équipe joue… euh, vraiment bien. (Charlie a toujours eu un peu de mal avec les compliments.)

– Merci.

J'ai acheté une limonade et j'ai fait signe aux trois mousquetaires.

– Vous faites un tabac !

Et, en plus, leurs capes et leurs pantalons étaient toujours en place, merveilleux !

– Fraiment ? a bafouillé Charlotte avec ses moustaches qui lui tombaient dans la bouche.

– Fouette ! a ajouté Helen.

Les pom-pom girls des Invincibles étaient peut-être plus chic, mais les trois mousquetaires attiraient davantage l'attention.

Vingt minutes après, le jeu a repris. Et deux tours plus tard, la partie était terminée. Le score final était de huit à sept.

Les Imbattables avaient gagné le tournoi !

Si vous aviez vu la foule hurler et sauter dans tous les sens ! Les Imbattables ont rejoint les trois mousquetaires pour crier leur slogan :

– Deux, quatre, six, huit. Qui sont les meilleurs ? Les Imbattables, les Imbattables, les Imbattables ! Ouais !

J'ai ensuite été rejoindre mes frères pour démonter la buvette. Il restait quelques joueurs, ma famille, les membres du Club des baby-sitters… et Bart.

J'avais un peu peur de lui parler. Mon équipe avait battu la sienne, il ne devait pas vraiment être aux anges. Allait-il être à nouveau en colère contre moi ? Pouvions-nous sortir ensemble malgré la compétition entre nos deux équipes ?

Je n'ai pas osé l'affronter tout de suite, j'ai préféré aller retrouver mes amies. Je leur ai raconté mon aventure avec Cokie. Elles étaient tout simplement outrées.

– C'est Cokie qui a écrit les lettres ! s'est exclamée Claudia.

–Je n'en reviens pas, quelle... quelle espèce de rat d'égout ! a ajouté Lucy.

– A ta place, je... je ne sais pas ce que je ferais à cette peste.

C'était Jessica qui semblait avoir du mal à contenir sa colère.

– Ne t'inquiète pas, je me suis déjà chargée d'elle. Je l'ai avertie que tout le collège serait au courant de ce qu'elle avait fait. C'est la pire des choses pour Cokie. Et puis, j'en ai assez de cette petite guerre idiote, j'espère que j'en ai fini avec elle.

Petit à petit, mes amies ont quitté le terrain de base-ball. Seule Louisa était encore là. Elle me regardait bizarrement.

– Ça va ? J'ai l'impression qu'autre chose te tracasse.

– Je ne sais pas trop. Bart a l'air un peu contrarié. Tu crois que j'aurais dû laisser gagner son équipe ? J'aurais pu le faire, tu sais.

– Ça ne va pas !

– Mais, tu penses qu'il voudra toujours m'accompagner au bal ?

– C'est à lui que tu devrais poser la question.

J'ai donc laissé Louisa pour aller affronter Bart qui rangeait l'équipement de son équipe.

– Bart ?

Il a relevé la tête et m'a souri.

– Toutes mes félicitations. C'était une belle partie.

Il n'avait pas du tout l'air en colère. Je voulais pourtant m'en assurer.

– Alors, toujours d'attaque pour le bal d'Halloween ?

– J'ai hâte d'y être. Raconte-moi pour les lettres.

Je lui ai expliqué toute l'histoire. Nous avons malheureusement été interrompus :

– Kristy !

– Bart !

C'était Samuel et M. Taylor, qui se sont ensuite exclamés à l'unisson :

– On rentre !

– On se voit vendredi, m'a murmuré Bart. De toute façon, je t'appelle avant.

– OK, coach !

Un peu plus tard dans l'après-midi, alors que je récupérais difficilement de la partie, Louisa m'a surprise en entrant dans ma chambre sans prévenir. Elle s'est assise à côté de moi sur le lit. Je l'ai tout de suite prévenue :

– Je suis morte de fatigue !

– Trop morte pour quelques conseils ?

– Quel genre de conseils ?

– Oh, maquillage, coiffure, ce genre de trucs.

– Je ne me maquille jamais.

– Même pas pour aller au bal avec le beau Bart ?

Je me suis redressée.

– Je ne sais pas trop...

– Tu veux lui plaire, non ?

– Je veux rester comme je suis. Je ne vois pas pourquoi je devrais me transformer.

– Bon, d'accord. On laisse tomber le maquillage pour l'instant. Et tu penses t'habiller comment ?

– Je n'en sais rien, je n'y ai pas encore pensé.

– Est-ce que tu as une robe au moins ?

– Pour qui tu me prends ? Bien sûr que j'ai une ro... Enfin, il faut que je vérifie.

Je me suis levée pour aller fouiller dans mon armoire. Un modèle d'ordre et de rangement, comme vous pouvez vous l'imaginer. Il y avait bien toute une collection de sweats et de tee-shirts, mais...

– C'est bon, j'ai trouvé ! J'en ai même deux. La première, je la portais au mariage de la mère de Carla et du père de Mary Anne. Et celle-ci, c'était au mariage de ma mère avec Jim.

– Tu ne peux pas porter ça à un bal ! C'est beaucoup trop habillé. Laisse-moi regarder.

Je me suis donc écartée pour lui laisser le champ libre. Il y avait quelques autres robes plus simples.

– En fait, Bart et moi, nous pourrions très bien y aller déguisés. C'est le bal d'Halloween et beaucoup d'élèves y vont costumés.

– Arrête, tu ne veux pas avoir l'air ridicule pour ton premier rendez-vous avec un garçon, quand même ! Tiens, celle-là est parfaite. Qui t'a aidée à la choisir ?

Ça alors, comment avait-elle fait pour deviner que je ne l'avais pas achetée seule ?

– Lucy...

– Elle est très bien pour danser. Allez, enfile-la.

– Pourquoi ?

– Parce que je ne peux pas savoir quelle ombre à paupières et quel vernis choisir si je ne te vois pas d'abord dans ta robe !

– Pas question que je porte du vernis ! Je veux bien un peu de maquillage, mais très léger. Par contre du vernis, alors là, sûrement pas !

– D'accord, d'accord, calme-toi. C'est toi qui décides, mais c'est dommage.

Heureusement pour moi, Jim a frappé à la porte. Il venait me prévenir que Bart était au téléphone.

Je l'ai remercié et je me suis tout de suite tournée vers Louisa.

– Je suis sûre qu'il appelle pour me dire qu'il ne veut plus aller au bal. J'aurais dû laisser les Invincibles gagner le tournoi.

– Kristy… Arrête un peu et va plutôt voir ce qu'il te veut vraiment.

J'ai pris le téléphone de l'étage.

– Salut. Un problème ?

– Salut, coach. (Son ton était rassurant.) Écoute ça, tu ne vas pas en revenir. J'ai trouvé les costumes les plus géniaux de la terre pour le bal. Je sais qu'on n'en a pas discuté, et tu ne vas peut-être pas être d'accord… Mais, tout à l'heure, je faisais un peu de rangement au grenier et j'ai retrouvé, tu ne vas pas le croire, j'ai retrouvé deux costumes de homard que mes parents avaient achetés pour une soirée déguisée. Je suis sûr que le costume de maman t'ira. Alors, tu es d'accord ?

Si j'étais d'accord ? Évidemment ! Tout plutôt que d'avoir à porter une robe et du vernis à ongles !

– Bien sûr ! Bart, ça sera génial. En plus, tu sais, ils vont donner des prix pour les costumes… Le plus terrifiant, le plus original, le plus drôle, etc. Il y a des masques avec ?

– Non, on va devoir mettre du maquillage rouge, ça ne te dérange pas ?

– Tu rigoles, aucun problème. Louisa est là, je te rappelle. OK, coach ?

– D'accord, à plus tard.

J'ai raccroché et j'ai filé annoncer la nouvelle à Louisa :

– C'était Bart. Il a trouvé des costumes pour le bal, et je crois que je vais me débrouiller toute seule pour le maquillage.

J'ai pris le rouge à lèvres et je l'ai étalé sur tout mon visage.

– Kristy, ça ne va pas ?

– Je ne suis pas le plus beau homard femelle du monde, comme ça ?

Je lui ai tout expliqué, et j'ai ensuite pris un grand plaisir à ranger la robe qu'elle souhaitait me voir porter pour le bal.

– Kristy ?

– Quoi ?

– Tu es complètement cinglée.

– Merci !

Et puis, elle m'a souri.

– J'ai l'impression que, Bart et toi, vous allez bien vous amuser !

14

Enfin, le jour du bal était arrivé. Nous étions vendredi soir et je me regardais dans le grand miroir de la salle de bains en costume de homard.

J'étais en train de donner les dernières touches à mon maquillage, quand...

– Arghhh !

– Arghhh aussi ! ai-je répondu.

Karen était arrivée sans crier gare dans la salle de bains.

– Kristy, tu ne vas quand même pas porter ça pour le bal ? Je croyais que, pour aller à un bal, les filles mettaient des robes, des bijoux et du maquillage pour être jolies.

Elle s'est mise à côté de moi devant la glace. Elle a comparé nos reflets, et je suis sûre qu'elle s'est vue comme une grande fille qui pourrait aller au bal avec ses bijoux et sa robe.

– Pas pour ce bal-là, c'est un bal d'Halloween. Tout le monde est déguisé. Que penses-tu de mon costume de homard ?

– Il est vraiment chouette. Dis, est-ce que Bart et toi, vous sortez ensemble ?

– Peut-être. En fait, je ne suis pas sûre.

– Ça veut dire quoi ?

– Juste que je ne suis pas sûre, c'est tout, Karen.

J'aime bien quand Andrew et Karen viennent passer le week-end avec nous, mais Karen a tendance à poser beaucoup trop de questions. Le meilleur moyen pour l'arrêter est de lui poser une question pour la faire changer de sujet.

– Et ton costume à toi, il est prêt ?

– Ouaip.

Le lendemain, Karen, Andrew, David Michael et quelques copains à eux allaient passer de porte en porte pour avoir des bonbons. Ils avaient décidé de se déguiser en personnages du *Magicien d'Oz* et je devais les accompagner pour les surveiller.

– Bon, je crois qu'on peut dire que je suis prête.

On arrivait au moment fatidique, et je commençais à paniquer un peu.

– Tu es nerveuse, Kristy ?

– Un peu.

Et il y avait de quoi. Premièrement, je suis loin d'être une bonne danseuse et vu qu'il était déjà périlleux de mettre un pied devant l'autre avec ce costume, j'osais à peine imaginer ce que ce serait sur la piste de danse. Deuxièmement, c'était mon premier vrai rendez-vous. J'étais bien déjà allée à des soirées avant, mais avec Bart, c'était différent. Même si nous étions allés au cinéma ensemble, je sentais que cette sortie-ci était spéciale. Et, troisièmement, personne au collège (à part mes amies et quelques ennemies dont je tairai le nom) ne connaissait Bart. J'avais un peu peur qu'on se moque de nous.

– Kristy !

C'était Jim. Il m'a tirée de mes pensées.

– Tu es prête ? Il va falloir y aller, on doit passer prendre Bart dans dix minutes.

– J'arrive !

J'ai jeté un dernier coup d'œil dans le miroir, et j'ai demandé à Karen :

– Tu es sûre que ça va ?

– Pour un homard, t'es super !

Je l'ai embrassée pour lui souhaiter bonne nuit.

– A demain matin.

– Tu vas rentrer tard ?

– Assez oui, et devine qui sera là demain à ton réveil ?

– Qui ?

– Louisa, Mary Anne, et toutes mes amies du club. Elles viennent dormir ici après le bal.

– Chouette !

– KRISTY !

C'était à nouveau Jim.

– C'est bon, j'arrive. Il faut que j'y aille, Karen. A demain.

Avec mon beau-père, nous sommes allés chez Bart. Le deuxième homard embarqué, nous avons filé direct au collège qui est juste à côté de chez Bart. Jim nous a déposés devant. Il viendrait nous prendre mes amies et moi à dix heures et demie avec Samuel.

Tous les élèves étaient invités pour le bal d'Halloween. Mary Anne et Logan seraient là. Claudia était surexcitée car Woody Jefferson l'avait invitée. Lucy avait réussi à combattre sa peur et à inviter Kevin Bauman, le nouveau qui lui plaisait. Carla et Jessica venaient toutes seules. Et Mallory venait avec Ben Hobart !

J'étais un peu anxieuse. Comment Bart allait-il trouver notre bon vieux collège ? Une fois devant l'entrée, je lui ai dit :

– Voilà, on y est. Je te présente mon collège.

– Il est super grand ! Je passe devant tous les jours et je m'imaginais que c'était un peu comme mon école. Mais c'est drôlement plus grand.

Bart aussi avait l'air un peu nerveux.

– Allez, viens, lui ai-je dit en agrippant sa pince (ce qui n'était pas aisé).

Nous sommes entrés et nous avons tout de suite retrouvé le groupe du Club des baby-sitters devant le gymnase où se déroulait le bal. J'étais heureuse de les voir et de savoir que nous rentrerions tous ensemble dans la salle lorsque tout le monde serait là, ce qui n'a pas tardé.

Une fois dans l'arène, j'ai commencé à ne pas me sentir très bien, je me suis tournée vers Mary Anne.

– Tout le monde nous regarde.

– Avec des costumes pareils, il fallait t'y attendre. Mais ne t'inquiète pas, personne ne se moque, ils sont juste impressionnés.

Je me suis rapprochée de Bart et j'ai serré sa pince un peu plus fort.

– Allons boire un verre, m'a-t-il lancé.

– OK, coach !

Au bout d'un moment, les autres se sont habitués à nous et je me suis un peu détendue. Bart m'a invitée à danser. Là, ça allait peut-être se corser… Mais non, tout s'est bien passé. En fait, nous avions tellement de mal à bouger tous les deux, qu'il lui était impossible de se rendre compte que j'étais une mauvaise danseuse. Nous avons discuté en « dansant ».

– Dis, Bart. Si ça se trouve, un jour, c'est ton groupe qui sera sur scène.

– Peut-être bien, ce serait chouette…

J'en profitais pour observer la salle, maintenant que j'étais moins nerveuse. La déco était vraiment réussie avec des toiles d'araignée, des citrouilles et des chauves-souris en plastique un peu partout. Nos chaperons (les profs) étaient eux aussi déguisés, ce qui était plutôt étrange à voir. Mary Anne et Logan étaient en sorcière et en Frankenstein. Lucy et Kevin n'avaient pas de costumes mais ils étaient très bien habillés (Karen aurait approuvé). Carla était en Alice au pays des Merveilles. Quand je l'ai vue, elle dansait avec un bossu que je n'ai pas reconnu.

Sont alors arrivés Cokie Mason et Austin Bentley. Je me suis préparée à recevoir une petite réflexion bien désagréable mais elle a fait comme si elle ne nous avait pas vus, Bart et moi. Tant mieux. Je me moquais bien qu'elle nous ignore. Notre petite guerre avait l'air terminée et de toute façon, la plupart des élèves étaient au courant de ce qu'elle m'avait fait, et ils l'évitaient aussi.

Après s'être pas mal dandinés sur la piste, Bart et moi, nous sommes allés au bar pour prendre un jus de fruits. Puis, nous sommes retournés sur la piste, et alors est arrivé… le premier slow. Ouh ! là, là ! les choses se corsaient. Bart a mis ses bras autour de mon cou et nous avons dansé en faisant bien attention de ne pas nous emmêler les pinces et les antennes. J'ai bien aimé.

Le groupe a fait une pause et un professeur (Mme Mandel qui était déguisée en Blanche-Neige) s'est approché du micro.

– Pendant que le groupe reprend des forces, je vais vous annoncer le résultat des votes pour les meilleurs costumes.

Bart et moi, nous nous sommes regardés, pleins d'espoir.

– Alors... Prix du costume le plus effrayant, Donny Olssen et Tara Valentine, nos monstres de l'espace. Prix du costume le plus drôle, Danielle Pitchard et Marcus Brown, les dinosaures surfeurs. Prix du costume le plus original, Kristy Parker et...

Je n'ai même pas entendu la fin de la phrase parce que je hurlais :

– On a gagné ! Mais tu crois que plus original veut dire plus bizarre ?

– Non, et puis de toute façon, on s'en fiche. On a gagné une grande pizza gratuite chez Pizza Express !

– Tu rigoles !

– Allez, viens. On doit aller chercher notre prix.

Nous avons donc rejoint les autres gagnants autour de Mme Mandel. Tout le monde a applaudi, puis le groupe est revenu jouer.

Bart et moi, nous avons dansé jusqu'à ce qu'il regarde l'horloge, et m'avertisse qu'il était dix heures et quart. Le temps avait vraiment passé trop vite, il fallait déjà rejoindre les autres et rentrer.

Je lui ai juste murmuré à l'oreille :

– OK, coach, j'aimerais juste qu'on termine cette danse. (C'était un slow…)

On a donc dansé jusqu'à ce que la musique s'arrête, et… Bart m'a embrassée sur la joue, tout doucement. Je crois que je suis amoureuse…

15

– Bon, je veux tout savoir !

Louisa, Jessica, Lucy, Mary Anne, Mallory, Carla, Claudia et moi, nous étions dans ma chambre. Le bal était terminé.

Nos costumes étaient éparpillés un peu partout et nous étions toutes en pyjama. Claudia était à mon bureau en train de se faire les ongles (à une heure pareille !) et Louisa s'impatientait.

– Allez, racontez-moi comment c'était !

– D'accord, je commence, a dit Jessica. La salle était super bien décorée. Il y avait plein de ballons et de...

– Pas ça ! Je m'en moque. Non, racontez-moi les trucs intéressants.

– Les trucs intéressants..., a répété Jessica. Eh bien... je ne sais pas trop quoi dire...

– Moi je sais, l'a coupée Lucy. Devine qui était là, sur son trente et un, avec plein de maquillage et même des faux cils ?

– Facile, Cokie Mason !

– Gagné ! Et devine ce qui est arrivé à la pauvre petite fille à sa maman ?

J'ai commencé à rire ; j'avais vu ce qui s'était passé pendant la soirée et je savais ce que Lucy allait raconter.

– Lorsqu'elle s'est approchée de la coupe de cocktail de fruits, l'un de ses faux cils s'est décollé et est tombé dedans !

– Alors Miranda Millaber a demandé au prof chargé des boissons d'aller chercher une autre coupe car celle-ci avait été contaminée par un « corps étranger », ai-je continué. Tu aurais dû voir la tête de Cokie, elle était folle de rage. J'ai bien eu l'impression qu'elle allait se jeter sur Miranda pour la tuer.

Louisa a rigolé.

– Quoi d'autre ? Est-ce que vous avez toutes dansé ?

– Un peu, ma petite ! Pas de potiche ici ! a répondu Claudia.

– Ben danse super bien, a ajouté Mallory avec un petit sourire rêveur.

– Moi, j'ai dansé avec huit garçons et ils étaient tous plus balourds les uns que les autres, a annoncé la pauvre Jessica.

– Ce n'est pas de leur faute, lui a dit Mallory, tu as trop l'habitude des danseurs professionnels. Tu ne peux pas espérer la même chose des garçons du collège.

Mais Louisa l'a coupée :

– Non, Jessica a raison, les garçons de cinquième sont tous des nuls. La plupart sont pleins de boutons ou alors ils sont tellement grands qu'ils ne savent pas quoi faire de leurs jambes et de leurs bras, ou bien ils sont tellement petits qu'on peut leur manger sur la tête.

– Ça change quand ? a demandé Jessica.

– Tout doucement, c'est comme une métamorphose, a expliqué Claudia tout en examinant ses ongles. Un jour, sans que tu t'en aperçoives, la vilaine chenille se transforme en papillon. Franchement, ils sont beaux, non?... Mes ongles! Un jour, j'irai à l'institut de beauté pour me faire une french manucure.

J'étais sur le point de lui demander ce que ça pouvait bien être quand Louisa a repris:

– Allez, continuez. Je veux absolument tout savoir.

– Kristy et Bart ont gagné le prix du costume le plus original, a dit Carla tout en se faisant des tresses.

– Chouette, et qu'est-ce que vous avez gagné?

– Une GRANDE PIZZA GRATUITE avec toute la garniture qu'on veut dessus!

– Même des anchois? Beurk! a ajouté Jessica.

– Il se trouve que Bart et moi, nous aimons tous les deux les anchois. Nous avons beaucoup de choses en commun.

– Ouais..., a fait Lucy, d'un ton plein de sous-entendus.

Louisa s'est rapprochée de moi.

– Qu'est-ce qu'elle veut dire?

– Je... je...

– Bart l'a embrassée! s'est exclamée Mallory. Même qu'il l'a embrassée sur la piste de danse devant tout le monde!

– Il t'a embrassée! Et, il t'a embrassée où?

– Oh, c'était juste un baiser sur la joue. Et comment tu sais ça, toi? ai-je demandé à Mallory.

Mary Anne a rigolé avant de dire:

– Tout le monde est au courant. Il t'a embrassée en plein milieu de la salle!

J'ai essayé d'avoir l'air embarrassée mais, en fait, j'étais plutôt fière que mes amies aient tout vu.

Mary Anne a encore rigolé toute seule.

– Quoi ?

– Bart est mieux qu'Alan Gray avec ses M&M's devant les yeux !

Nous avons toutes ri, excepté Louisa qui ne comprenait pas. Je lui ai donc expliqué toute l'histoire.

– Alan ferait n'importe quoi pour attirer l'attention. Un jour, à une fête, il avait mis des M&M's jaunes dans ses yeux pour faire rire tout le monde. Il est vraiment trop débile !

– Je peux t'assurer, m'a dit Louisa, que Bart ne ferait jamais un truc pareil. En tout cas, pas en public.

– Kristy, tu crois que tu es amoureuse ? m'a demandé Jessica.

J'ai hésité, sachant très bien que cette hésitation était une réponse. Si mes frères avaient été là, ils se seraient moqués de moi pendant toute une année. Mais j'étais avec mes meilleures amies et je savais que je pouvais leur faire confiance. Elles ont changé de sujet sans insister.

– Bon, a dit Carla, demain, c'est Halloween et…

– Non, c'est aujourd'hui, a dit Mallory en montrant le réveil. Il est minuit trois.

– J'emmène Karen, Andrew, David Michael, Emily et des amis à eux faire la tournée des voisins demain, ai-je appris à mes amies. Ils vont tous se déguiser en personnages du *Magicien d'Oz.*

J'espérais être descendue de mon petit nuage le lendemain car, pour l'instant, je ne pouvais penser qu'au baiser de Bart. Louisa m'a sortie de mes rêveries :

– Ils doivent être excités, ça va sûrement être chouette.

– Moi, quand j'avais leur âge, Halloween me faisait surtout peur, a expliqué Mallory. Je croyais vraiment que les fantômes et les vampires venaient nous chercher la nuit d'Halloween, et je refusais de faire la tournée des voisins.

– On peut dire que, l'année dernière aussi, on a toutes eu bien peur à Halloween grâce à cette chère Cokie, nous a rappelé Mary Anne.

– Oui, et je suis bien contente qu'elle se soit vendue le jour du tournoi, ai-je ajouté. Sinon, j'imagine que je serais encore terrifiée à l'heure qu'il est.

C'est à ce moment précis que nous avons entendu hurler. Nous nous sommes toutes regardées. Aucune d'entre nous n'avait poussé le moindre cri. C'est alors qu'un deuxième hurlement a retenti. Je suis sortie de ma chambre. Ça venait de chez Karen. La porte de la chambre de Jim et maman s'est ouverte et Jim est sorti.

– Ne t'inquiète pas, Kristy. Karen fait juste un cauchemar. Je vais la voir.

Je suis retournée avec mes amies.

– C'est rien, Karen fait juste un mauvais rêve.

Nous commencions à nous sentir fatiguées. Il était temps de dormir. Claudia a rangé son vernis et nous avons toutes poussé les costumes dans un coin de la chambre pour étaler les sacs de couchage. Je me suis mise au lit avec, à mes pieds, sept duvets.

Scritch, scratch ! Scritch, scratch !

Mary Anne a bondi hors de son sac.

– Qu'est-ce que c'est que ça ?

– Juste les branches qui tapent sur ma fenêtre. Il va sans doute y avoir une tempête.

J'ai attendu que tout le monde soit bien installé pour éteindre la lumière et... j'ai trouvé une lettre sous mon oreiller !

Je ne voulais pas crier et alerter Jim. J'ai étouffé mon cri, mais Carla m'avait entendue.

– Quoi? Qu'est-ce que tu as?

J'ai allumé la lumière et j'ai montré la lettre faite de mots découpés dans des journaux.

Tout le monde est sorti de son duvet pour voir la lettre de plus près.

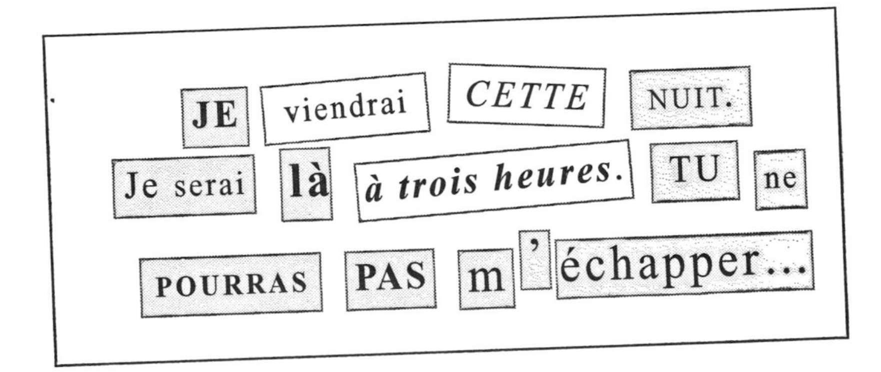

JE viendrai CETTE NUIT. Je serai là à trois heures. TU ne POURRAS PAS m'échapper...

Tout le monde excepté Louisa...

– Louisa! C'est toi qui as fait ça?

Elle a commencé à rire. Elle n'arrivait pas à se contrôler.

– Ouiiii. J'ai passé toute la soirée toute seule, je ne savais pas quoi faire. Alors, j'ai fait cette petite blague. J'ai mis des heures à chercher les mots dans les journaux.

– Merci, je la garderai précieusement!

– Kristy? Tu n'es pas en colère?

– Non, en fait, tu m'as donné une idée.

J'ai sauté de mon lit. Je n'avais plus du tout envie de dormir, et mes amies non plus. Nous sommes toutes descendues dans le bureau de Jim où j'ai allumé l'ordinateur. Elles me regardaient sans savoir ce que j'avais derrière la tête. Je me suis mise à taper :

```
  Ma très, très chère Cokie,
  Tu es la lumière de ma vie. Grâce à toi,
le soleil se lève chaque matin. Les fleurs
ne sont que de pâles reflets de ta beauté. Tous
les jours, je t'observe. Je t'observe
à la cafétéria, en cours de biologie, dans
les couloirs. Tu as la majesté d'une reine.
Je t'en prie, accepte mon invitation à disséquer
une grenouille en ma compagnie.

            POUR TOUJOURS ET À JAMAIS,
            TON BOUTONNEUX MYSTÉRIEUX
```

Louisa m'a demandé ce que je comptais faire de cette lettre.

– La coller sur le casier de Cokie dès lundi !

– Tu ne penses pas qu'elle va deviner que c'est toi qui l'as écrite ?

– Évidemment. J'y compte bien. Je sais que j'ai dit que j'en avais marre de notre petite guerre, mais je ne peux pas m'en empêcher, c'est une trop bonne idée ! Allez, au lit tout le monde !

Et voilà, la lettre à la main, j'ai reconduit mes amies dans ma chambre, où nous nous sommes tout de suite endormies pour ne nous réveiller qu'à onze heures le lendemain matin.

LE CLUB DES BABY-SITTERS

CARLA perd la tête

L'auteur tient à remercier Suzanne Weyn
pour son aide précieuse.

1

– Oh non ! s'est écriée Mary Anne. Ne me dis pas que tu as l'intention de nous faire manger ça ?

Voilà la réaction qu'a eue ma demi-sœur en me surprenant avec mon livre de cuisine diététique ouvert à la page 54. Devant mon air impassible, elle a continué de plus belle :

– Carla, personne ne va vouloir goûter à un cake au tofu et aux pommes, même s'il y a des noix dedans ! N'oublie pas que c'est un repas de fête !

– Bon, si tu insistes, je vais faire une tarte au soja.

Mary Anne a poussé un soupir désespéré.

– Une tarte au soja ! Je parie qu'il n'y a même pas une cuillère à café de sucre dedans.

– Non, il y a du miel.

Elle s'est glissée sur une chaise à côté de moi et a tiré le livre vers elle.

– On n'a vraiment pas les mêmes goûts, hein ? Bon, laisse-moi jeter un coup d'œil là-dedans. Je vais peut-être trouver quelque chose de mangeable.

Le nouvel an approchait, il ne nous restait qu'une journée avant le réveillon pour préparer notre petite fête. Mary Anne et moi étions dans la cuisine en train d'essayer de nous mettre d'accord sur le menu. Malgré nos petites divergences de goûts culinaires, nous nous entendons à merveille. C'est normal, avant de devenir demi-sœurs, nous étions déjà les meilleures amies du monde.

Il faudrait peut-être que je commence par le début. Je ne me suis même pas présentée. Je m'appelle Carla Schafer et je viens de Californie. J'ai emménagé à Stonebrook, dans le Connecticut, après le divorce de mes parents. Mon frère David et moi, nous sommes venus vivre ici avec maman tandis que papa restait en Californie. Maman a grandi sur la côte Est et elle voulait se rapprocher de ses parents. Je crois qu'elle avait besoin de leur soutien et cela lui a fait beaucoup de bien. Malheureusement, pour mon frère et moi, le changement était moins évident. La Californie nous manquait. On était loin de nos amis et de tout ce qu'on aimait.

La seule chose que j'ai tout de suite adorée à Stonebrook, c'est notre maison. C'est une vieille ferme qui a été bâtie en 1795. Incroyable, non ? Les portes sont basses et les escaliers étroits. Tout est sombre et un peu biscornu. Rien à voir avec notre maison ensoleillée de Californie. Mais je m'y suis tout de suite sentie chez moi. Elle est d'autant plus spéciale que j'y ai découvert un passage secret qui relie ma chambre à la grange au fond du jardin ! Cela devait faire partie du réseau clandestin de libération des esclaves pendant la guerre de Sécession. C'est génial, hein ?

Si j'étais enthousiaste pour la maison, la ville en elle-même ne me plaisait pas trop. Jusqu'à ce que je rencontre Mary Anne. On est devenues très vite amies. A première vue, on n'a pas beaucoup de points communs et je crois que personne n'aurait pu deviner qu'elle allait devenir ma meilleure amie. On aurait dit une petite fille modèle avec ses grandes nattes et ses robes à smocks. Comme en plus elle n'est pas très grande, elle fait plus jeune que son âge. On avait toutes les deux douze ans à l'époque et on était en cinquième (maintenant on en a treize et on est en quatrième).

Quel contraste ! Une petite brune timide et une grande blonde californienne. On a des caractères très différents aussi. Mary Anne est une personne sensible qui sait être à l'écoute des problèmes des autres. On se confie à elle tout naturellement.

Notre rencontre a changé ma vie. Tout d'abord Mary Anne m'a présentée à ses amies du Club des baby-sitters, qui m'ont presque aussitôt demandé de faire partie de leur équipe. J'ai accepté et je ne le regrette pas. C'est ce qui m'a aidée à apprécier un peu plus la vie à Stonebrook.

Ensuite, on a découvert que nos parents se connaissaient et qu'ils étaient même sortis ensemble au lycée. A l'époque, leur histoire d'amour avait tourné court parce que mes grands-parents n'aimaient pas Frederick (le père de Mary Anne), qui venait d'une famille modeste et qui – d'après eux – n'avait pas beaucoup d'avenir. Ils sont même allés jusqu'à envoyer maman faire ses études supérieures en Californie pour les éloigner. Ils sont parvenus à leurs fins (enfin presque) puisque maman a rencontré papa et que Frederick s'est marié avec la maman de Mary Anne. Mais comme maman a divorcé et que la mère de Mary Anne est morte il y a longtemps, ils se sont retrouvés célibataires tous les deux... Il ne suffisait que d'un petit coup de pouce du destin (Mary Anne et moi) pour qu'ils ressortent ensemble ! Ils se sont même mariés. Maintenant, on vit tous ensemble dans notre vieille ferme, et Mary Anne et moi sommes devenues demi-sœurs.

Tout était parfait jusqu'à ce que mon frère s'en aille. David n'a jamais pu se faire à notre nouvelle vie et il a préféré retourner en Californie. Cela n'a pas été facile de le laisser partir, mais nous savions que c'était mieux pour lui. On se retrouve pendant les vacances scolaires mais il me manque quand même énormément. Cela ne nous empêche pas de nous chamailler pour autant... En ce moment, par exemple, David est chez nous pour toutes les vacances d'hiver. Il s'est montré insupportable dès la descente de l'avion. Heureusement, là, nous avions un petit moment de tranquillité parce qu'il était parti chez les Pike rendre visite aux triplés.

Le départ de David n'a pas été le seul problème rencontré au début de notre vie commune. Il a fallu un peu de temps à maman pour se faire à Tigrou, le chat de Mary Anne ; de même qu'il nous a fallu un peu de temps à Mary Anne et à moi pour nous habituer à partager une chambre. Mais comme on n'y arrivait vraiment pas, on a chacune notre chambre maintenant. Il a fallu aussi régler le problème des habitudes alimentaires... Un peu comme en ce moment pour le menu du réveillon !

Maman et moi préférons une alimentation saine, à base de tofu, de riz complet et de crudités. Rien que l'idée de manger de la viande rouge me donne envie de vomir ! Mary Anne et son père ne font pas attention à ce qu'ils mangent et adorent les plats en sauce et les hot-dogs (beurk !).

Après avoir feuilleté mon livre de recettes quelques instants, Mary Anne s'est arrêtée sur une page qui lui convenait (enfin, à peu près).

– Tiens, cette bûche au beurre de cacahuète n'a pas l'air trop mal. Je me demande juste si on ne pourrait pas prendre du vrai beurre de cacahuète plutôt que le truc bio qu'ils recommandent.

– Écoute, on n'a qu'à faire des choses à grignoter chacune de son côté et on verra bien ce que les gens préféreront manger, d'accord ?

Je dois vous avouer qu'elle commençait à m'agacer. Je ne voyais pas comment résoudre le problème d'une façon plus simple.

– Bonne idée, m'a-t-elle répondu, visiblement satisfaite. Je vais essayer de faire des mini roulés à la saucisse et j'ai vu aussi une recette pour faire des petites pizzas au jambon.

– Beurk !

Rien que d'y penser, j'en avais la nausée. Mary Anne m'a fixée d'un air perplexe :

– Comment tu peux dire ça ? C'est super bon et en plus c'est vraiment trop mignon.

Un coup d'œil à l'horloge lui a rappelé que nous étions pressées.

– Il est presque trois heures, on ferait bien de préparer la liste des courses. Ta mère nous a dit d'être prêtes pour trois heures et demie. Elle va nous emmener au supermarché.

Maman était partie chercher David chez les Pike. On était

vendredi après-midi mais son entreprise lui avait donné un jour de congé.

– Elle sera sûrement en retard, ai-je dit. Tu sais bien qu'elle adore papoter avec Mme Pike.

Mary Anne a froncé les sourcils.

– J'espère qu'elle ne rentrera pas trop tard, on a une réunion du club ce soir.

– Oh, j'avais oublié !

Les vacances m'avaient complètement chamboulée. Je ne savais même plus quel jour on était !

Et bien sûr, j'avais failli oublier qu'à cinq heures et demie, comme tous les vendredis, on avait une réunion du Club des baby-sitters.

Mary Anne a pris deux feuilles de papier et deux stylos dans le tiroir du buffet et on s'est mises à faire nos listes de commissions.

– J'ai parlé à Logan aujourd'hui, m'a-t-elle dit tout en écrivant.

– C'est bien, ai-je fait sans lever les yeux.

C'était loin d'être une nouvelle renversante dans la mesure où Logan est son petit ami et qu'elle lui parle tous les jours ! D'après la description que je vous ai faite de Mary Anne, vous devez vous demander comment elle peut avoir un petit ami. Elle est toujours aussi timide, mais elle a beaucoup changé depuis que je la connais. Elle ne s'habille plus comme un bébé et elle se lâche les cheveux. Son père est beaucoup moins strict maintenant et il la laisse choisir ses vêtements. Et comme elle a un peu grandi, elle ne fait plus du tout petite fille. En tout cas, Logan et elle sont très proches.

– Lewis l'a appelé hier soir, a continué Mary Anne. Il va

venir à la mi-janvier mais il ne sait pas encore la date précise. C'est dommage que ses vacances soient décalées par rapport aux nôtres. On sera de nouveau en classe. Mais ce n'est pas grave, je suis sûre qu'on s'amusera bien quand même...

Je ne sais plus ce que Mary Anne a raconté ensuite parce que mon esprit s'est mis à vagabonder. J'étais contente et inquiète à la fois d'apprendre la venue de Lewis. C'est le cousin de Logan. Il habite à Louisville, dans le Kentucky. Mary Anne et Logan nous ont poussés à nous écrire depuis quelques mois. Ils étaient certains qu'on s'entendrait bien, alors ils se sont arrangés pour envoyer à Lewis une photo de moi (sans que je le sache !). Ensuite Lewis m'a envoyé une photo de lui. Je le trouve très mignon et, d'après ses lettres, il a l'air adorable. J'attends chacune d'elles avec impatience. Il a toujours quelque chose de drôle et d'intéressant à raconter.

Quel était donc le problème ? C'était moi, le problème. Même si Lewis avait vu ma photo et même s'il avait l'air d'apprécier mes lettres, j'avais peur qu'il ne m'aime pas. Je dois vous donner l'impression de ne pas être sûre de moi. Mais ce n'est pas le cas. Les gens trouvent même plutôt que j'ai une forte personnalité, ce qui suppose une certaine confiance en soi.

C'est juste qu'aucun garçon ne s'est intéressé à moi jusqu'à présent. Du moins pas comme Logan s'intéresse à Mary Anne. J'ai cru une fois qu'un garçon m'aimait bien. Il s'appelait Travis. Mais en réalité, il s'était servi de moi. Tout ce qu'il voulait, c'était pouvoir dire à tout le monde que j'étais amoureuse de lui.

On me dit souvent que je devrais être mannequin ou actrice. Beaucoup de gens me trouvent jolie et je suppose que je devrais les croire. Personnellement, je ne m'en rends pas compte. Pour moi, je suis juste comme je suis. Ni belle, ni moche, juste moi.

De toute façon, les garçons ne semblent pas le remarquer non plus. Ils m'aiment bien comme une bonne copine avec qui s'amuser ou raconter des bêtises mais, dès qu'il s'agit de vrais sentiments, il n'y a plus personne.

– Carla ! Tu n'écris plus, tu ne m'écoutes même pas... A quoi penses-tu ?

Je l'ai regardée d'un air coupable et j'ai dû lui avouer que je pensais à Lewis.

– Et s'il ne m'aimait pas ? S'il se rendait compte qu'il s'est trompé et qu'il me déteste ?

– Te détester ? Mais tu es complètement folle. Je ne connais personne qui pourrait te détester.

– Tu sais bien ce que je veux dire. Imagine qu'il soit déçu en me rencontrant pour de vrai. Il a l'air gentil et il est mignon. J'aimerais bien qu'il me trouve jolie.

– Ne t'inquiète pas, Carla. Je t'assure qu'il a vu ta photo.

– C'est vrai.

Comme je vous le disais, Mary Anne est la personne idéale à qui parler. Elle sait toujours quoi dire pour remonter le moral des gens. Je me sentais déjà un peu moins inquiète.

– Hé ! Tu n'as pas fini ta liste, m'a-t-elle fait remarquer.

– Ce n'est pas grave, je sais ce qu'il me faut.

– Moi aussi ! a-t-elle fait malicieusement. Du miel, des noix, des pousses de soja et deux tonnes de tofu...

– Trois tonnes pour être juste, ai-je ajouté en jouant le jeu.

J'avais mieux à faire que de finir une liste de courses. Je suis montée dans ma chambre et j'ai ouvert le nouveau bloc de papier à lettres que David m'avait ramené de Californie. Il y avait une petite licorne argentée en haut à droite. J'ai pris mon stylo préféré et voici ce que j'ai écrit :

Cher Lewis,

Salut ! Je viens d'apprendre par Mary Anne que tu allais venir au mois de janvier. Super !

Prépare-toi à vivre la plus grande aventure de ta vie... à Stonebrook, la ville de tous les frissons. Enfin, j'espère. Bon, trêve de plaisanterie, je suis impatiente de te rencontrer. Mary Anne et Logan ont déjà prévu ce qu'on allait faire tous les quatre.

Hier Logan nous a montré les horaires des nouveaux films à l'affiche et il avait déjà entouré tous ceux qu'il voulait voir.

Un bruit sourd dans le hall m'a fait lever la tête. C'était la porte d'entrée. Quelques secondes plus tard, ma mère m'a appelée :

– Carla, viens voir !

– J'arrive tout de suite !

Mais je voulais finir ma lettre avant tout :

Je dois te laisser, maman m'appelle. On doit aller faire des courses pour la fête que Mary Anne et moi préparons pour le nouvel an. Il y aura tout le Club des baby-sitters ainsi que mon frère David et ses copains les triplés. Je crois qu'on va bien s'amuser. Je te souhaite une très bonne année et j'espère te voir bientôt. Au revoir,

Carla

J'ai glissé la lettre dans une enveloppe et je suis descendue rejoindre maman et Mary Anne en bas. Elles étaient dans la cuisine avec David. Cela faisait bizarre de voir mon frère avec ses cheveux décolorés par le soleil et sa peau bronzée emmitouflé dans un gros anorak. Il était sur le point de se faire réchauffer un bol de soupe dans le four à micro-ondes.

Maman mettait sens dessus dessous le tiroir du buffet.

– Il y a une promotion sur le cidre au supermarché. J'avais découpé des bons de réduction dans le journal mais je ne les retrouve pas.

C'était bien elle. Toujours aussi tête en l'air. Je suis allée dans l'entrée prendre mon blouson et mon écharpe. Quand je suis revenue dans la cuisine, David était en train de décoller des bouts de papier d'une assiette qu'il avait trouvée dans le micro-ondes.

– C'est ça que tu cherches, maman ?

– Euh… oui, c'est ça ! a-t-elle fait d'un air penaud.

On s'est regardés tous les trois, en se retenant de rire. Maman est parfois tellement étourdie.

– Si cela peut vous rassurer, j'ai pris la résolution d'être beaucoup plus organisée l'année prochaine, a-t-elle annoncé.

– C'est quoi une résolution ? a voulu savoir mon frère.

– C'est quand tu décides de changer une mauvaise habitude ou un défaut, lui a expliqué Mary Anne. En général les gens prennent de bonnes résolutions le premier janvier. C'est un peu comme un nouveau commencement.

Je me suis demandé quelle allait être ma résolution cette année. Voyons voir… Que devrais-je changer ?

– Vous êtes en retard. Il est cinq heures trente et une, nous a fait remarquer Kristy, les yeux fixés sur le réveil de Claudia.

Elle est très à cheval sur les horaires et tient à ce que les réunions du Club des baby-sitters commencent pile à l'heure.

– Excuse-nous, a dit Mary Anne en s'installant sur le lit. On faisait les courses pour la fête de demain soir.

– Il y avait une queue pas possible au supermarché, ai-je ajouté en m'asseyant en tailleur par terre.

On pouvait sentir une légère tension dans l'air. Kristy semblait contrariée, et je savais que ce n'était pas seulement à cause de notre retard. Il lui arrive d'être un peu jalouse de moi parce que Mary Anne est aussi sa meilleure amie. Et comme je suis devenue très proche d'elle, elle se sent parfois exclue.

Heureusement que Claudia était là pour détendre l'atmosphère.

– Maintenant que nous sommes toutes là, je vous propose un petit avant-goût de la fête de demain.

Elle a dit cela tout en disparaissant sous son lit. Nous l'avons regardée faire, intriguées. Puis, elle est réapparue toute souriante en brandissant une boîte ronde.

– Ma tante m'a envoyé ça par la poste. Je l'ai reçue hier. Je n'attendais que vous pour y goûter.

La boîte était divisée en trois compartiments où il y avait différents parfums de pop-corn : nature, fromage et caramel. Bien entendu, Claudia a pioché directement dans celui au caramel. Elle ne sait pas résister aux sucreries.

– Super, du pop-corn ! s'est exclamée Mallory, un des deux membres juniors du club.

Elle s'est levée et s'en est servi une grosse poignée au fromage. Jessica, l'autre membre junior (et la meilleure amie de Mallory), s'est dépêchée d'en prendre au caramel avant que Claudia n'engloutisse tout.

– C'est un super cadeau, a-t-elle dit à Claudia. On peut dire que ta tante te connaît bien.

– Heureuchment que ch'étais là quand le facteur a apporté le paquet, a fait Claudia, la bouche pleine. Che l'ai vite monté dans ma chambre avant que mes parents ne s'en rendent compte. Chinon, je crois qu'ils me l'auraient confisqué.

Claudia adore les sucreries, mais elle doit les manger en cachette. Ses parents surveillent de près son alimentation.

– Bon, vous feriez mieux d'arrêter de vous goinfrer, les filles, nous a reproché Kristy. On est là pour travailler.

– On peut travailler et grignoter en même temps, a rétorqué Lucy en se resservant une poignée de pop-corn nature qu'elle picorait plus qu'elle ne dévorait.

Au fait, il est temps que je vous présente les membres du club.

Vous connaissez déjà Mary Anne, alors je vais commencer par Kristy. C'est la présidente. Même si parfois elle en fait un peu trop, c'est aussi une personne très sensible et très gentille. Elle sait garder son calme dans les situations délicates et trouve toujours une solution aux problèmes. En plus, les enfants l'adorent.

Une chose que vous ne pouvez pas deviner : elle est riche ! Très riche. Son beau-père, Jim Lelland, est millionnaire. Elle vit dans une immense et très belle villa. Mais Kristy est loin de ressembler à une « gosse de riches » ; elle s'habille simplement, en jean et baskets. Elle a de longs cheveux châtains, mais se contente de leur donner un coup de brosse ou deux, sans chercher à les mettre en valeur. Comme elle est assez petite, on lui donne souvent moins que son âge. Elle est aussi très sportive et entraîne une équipe junior de base-ball, les Imbattables.

Je pense que Kristy n'est pas une enfant gâtée parce qu'elle avait déjà douze ans quand sa mère s'est mariée avec Jim. Son père les a abandonnés quand Kristy était encore petite et sa mère a dû élever ses enfants toute seule. Kristy a rarement des nouvelles de son père ; elle nous dit que cela ne la dérange pas, mais je suppose que cela ne doit pas toujours être facile à vivre. Elle a deux grands frères et un petit frère : Samuel, Charlie et David Michael. Cela ne doit pas être évident de s'occuper de quatre enfants en travaillant à temps plein. La maman de Kristy a un bon poste dans une entreprise de Stamford, et je crois que c'est là qu'elle a rencontré Jim.

Claudia est notre vice-présidente. C'est normal qu'on lui

ait donné un poste important car toutes les réunions ont lieu dans sa chambre. Il faut dire qu'elle est la seule à avoir sa propre ligne de téléphone, ce qui est drôlement pratique. Quand je vous aurai expliqué le fonctionnement du club, vous comprendrez mieux pourquoi.

La première chose qu'on remarque chez Claudia, c'est son physique. Elle a de longs cheveux raides. Elle a des origines japonaises alors ses cheveux sont vraiment noirs. Elle a des traits très délicats. Mais plus que sa beauté, c'est son sens de la mode qui fait sa particularité. Elle porte des vêtements ultra tendance qu'elle marie avec un style bien à elle. Par exemple, ce jour-là, elle portait un caleçon bordeaux avec des mules jaunes et une grande tunique. Elle avait mis une ceinture large qu'elle avait faite elle-même avec trois bandes de cuir tressées et décorées de perles. Elle avait attaché ses cheveux avec un mince lacet de cuir orné des mêmes perles que la ceinture. Sa passion pour la mode n'est qu'une des facettes de son tempérament d'artiste. Elle a beaucoup de talent et s'intéresse aussi bien à la poterie, à la peinture, à la sculpture qu'à la conception de bijoux. Je suis sûre qu'elle sera une grande artiste plus tard ; je la verrais bien styliste. En tout cas, je ne crois pas qu'elle serait à l'aise dans un métier trop cérébral. Elle n'est pas très bonne élève. Elle atteint difficilement la moyenne et a une orthographe catastrophique. Ce qui est étonnant parce que, d'une part, elle est très intelligente et, d'autre part, sa sœur Jane est une surdouée. Ses parents n'arrêtent pas de la comparer à sa sœur, ce qui n'est pas très valorisant... De toute façon, Claudia n'en tient pas trop compte. Même s'ils insistent moins maintenant, je trouve que ses parents sont trop sévères. Elle est obligée de lire ses romans d'Agatha Christie en cachette parce qu'ils les jugent pas assez sérieux. Moi, je pense qu'à partir du moment où elle lit, c'est déjà bien.

Lucy est sa meilleure amie, et c'est la trésorière du club. Elle adore aussi la mode. Elle a un style moins original que Claudia mais elle est toujours très chic. Elle est grande, mince, avec des cheveux blonds bouclés et les yeux bleus. De nous toutes, c'est elle qui fait la plus mûre. C'est peut-être parce qu'elle a dû traverser beaucoup d'épreuves. Elle est diabétique, ce qui veut dire qu'elle doit faire très attention à sa santé. Son corps n'assimile pas bien le sucre alors elle doit régulièrement faire des prises de sang et suivre un régime très strict. Elle est aussi obligée de se faire elle-même une injection d'insuline tous les jours. J'en ai la chair de poule rien que d'y penser !

Pour ne rien arranger, sa vie familiale a été plutôt mouvementée. Elle habitait à New York et est venue vivre à Stonebrook parce que son père avait été muté dans la région. Ensuite, elle est repartie à New York parce que son père a de nouveau changé de poste. Elle est finalement revenue ici après le divorce de ses parents. Elle vit maintenant avec sa mère. Cela fait beaucoup de changements pour une seule personne... Mais nous sommes toutes contentes qu'elle soit revenue. Moi particulièrement. Et pas seulement parce qu'elle me manquait. Comme je suis membre suppléant, je suis censée pouvoir prendre n'importe quel poste en cas d'absence. A son départ, j'ai dû jouer les trésorières et je dois vous avouer que les chiffres ne sont pas mon point fort, alors que Lucy est plutôt douée en calcul. A son retour, j'ai été soulagée de pouvoir lui rendre son poste.

Il y a aussi deux membres juniors : on les appelle comme ça

parce qu'elles n'ont que onze ans et n'ont pas le droit de faire du baby-sitting le soir (sauf si c'est pour garder leurs propres frères et sœurs). Elles se chargent donc en priorité des gardes de l'après-midi, ce qui nous laisse libres pour celles du soir.

Mallory et Jessica ont le même âge et elles se ressemblent beaucoup. Elles adorent les romans sur les chevaux et ce sont les meilleures amies du monde.

Cependant, chacune a son caractère et sa personnalité. Et puis, Mallory est blanche tandis que Jessica est noire. Quand Jessi et sa famille ont emménagé en ville, ils n'ont pas été bien accueillis. La couleur de leur peau dérangeait les gens. Heureusement, maintenant, tout se passe bien. Jessi a une sœur de huit ans, Becca, et un frère encore bébé, P'tit Bout (il s'appelle en réalité John Philip Ramsey Junior, mais comme il était minuscule à la naissance, les infirmières l'ont surnommé P'tit Bout).

Jessi aimerait devenir danseuse étoile et a déjà interprété plusieurs premiers rôles dans des ballets.

Dans un autre domaine, Mallory a aussi beaucoup de talent. Plus tard, elle voudrait écrire et illustrer des livres pour enfants. Elle déborde d'imagination et sait comment captiver les petits. Il faut dire qu'elle a huit frères et sœurs ! Ce qui lui donne beaucoup d'expérience en la matière et fait d'elle une excellente baby-sitter.

Je ne dois pas oublier les membres intérimaires du club, Louisa Kilbourne et Logan Rinaldi (eh oui, le petit ami de Mary Anne). Ils ne participent pas aux réunions et on ne les appelle que si aucune de nous n'est disponible.

Voilà, je vous ai présenté tout le monde. Passons maintenant au fonctionnement du club. On se réunit trois fois par semaine, le lundi, le mercredi et le vendredi de cinq heures et demie à six heures. Les clients nous appellent dans ces tranches horaires pour planifier les gardes, d'où l'importance d'avoir une ligne réservée pour ça. En un seul coup de fil, ils joignent toute une équipe de baby-sitters expérimentées.

C'est là qu'intervient Mary Anne, en tant que secrétaire du club. C'est elle qui tient l'agenda. Elle y note les activités extrascolaires de chacune d'entre nous pour savoir immédiatement quelle baby-sitter est libre. Elle y consigne aussi toutes les gardes, les coordonnées de nos clients ainsi que l'argent que nous gagnons à chaque fois. Que se passe-t-il quand le téléphone ne sonne pas ? On n'a certainement pas le temps de se tourner les pouces ! Tout d'abord, il y a la collecte des cotisations tous les lundis. Ce n'est pas le moment qu'on préfère, mais c'est un mal nécessaire. Cela permet de payer une partie de la note de téléphone de Claudia, ainsi que Samuel pour qu'il amène Kristy en voiture à nos réunions. Avant, elle habitait juste en face de chez Claudia, mais depuis qu'elle a emménagé chez Jim, elle doit traverser toute la ville pour venir. Il y a aussi les coffres à jouets que l'on doit régulièrement renouveler.

Ce sont des boîtes en carton qu'on a décorées et remplies de crayons, d'albums de coloriage et de jeux. On les emmène parfois avec nous pour les gardes.

S'il reste de l'argent dans la trésorerie après toutes ces dépenses, on en profite pour organiser une soirée pizza ou une sortie au cinéma.

Une fois que la question de l'argent est réglée, il nous reste encore le journal de bord à remplir. C'est un cahier où chacune de nous raconte ses baby-sittings. Cela nous aide à mieux connaître les enfants qu'on garde et à voir comment les autres font face à certaines situations.

Ce jour-là, on avait beaucoup de choses à régler. On avait pris un peu de retard avec les fêtes de fin d'année et les coffres à jouets étaient à moitié vides. Chacune disait ce dont elle avait besoin et Lucy notait tout consciencieusement. Elle ferait le tri plus tard pour voir ce qu'on pouvait se permettre d'acheter ou non.

Mary Anne, quant à elle, était plongée dans le journal de bord. Elle avait gardé les Korman la veille et notait ce qui s'était passé. Elle était ravie de pouvoir rapporter que Bill et Melody n'avaient plus peur du monstre des toilettes. Figurez-vous que les deux enfants étaient persuadés qu'il y avait un monstre tapi dans leurs toilettes !

La réunion se poursuivait calmement quand le téléphone a sonné.

– Allô, vous êtes bien au Club des baby-sitters, a fait Claudia en prenant le combiné. Oui… oui… c'est ça.

Elle a attrapé un stylo et un bloc de papier pour écrire.

– Est-ce que je peux vous demander comment vous nous avez connues ? Oh, le docteur Johanssen est votre pédiatre ? Oui, c'est nous qui gardons régulièrement sa fille, Charlotte. Je vais voir quelle baby-sitter est libre et je vous rappelle tout de suite. Merci.

– Super ! s'est exclamée Kristy quand Claudia a raccroché. Un nouveau client !

– Ouais, le docteur Johanssen a dit à M. Hill que nous étions d'excellentes baby-sitters. Il voudrait une baby-sitter pour garder ses deux enfants, une fille de neuf ans et un garçon de sept ans.

Mary Anne avait déjà l'agenda ouvert sur les genoux.

– Quand et à quelle heure ? a-t-elle demandé.

– Vendredi à quatre heures. Mme Hill ne sera pas encore rentrée du bureau et son mari a un rendez-vous important. Normalement il travaille chez lui.

– Bon, tu es libre ce jour-là, Carla. Tu acceptes cette garde ?

– OK, ai-je fait.

J'étais contente de faire connaissance avec de nouveaux enfants. J'étais loin d'imaginer ce qui m'attendait avec Sarah et Norman. J'allais vite déchanter.

3

– Humm, ça sent bon par ici, a fait Frederick en entrant dans la cuisine. Qu'est-ce qui mijote ?

– Ne t'emballe pas trop, papa, lui a répondu Mary Anne en souriant. C'est une tarte au soja.

Elle était en train d'enrouler ses petites saucisses dans des carrés de pâte feuilletée tandis que je façonnais des petites bûches au beurre de cacahuète et que David les recouvrait de noix de coco râpée. Maman s'occupait de mettre des couverts en plastique dans des gobelets en carton.

– Oh ! a fait Frederick d'un air déçu. Mais je suis sûr que ce doit être délicieux.

Il a fait une drôle de tête en voyant l'état de la cuisine. C'était un véritable champ de bataille. Il y avait des paquets à moitié vides, des torchons et des couverts sales un peu partout. David était couvert d'éclaboussures de sauce tomate (il avait donné un coup de main à Mary Anne pour préparer les mini pizzas). Frederick a poussé un gros soupir. A l'opposé de ma mère, il est super organisé et un peu maniaque. Je m'attendais à ce qu'il nous fasse son éternelle leçon de morale : «Il faut ranger et nettoyer chaque chose après l'avoir utilisée. » Mais il n'a rien dit.

– Je monte au grenier pour chercher des sacs de couchage pour tout le monde, s'est-il contenté d'annoncer.

Mais on pouvait deviner à son air affligé qu'il se retenait de ne pas tout prendre en main et remettre la cuisine en état. Je me suis demandé s'il n'avait pas pris la résolution de ne plus être un maniaque du rangement.

– Merci, chéri, lui a dit maman.

Pour lui montrer qu'elle aussi pouvait faire des efforts, elle a commencé à nettoyer les traces de sauce tomate et à rassembler les emballages et les boîtes vides. C'était un gros effort pour elle parce que, d'habitude, le désordre ne la dérange pas. En fait, le plus souvent, elle ne s'en rend même pas compte. C'était un bon exemple de compromis. Cela faisait plaisir de voir ce que chacun était prêt à faire pour rendre l'autre heureux.

Le reste de la journée est passé à une vitesse incroyable. On a rangé la maison, fini de préparer les plats et les desserts et décoré le salon. Maman a sorti un carton avec des chapeaux en carton de toutes les couleurs, des serpentins et même une banderole avec « Bonne année 1979 » écrit dessus en lettres dorées. Même si ce n'était plus tellement d'actualité, je l'ai accrochée dans l'entrée parce que je la trouvais sympa.

Il était presque sept heures, heure à laquelle j'avais dit à tout le monde de venir. Mallory et les triplés sont arrivés les premiers. Adam, Byron et Jordan ont le même âge que David. Ils sont absolument identiques. Il est presque impossible de les distinguer. Heureusement qu'ils s'habillent différemment. Il suffit de se souvenir des vêtements que chacun porte.

– Bonne année ! a lancé joyeusement Mallory. Enfin, pas tout à fait encore…

– Vous voilà enfin ! a crié David en apercevant ses amis.

Ils se sont empressés de monter dans la chambre de mon frère.

Ensuite, c'est Kristy qui a sonné à la porte. Elle avait un sac de couchage et un panier de provisions à la main.

– Salut. Où dois-je poser tout ça ? a-t-elle demandé.

Mary Anne est sortie de la cuisine pour l'accueillir. Elle l'a débarrassée de son manteau.

– Tu peux mettre ton duvet en haut, dans la chambre de Carla. Qu'est-ce que tu nous as apporté de bon ?

– C'est de la part de maman et de Jim.

Elle a sorti une bouteille et un petit pot en verre.

– C'est du champagne et du caviar, a-t-elle expliqué, pour tes parents. Et ça, a-t-elle continué en nous montrant une jolie boîte en carton, ce sont des gâteaux pour nous.

– C'est gentil, merci.

– Qu'est-ce que c'est ? a demandé Mallory, intriguée.

– Ce sont des œufs de poisson, lui ai-je dit.

Mary Anne et Kristy se sont regardées en faisant la grimace.

– Humm, ça m'a l'air délicieux…, a fait Kristy d'un ton ironique.

– Est-ce que tu en as déjà goûté ? m'a demandé Mallory.

– Non, ai-je dû avouer. Mais c'est réputé pour être très bon.

– Les adultes mangent des trucs bizarres parfois, a commenté Mary Anne.

Claudia et Lucy n'ont pas tardé à arriver à leur tour. Bien évidemment, elles étaient toutes les deux ravissantes. Claudia avait relevé ses cheveux en chignon avec un filet argenté. Elle était tout en noir, avec un pantalon large et un petit haut moulant avec une lune argentée dessus. Lucy portait une petite robe droite violette et des collants à rayures roses et noires.

– Waouh ! Vous vous êtes drôlement bien habillées ! les ai-je complimentées.

Et moi qui étais en caleçon noir et gros pull ! Je n'avais même pas pensé à me changer.

– Il faut se faire belle pour la nouvelle année, non ? C'est ça qui est amusant ! m'a fait remarquer Claudia.

Je me suis contentée de hausser les épaules. On n'avait visiblement pas la même définition de ce qui était amusant.

Jessi est arrivée juste après avec son père. Ma mère les a invités à entrer.

– Nous allons justement porter un toast à la nouvelle année, lui a-t-elle dit. Venez vous joindre à nous.

– Pourquoi pas ? lui a répondu M. Ramsey en la suivant dans la cuisine.

– Je suis tout excitée, m'a avoué Jessi. C'est la première fois que je vais fêter le nouvel an. D'habitude, je dois aller me coucher avant minuit.

J'ai pris son blouson et je l'ai rangé dans la penderie. Lucy en a profité pour prendre quelque chose dans la poche de son manteau et elle l'a caché dans son dos.

– Mary Anne, regarde ce que j'ai pour toi.

– Montre !

– J'ai reçu un colis de New York ce matin. Mon père avait écrit « fragile » dessus.

Lucy est restée new-yorkaise de cœur, même si elle aime bien Stonebrook. Elle a accroché sur les murs de sa chambre un plan de New York, un poster de l'Empire State Building et un poster de New York la nuit.

– Il m'a envoyé du chocolat sans sucre d'une très bonne confiserie à côté de chez lui, ainsi qu'une paire de lunettes de soleil très tendance et des pinces à cheveux avec des paillettes. Et il a ajouté à tout cela un CD de...

Elle a brandi un boîtier sous le nez de Mary Anne.

– George Michael !

– Génial ! s'est écriée Mary Anne en prenant le CD des mains de Lucy.

Mary Anne est une grande fan de George Michael. Elle suit sa carrière de près et attendait avec impatience son dernier album live. Elle avait lu dans un magazine qu'il y aurait des chansons inédites. Depuis, elle va chez le disquaire régulièrement pour l'acheter dès sa sortie.

– Je ne savais pas qu'il était déjà en vente ! Où est-ce que ton père l'a acheté ?

– Il y a un grand disquaire à New York qui reçoit toutes les nouveautés en avant-première.

On est montées dans ma chambre pour écouter ce fameux CD. Les filles en ont profité pour étaler leur sac de couchage sur le sol tandis que Mary Anne allumait la chaîne hi-fi. Il n'y avait qu'elle pour adorer à ce point George Michael ; on trouvait toutes qu'il avait une belle voix, mais sans plus.

– Ce n'est pas évident de chanter et de danser devant des milliers de personnes, l'a défendu Mary Anne.

On a écouté les deux premières chansons avec elle, puis on s'est mises à papoter entre nous en baissant la voix pour la laisser écouter le reste de l'album. On a parlé du collège, des derniers baby-sittings et… des garçons. J'ai remarqué qu'on parlait de plus en plus des garçons ces derniers temps. Surtout Claudia et Lucy. Même Kristy s'y mettait ; elle qui jusqu'à présent avait toujours trouvé les garçons idiots.

– Comment ça va en ce moment avec Logan, Mary Anne ? lui a demandé Claudia.

– De mieux en mieux, lui a-t-elle répondu avec un grand sourire et les yeux pétillants. On s'amuse beaucoup, surtout depuis qu'il a compris que je n'étais pas « à lui ».

Mary Anne et Logan avaient rompu un moment parce qu'il devenait trop possessif, mais cela n'a pas duré. Ils ne pouvaient pas se passer l'un de l'autre.

– J'aimerais tant avoir un petit ami…, a soupiré Lucy.

– Je crois que Peter Black est toujours amoureux de toi, lui a dit Kristy.

Lucy était sortie avec lui plusieurs fois, mais cela n'avait jamais vraiment marché.

– Il est plus sympa que je ne l'imaginais, a ajouté Mary Anne en levant les yeux du livret de textes du CD. Je m'en suis rendu compte quand on s'est retrouvés ensemble pendant le cours d'anglais. J'ai découvert un autre aspect de sa personnalité.

Lucy a froncé le nez et haussé les épaules.

– Il est tellement gamin !

– Vous savez qui je trouve vraiment craquant ? a demandé Claudia. Arthur Feingold.

– Oh non ! s'est exclamée Kristy. Il est tout maigrichon.

– Mais tu ne trouves pas qu'il a des cheveux magnifiques ? a insisté Claudia.

– Pour moi, les cheveux ne sont pas aussi importants que les yeux, est intervenue Jessica. Léo a un regard incroyable.

Elle a poussé un profond soupir. Léo est un garçon qu'elle aime beaucoup et cela semble réciproque.

– Je suis d'accord, a acquiescé Mallory. Ben Hobart a de très beaux yeux aussi. Et un joli nez. J'adore son nez.

Mallory craque complètement pour Ben.

J'étais la seule à ne pas participer à la conversation. Je n'avais rien à dire. Ce n'est pas que je ne m'intéresse pas aux garçons. Je remarque s'ils sont mignons et sympas, mais jusqu'à présent aucun d'eux ne m'a fait craquer. Non, je retire ce que je viens de dire. Il y a eu Travis, mais cela ne compte pas vraiment parce que, en fait, c'était un parfait crétin. Je m'étais trompée à son sujet.

Tandis que j'écoutais mes amies, un bruit étrange a attiré mon attention. J'ai tendu l'oreille. C'était des petits coups sourds, comme si des écureuils ou des souris se bagarraient dans le grenier. Non, les bruits venaient des murs de la chambre. Il y a eu encore quelques coups et puis des gloussements.

– Que se passe-t-il ? m'a demandé Kristy.

Je lui ai fait signe de se taire et je me suis levée de mon lit sans faire de bruit. Les autres se sont tues immédiatement. Je me suis approchée du mur où il y avait le passage secret et j'ai enfoncé la moulure pour faire pivoter le panneau.

David, Adam, Byron et Jordan se tordaient de rire derrière. Ils étaient passés par la trappe de la grange pour nous espionner !

– Arthur Feingold est si mignon ! s'est moqué David.

– Tu as vu ses cheveux ? a ajouté Jordan en imitant la voix de Claudia.

Puis ils se sont engouffrés dans la chambre et se sont mis à courir dans tous les sens.

– Sales bêtes ! s'est écriée Mallory en attrapant un oreiller et en l'envoyant sur un de ses frères.

Les garçons se sont esclaffés de plus belle. David est monté debout sur mon lit et s'est mis à hurler :

– Claudia et Arthur se tiennent par la main. Ils se font des bisouuuus...

– Oh, j'adore le nez de Ben Hobart ! a minaudé Adam en regardant sa sœur.

Je les ai chassés de ma chambre.

– Allez ! Dehors ! Ouste ! Petits fouineurs ! Je ne veux plus vous voir ici !

On les a mis dehors à coups d'oreiller. Ils se sont enfuis en gloussant.

– Vous avez faim ? a demandé Mary Anne une fois le calme revenu.

– Oh, oui ! avons-nous toutes répondu d'une seule voix.

On est descendues dans la cuisine et je dois admettre que les mini pizzas de Mary Anne sentaient drôlement bon. M. Ramsey était reparti. Frederick et maman nous ont aidées à dresser la table. On avait déjà apporté le pop-corn, les bretzels et les boissons dans la salle à manger. Il n'y avait plus qu'à faire réchauffer les plats. Les parents nous avaient donné la permission de manger devant la télé. On a regardé une émission en direct de Times Square à New York. Il y avait une foule incroyable qui faisait la fête dans la rue et qui assistait à un concert en plein air.

– C'est dans ces moments-là que New York me manque le plus, a soupiré Lucy.

Voici le résultat du concours de cuisine entre Mary Anne et moi : les mini pizzas ont eu beaucoup de succès ; les roulés aux saucisses un peu moins, parce qu'ils étaient légèrement brûlés ; mes bûches au beurre de cacahuète ont été englouties en quelques minutes, mais ma tarte au soja est loin d'avoir fait l'unanimité. Je crois qu'elle avait un goût de tarte à la citrouille, et personne n'aime vraiment ça… On peut dire qu'on était à égalité.

Minuit approchait. Maman et Frederick sont descendus se joindre à nous et ont appelé David et les triplés qui jouaient dans la salle de jeux. Maman a servi un verre de cidre à tout le monde et, à minuit pile, nous avons trinqué à la nouvelle année.

– Bonne année !

On s'est embrassés et on a lancé des serpentins et des confettis dans toute la pièce.

– Bon, il est l'heure d'aller au lit, les garçons, a fait maman.

A la surprise générale, aucun d'eux n'a protesté. Ils ont retiré leurs chapeaux de fête et ont suivi les parents sans un mot. Il faut dire qu'ils avaient l'air épuisés.

– Et nous ? a demandé Kristy. Qu'allons-nous faire maintenant ?

– J'ai une idée, a déclaré Claudia. Et si on appelait chacune un garçon qu'on aime bien pour lui souhaiter une bonne année ? Moi, j'appelle Arthur.

– Non, tu n'oserais pas ! s'est exclamée Kristy.

– Et pourquoi pas ? Je crois qu'il m'aime bien.

Lucy avait l'air songeuse.

– Vous croyez que je devrais appeler Peter Black ?

– Oui, lui a répondu Mary Anne. Je pense que tu devrais lui donner une deuxième chance. Mais ne reste pas trop longtemps au téléphone, je voudrais appeler Logan.

Kristy l'a consultée du regard.

– Dis, tu crois que ça ferait bizarre si j'appelais Bart ?

– Le beau Bart ? Au contraire, je suis certaine que ça lui ferait plaisir.

Kristy et Bart s'aiment beaucoup et ils se le sont plus ou moins avoué, mais ils sont aussi très timides.

– Bien, sûr, appelle-le, a renchéri Claudia.

– Et si tu appelais Lewis ? m'a suggéré Mary Anne en me jetant un regard malicieux.

J'ai secoué la tête. C'était ridicule. On ne se connaissait même pas vraiment.

– Non, j'aurais l'air de quoi ? Je vais plutôt commencer à nettoyer la cuisine.

Jessica et Mallory m'ont proposé de me donner un coup de main. Je crois qu'elles n'osaient pas appeler Ben et Léo. J'ai essayé de paraître désinvolte pendant qu'on rangeait, mais en fait j'étais morte de honte. C'était normal que Jessi et Mallory soient timides avec les garçons, elles n'ont que onze ans, mais moi…

On pouvait entendre les autres filles passer leurs appels dans le salon. On devinait les silences tendus en attendant que ça décroche, puis les conversations, et enfin les gloussements entre chaque appel.

– Ce n'est pas juste ! s'est exclamée Lucy à un moment. Tu n'as pas le droit de dire « Bonne année, Bart » et de raccrocher sans même dire qui tu es.

Il faut reconnaître que Kristy n'est pas très romantique mais, au moins, elle avait quelqu'un à appeler. Moi, je n'avais personne.

Puis on est montées dans ma chambre et on a discuté en écoutant de la musique jusqu'à une heure et demie du matin. On commençait toutes à somnoler quand Kristy s'est redressée dans son sac de couchage.

– Oh, on a oublié de prendre nos bonnes résolutions !

– Tu as une idée ? lui a demandé Mary Anne en s'étirant.

– Voyons voir... Je prends la résolution de faire travailler les Imbattables encore plus dur. Ils ont montré de quoi ils étaient capables l'an dernier. Il faut que ça continue ! Et toi, Mary Anne ?

– Je vais essayer d'être moins timide. Ce n'est pas évident pour Logan de sortir avec quelqu'un d'aussi réservé, surtout quand on va dans des soirées où il y a des gens que je ne connais pas.

– Ah, c'est beau l'amour... A ton tour, Claudia.

– Je dors.

– Mais non, tu ne dors pas encore, l'a houspillée Lucy. Allez, quoi !

– Bon, d'accord. Je vais travailler plus à l'école. A toi, Mallory.

– Je vais arrêter de m'en faire pour mon appareil dentaire. Tant pis si ce n'est pas très joli ; de toute façon, il faut bien que je m'y fasse. J'en ai encore pour un bout de temps. A ton tour, Jessi.

– Je dois réussir un balancé.

– Un quoi ? s'est étonnée Lucy.

– C'est une figure de danse compliquée. Mme Noelle

pense que je n'ai pas encore le niveau. Mais j'ai envie de lui montrer que j'en suis déjà capable.

– Waouh ! s'est exclamée Lucy, admirative. Moi, j'ai décidé de ne plus penser à ce que je n'ai pas le droit de manger. Ça me rend complètement dingue. Et toi, Carla ?

J'avais finalement trouvé une bonne résolution pour commencer l'année, mais j'avais envie de garder ça pour moi. Enfin, pour l'instant.

– Euh… Je vais changer de coiffure, ai-je dit à la place.

– Oh non ! Surtout pas. Tu as des cheveux magnifiques, a protesté Claudia.

– Merci, mais je crois qu'un peu de changement ne me ferait pas de mal.

C'était la vérité. Pas toute la vérité, mais je voulais sincèrement changer. Ma résolution était en fait d'avoir un petit ami. Ce qui supposait de chercher à plaire aux garçons. Je ne savais pas encore vraiment comment j'allais m'y prendre, mais j'étais déterminée à passer à l'action.

4

Il neigeait le jour où je suis allée faire du baby-sitting chez les Hill. Je déteste le froid, mais j'adore la neige. C'est magique. Cela donne un côté irréel aux choses. J'ai l'impression d'être à l'intérieur d'une de ces boules en verre qu'on remue pour faire virevolter les flocons. J'aime tendre la main pour en recueillir quelques-uns au creux de ma paume. C'est tellement joli et délicat.

J'étais donc d'humeur joyeuse quand je suis arrivée chez les Hill. Sarah, une jolie petite fille, m'a ouvert la porte. Elle avait de grands yeux marron et des cheveux bruns qui lui arrivaient aux épaules.

– Bonjour, Sarah. Je suis Carla, la baby-sitter.

Elle n'était visiblement pas au courant de ma venue.

– Oh ! a-t-elle fait. Entre. Je vais appeler mon père. Papa ! Tu as demandé une baby-sitter ?

Leur maison était curieusement agencée. La porte de devant donnait sur une petite entrée où il y avait deux escaliers, un qui montait et un qui descendait. M. Hill est apparu à l'étage supérieur où était située la cuisine. Il était très grand et de carrure imposante. Il était aussi presque chauve. On aurait dit Monsieur Propre, sans la boucle d'oreille, et avec un peu de cheveux quand même sur les côtés.

– Bonjour. Tu es Carla, c'est bien ça ?

– Oui.

– Harold Hill.

J'ai grimpé les escaliers et je lui ai serré la main. Quelle poigne ! Dans la cuisine, Norman nous regardait d'un air intrigué. C'était un petit blond avec les cheveux en brosse et les yeux bleus. Il était très gros. Je ne le dis pas méchamment. Et je pèse mes mots. On ne pouvait pas dire qu'il était juste un peu fort, ou corpulent, ou costaud. Non, il était gros.

– Bonjour, tu dois être Norman. Je m'appelle Carla.

Son visage s'est éclairé et il m'a souri.

– Je ne savais pas que tu venais.

Son père a ouvert un placard et a pris un gros anorak rouge.

– Oui, c'est de ma faute. J'ai oublié de prévenir les enfants que je devais m'absenter. D'habitude, je travaille à la maison, je suis consultant en réseau informatique. Il faut croire que tout le monde a des problèmes avec son ordinateur aujourd'hui. J'ai passé la matinée au téléphone. Maintenant j'ai rendez-vous avec un éventuel nouveau client.

Puis il est allé dans la cuisine prendre un grand bloc-notes. Il a ébouriffé les cheveux de Norman au passage.

– A tout à l'heure, mon grand, lui a-t-il lancé en descendant les escaliers.

– Attendez ! Attendez ! ai-je crié. Où puis-je vous appeler s'il y a un problème ?

Il a sorti son portefeuille de sa poche arrière et m'a tendu une carte de visite.

– Voilà. Tu pourras me joindre à ce numéro, sur mon portable. Ma femme sera de retour à la maison avant moi ; elle rentre entre sept heures et sept heures et demie.

– Vous voulez que je fasse dîner Sarah et Norman ?

M. Hill a jeté un coup d'œil rapide à sa montre. Il était manifestement pressé et devait avoir peur de rater son rendez-vous.

– Non, ce n'est pas la peine. Ma femme leur fera à manger en rentrant. Autre chose ?

– Est-ce que les enfants prennent des médicaments, ou est-ce qu'ils sont allergiques à quelque chose en particulier ? Enfin, est-ce qu'il y a quelque chose que je dois savoir sur eux ?

– Non, rien de spécial.

Sur ce, il a ouvert la porte et s'en est allé à grands pas. Je me suis demandé s'il était toujours aussi pressé.

– Bon, ai-je fait en accrochant mon manteau. Je crois que tu ne t'attendais pas à me voir, Norman. Qui vous garde habituellement ?

– Notre grand-mère, mais elle est morte.

– Oh, je suis désolée. Cela fait longtemps ?

Le petit garçon a froncé les sourcils d'un air pensif.

– Un mois ou deux. C'était très triste. Elle me manque.

– Je comprends.

J'étais peinée de lui avoir rappelé un sujet douloureux mais il avait l'air de bien le prendre.

– Qu'est-ce que tu fais d'habitude à cette heure-ci ? lui ai-je demandé. Tu as des devoirs à faire ? Ou tu veux sortir jouer dans la neige ?

Il a de nouveau froncé les sourcils. Après un instant de réflexion il a répondu :

– Je crois que je vais faire mes devoirs. Je n'en ai pas beaucoup. J'irai dehors après.

Il est allé dans sa chambre au bout du couloir et a refermé la porte derrière lui. Au même moment, Sarah a passé sa tête dans l'entrebâillement de la porte juste en face.

– Tu veux voir ma chambre ?

– Bien sûr.

C'était une très jolie pièce avec des rideaux jaunes à fleurs assortis au couvre-lit et à la lampe de chevet. Le papier peint était décoré de petits chats qui couraient les uns derrière les autres et il y avait un superbe bureau blanc dans un angle. Mais alors, quel désordre !

Je me suis dit que la chambre de ma mère devait ressembler à ça quand elle était petite...

Il y avait des vêtements jetés pêle-mêle sur le dossier d'une chaise et sur le lit, des livres qui traînaient par terre avec des affaires de Barbie et des feuilles de dessin un peu partout. Je ne pouvais même pas trouver un endroit où m'asseoir.

– Je vais avoir de nouveaux rideaux et un nouveau couvre-lit avec un arc-en-ciel dessus. J'adore les arcs-en-ciel, pas toi ?

– Oh si, je trouve ça très joli.

– Et surtout c'est rigolo à dessiner. J'aime bien faire des dessins, pas toi ?

– Oui, bien sûr, mais je ne suis pas très douée. Tu as des devoirs pour demain ? Norman est en train de faire les siens.

La petite fille a posé les mains sur ses hanches.

– Tout d'abord, m'a-t-elle expliqué d'un ton solennel, je fais toujours mes devoirs dès que je rentre à la maison. Norman aussi. C'est la règle ici et papa y tient. Alors je peux te dire que Norman n'est pas en train de faire ses devoirs. Viens, je vais te montrer.

Elle est sortie de sa chambre en me faisant signe de la suivre.

– Tu as peut-être raison, mais il a le droit de vouloir être un peu seul. On devrait le laisser tranquille.

– Oh, surtout pas. Je t'assure ! Je sais ce qu'il fabrique et il n'a pas le droit. Ma mère m'a chargée de le surveiller.

Sarah est entrée dans la chambre de son frère sans même s'annoncer. Je ne savais pas comment réagir. J'étais gênée et j'ai finalement préféré rester en arrière, sur le pas de la porte.

– Carla ! Carla ! Je t'avais bien dit qu'il n'était pas en train de travailler !

J'ai jeté un coup d'œil dans la chambre et j'ai aperçu Norman assis par terre entouré d'emballages de gâteaux. Il avait la bouche barbouillée de chocolat.

– Laisse-moi tranquille ! a-t-il grommelé en continuant de se goinfrer.

Puis il a levé les yeux et m'a vue dans l'encadrement de la porte. Il est devenu tout rouge.

– Et si tu t'essuyais la bouche et que tu mettais ces papiers à la poubelle, Norman ? On pourrait faire un jeu de société, d'accord ?

– D'accord, m'a-t-il répondu en baissant les yeux d'un air coupable.

– Où est-ce que tu as caché le reste ? lui a demandé Sarah d'un ton accusateur.

La chambre de Norman était aussi en ordre que celle de sa sœur était en pagaille. Ils étaient radicalement différents.

– Où les as-tu mis ?

– Il n'y en a plus, a répondu Norman.

Sarah s'est tournée vers moi.

– Il cache de la nourriture dans sa chambre, m'a-t-elle expliqué. On se demande d'où il sort tout ça. Ma maman m'a dit de tout jeter si j'en trouvais. C'est pour son bien. Regarde-le, il est énorme.

Jamais je ne me suis sentie aussi mal. Je suppose que ce devait être le cas de Norman aussi. Il fallait absolument que je fasse diversion.

– Dis-moi, Sarah, est-ce que tu as la cassette vidéo de *La Petite Sirène* ? (J'étais prête à parier qu'elle l'avait.)

– Bien sûr, pourquoi ?

– C'est mon dessin animé préféré. J'adorerais le revoir. Tu crois que tu pourrais le mettre pour moi ?

– Moi aussi, c'est mon dessin animé préféré ! s'est-elle exclamée comme si c'était la plus merveilleuse coïncidence du monde.

Comme je l'avais espéré, ça lui a complètement fait oublier son frère et ses gâteaux. Elle m'a prise par la main et m'a entraînée hors de la pièce.

– Norman, tu veux venir regarder la cassette avec nous ? lui ai-je proposé.

– Pourquoi pas ? a-t-il fait en haussant les épaules.

La télévision et le magnétoscope étaient dans le salon, de l'autre côté du couloir. Sarah a tout mis en marche. Elle s'est allongée sur la moquette devant l'écran. Norman s'est installé à côté de moi sur le canapé.

– C'est la plus belle histoire de tous les temps, a déclaré Sarah sans quitter la télévision des yeux. Je connais toutes les chansons par cœur.

Puis, elle s'est tue pour se concentrer sur les images. Elle n'a ouvert la bouche que pour fredonner les chansons. Même si j'avais déjà vu *La Petite Sirène* des tas de fois, je ne m'en lassais pas. Ce qui n'était pas le cas de Norman. Il m'a donné un petit coup de coude pour attirer mon attention. Il avait sorti de sa poche une grosse poignée de caramels.

– Tu en veux un ? m'a-t-il proposé tout bas.

– Non, merci. Tu ferais mieux d'attendre le dîner, non ? Tu les mangeras après.

– Bon, d'accord.

Quelques minutes après, j'ai de nouveau jeté un coup d'œil vers lui et je l'ai surpris en train d'en mâchonner un. A chaque fois que je le regardais, il avait la bouche pleine. Je ne savais pas quand ni comment il faisait pour sortir les caramels de leur emballage sans faire de bruit. Il était d'une rapidité !

Une fois, nos regards se sont croisés au moment où il venait de glisser quelque chose dans sa bouche. Il ne s'est pas démonté et m'a souri comme si de rien n'était. Il ne s'est mis à mâcher que lorsque j'ai détourné mon regard. Norman était de toute évidence passé maître dans l'art de manger en cachette.

Vers la fin du film, je me suis rendu compte qu'il n'était plus à côté de moi. Je me suis vite levée pour aller voir dans la cuisine.

Il était attablé devant un grand verre de lait et un sandwich au beurre de cacahuète et à la confiture. Il avait encore cinq caramels posés à portée de main.

– Tu n'auras plus faim pour le dîner, l'ai-je averti gentiment.

– On ne va pas manger tout de suite, de toute manière. Pas avant huit heures.

On a sonné à la porte. Je suis allée ouvrir, mais Sarah m'avait devancée. C'était une de ses copines.

– Je peux aller jouer dehors avec Elizabeth ? Elle habite juste à côté.

– Oui, bien sûr. Mais reste dans le jardin.

Sarah a couru chercher son manteau pendant qu'Elizabeth et moi l'attendions dans la cuisine.

– Salut, Normy ! a-t-elle lancé au frère de son amie. Tu manges encore, hein ?

Puis elle s'est tournée vers moi.

– Tu sais comment on l'appelle à l'école ? L'Énorme-man. C'est rigolo, hein ?

– Non, je ne trouve pas ça drôle du tout.

– Qu'est-ce qui n'est pas drôle ? a voulu savoir Sarah qui prenait la conversation en cours.

– L'Énorme-man. Tu vois, Norman et énorme, ce sont deux mots presque pareils. Et comme Norman est énorme, ça tombe bien ! D'où, le surnom…

– J'avais compris, l'ai-je coupée. Mais je ne trouve pas ça drôle.

Elizabeth m'a regardée d'un air étonné. Elle devait penser que je n'avais aucun sens de l'humour. Sarah a lancé un regard sévère à son frère.

– Arrête de manger !

Pour toute réponse, Norman s'est levé et a emporté son sandwich dans le salon.

– Tu n'as pas le droit ! lui a rappelé Sarah.

Son frère n'a pas daigné répondre.

– Il n'est pas sensé manger dans le salon, m'a dit Sarah. Maman l'interdit.

– Je vais m'en occuper. Va plutôt jouer dehors avec Elizabeth.

J'ai poussé un grand soupir quand elles ont refermé la porte d'entrée derrière elles. Pauvre Norman. Non seulement sa sœur était un vrai tyran domestique, mais son amie ne valait pas mieux !

L'Énorme-man. Quel horrible surnom ! C'est une des choses que j'ai du mal à comprendre chez les enfants. Je me demande ce qui les pousse à être aussi cruels entre eux.

– Sarah est partie, ai-je dit en entrant dans le salon. Et si tu retournais dans la cuisine avec ton sandwich ?

J'arrivais un peu trop tard. Il l'avait déjà presque fini. Il s'est levé du canapé et a rapporté son assiette vide dans la cuisine. J'ai été surprise de le voir ranger soigneusement les différents pots et la bouteille de lait, mettre l'assiette et le verre dans le lave-vaisselle et passer un coup d'éponge sur la table. La plupart des garçons de son âge ne sont pas aussi ordonnés. Mais je me suis demandée si ce n'était pas aussi une façon de ne laisser aucune preuve de son passage. Il ne voulait peut-être pas qu'on se rende compte qu'il avait mangé.

Puis, il s'est assis et a fini ses caramels.

– Sarah et Elizabeth ont été un peu dures avec toi tout à l'heure, ai-je dit en m'installant à côté de lui. Comment tu te sens ?

– Ça va. J'ai l'habitude. Il n'y a pas que Sarah. Tout le monde se moque de moi. Toute ma famille m'embête à cause de mon poids.

– Qu'est-ce qu'ils font ?

– Ma mère n'arrête pas de m'emmener voir des docteurs. Au début, mes parents croyaient que c'étaient mes glandes qui étaient détraquées, et que c'était pour ça que j'étais gros. Mais les docteurs leur ont dit que c'était parce que je mangeais trop.

– Et qu'est-ce qu'ils ont conseillé de faire ?

Il a fait une grimace.

– Ils m'ont donné des régimes très stricts à suivre. Du coup, maman me fait du riz complet et du poisson à tous les repas. Que des plats qui n'ont pas de goût et que je déteste.

– Moi, j'aime bien le riz complet.

– Tu dois être bizarre, alors. C'est dégoûtant ! Devine où mes parents vont m'envoyer cet été ?

– Où ça ?

– Dans un centre pour les gros.

– Tu veux dire dans un centre d'amaigrissement ?

– Ouais. Une espèce de colonie de vacances rien que pour les gros, quoi !

– C'est peut-être une bonne idée.

Il a secoué énergiquement la tête.

– Je ne veux pas y aller. Ça dure huit semaines. Je ne veux pas partir tout l'été. Je n'irai pas. Ils ne peuvent pas m'y forcer.

– Tu en as parlé à tes parents ? Tu leur as dit que tu n'avais pas envie d'y aller ?

– Oui. Ils m'ont répondu que si je perdais dix kilos, je n'aurais pas besoin d'y aller.

– Voilà la solution. Tu vas suivre un régime et t'y tenir pour perdre dix kilos.

Norman a poussé un gros soupir et a posé son menton dans ses mains.

– J'aime bien manger. Je ne veux pas m'arrêter de manger. Et puis, j'en ai assez qu'on me dise tout le temps ce que je dois faire.

Au même moment, une boule de neige s'est écrasée contre la fenêtre de la cuisine. Je me suis levée et j'ai regardé dehors. Sarah et Elizabeth avaient fait un bonhomme de neige. Elles avaient utilisé des cailloux pour lui faire des yeux, un nez et une bouche. Mais la tête était minuscule par rapport au corps qui était très gros. Les petites filles m'ont aperçue. Sarah s'est mise à se dandiner et à tripoter ses gants. On devinait aisément qu'elle se sentait coupable.

J'ai vite compris pourquoi.

Elizabeth pouffait de rire en me montrant avec une branche d'arbre les mots qu'elles avaient tracés devant le bonhomme de neige : « L'Énorme-man »

Je n'ai jamais été aussi abattue qu'en rentrant à la maison ce soir-là. Je n'étais pourtant ni malade ni fatiguée, mais je me sentais terriblement lasse.

J'étais triste pour Norman. Je n'avais pas pu l'empêcher d'aller à la fenêtre et de voir le gros bonhomme de neige ainsi que l'inscription moqueuse. Si vous aviez vu sa tête ! J'en ai eu le cœur brisé.

– Tu sais, elles veulent juste te taquiner, Norman, lui ai-je dit en posant ma main sur ses épaules.

– Ce n'est pas grave, j'ai l'habitude.

J'ai jeté un nouveau coup d'œil par la fenêtre un peu plus tard. Il n'y avait plus qu'un tas informe de neige. Je me suis demandée si Sarah avait défait le bonhomme de neige parce qu'elle regrettait de s'être moquée de son frère. Mais c'était probablement parce qu'elle ne voulait pas avoir d'ennuis avec ses parents.

Pauvre Norman. Il n'était pas au bout de ses peines. Cela n'a fait qu'empirer au retour de sa mère. Mme Hill est une petite femme très mince. Sarah lui ressemble trait pour trait. Dès qu'elle a passé le pas de la porte, la petite fille lui a rapporté que Norman avait mangé en cachette dans sa chambre.

– Et il n'a pas arrêté de la journée, a-t-elle ajouté en suivant sa mère dans les escaliers.

– C'est vrai ? m'a demandé Mme Hill sans même me dire bonjour.

On ne peut pas dire qu'elle et son mari gagnaient en sympathie à mes yeux !

Norman et moi étions dans la cuisine. Il me montrait un livre qu'on venait de lui offrir. C'était une encyclopédie sur les superhéros de bandes dessinées. Je n'avais jamais été une fan de ce genre de bandes dessinées, mais Norman savait communiquer sa passion. Il était intarissable.

– Il a grignoté, c'est vrai, ai-je dû admettre. Mais de là à dire qu'il a mangé toute la journée…

– Bien sûr que si ! a insisté Sarah.

Mme Hill s'est contentée de pousser un gros soupir.

– Alors, comment s'est passée ta journée, mon chéri ?

– Ça va. Je me suis bien amusé avec Carla.

– Parfait, a-t-elle répondu en esquissant un sourire. Mais ce soir, régime !

Elle ne lui a même pas demandé ce que nous avions fait.

Je suis allée chercher mon manteau et elle m'a payée.

– Tu as fait du bon travail, m'a-t-elle félicitée en m'accompagnant à la porte. Mais ne laisse pas Norman manger autant la prochaine fois.

Une fois rentrée, je me suis préparé un hamburger au soja.

Je ne pouvais pas m'empêcher de penser à Norman. J'étais seule à la maison. Le reste de la famille avait déjà dîné. Maman et Frederick étaient partis à une réunion de parents d'élèves et Mary Anne révisait chez Logan. Cela faisait tout drôle ; la maison était plongée dans le silence. C'était plutôt agréable. Ce ne doit pas être drôle de vivre seule, mais j'aime bien être tranquille de temps en temps.

Ça n'a pas duré longtemps. Quelques instants après, j'ai entendu claquer la porte d'entrée. C'était Mary Anne qui était de retour. Elle m'a rejointe dans la cuisine, les joues rougies par le froid et les yeux pétillants.

– On a fixé une date ! a-t-elle déclaré. Je vais le noter sur le calendrier.

Elle a pris un stylo et s'est mise à écrire à la date du 13 janvier : « ALR », sans même prendre le temps d'enlever son manteau. Puis, elle a dessiné une étoile autour.

– Qu'est-ce que ça veut dire, « ALR » ? lui ai-je demandé.

– Arrivée de Lewis Rinaldi ! s'est-elle exclamée joyeusement. J'étais là quand il a appelé. Je lui ai même parlé. Il a exactement la même voix que Logan, et surtout il a le même accent craquant. C'est dingue ! Tu vas l'adorer.

J'ai failli m'étrangler en apprenant la nouvelle. Un morceau de hamburger au soja m'est resté en travers de la gorge. Je me suis levée en toussant. Mary Anne s'est approchée et m'a tapoté dans le dos.

– Ça va ?

– De l'eau, ai-je réussi à articuler.

Mary Anne s'est dépêchée de m'apporter un verre d'eau. Une minute après, tout rentrait dans l'ordre.

– C'est à cause de ce que j'ai dit ? m'a-t-elle demandé.

– Un peu, oui ! Le treize, c'est à peine dans une semaine... Je ne serai jamais prête à temps !

– Prête ? Mais à quoi ?

– Euh... Rien, en fait. Je ne sais pas pourquoi j'ai dit ça.

Mary Anne avait l'air perplexe. Elle n'était pas au courant de mon plan pour plaire aux garçons. Je ne lui en avais pas parlé. J'avais décidé que Lewis serait mon premier test. Si j'arrivais à lui plaire – je veux dire lui plaire vraiment – alors cela voudrait dire que je pourrais plaire à tous les autres garçons.

J'aurais dû me confier à Mary Anne. On peut vraiment tout lui dire ; elle est très compréhensive, ou du moins elle essaie. Mais j'étais un peu mal à l'aise.

Pour être honnête, je me sentais gênée. J'ai toujours été persuadée que Mary Anne me surestimait. En fait, je pensais qu'elle admirait mon assurance et ma confiance en moi. Et je ne voulais pas ternir mon image à ses yeux.

Quelle idiote !

Je suis montée dans ma chambre avec une pile de magazines de mode que j'avais empruntés à Lucy la semaine précédente. Je ne m'y intéresse pas d'habitude et c'était pour cela que je n'y avais pas encore touché. Mais il fallait bien que je m'y mette : je n'avais qu'une semaine pour me métamorphoser.

J'ai feuilleté les magazines pour trouver un nouveau look. D'après les tendances du moment, j'ai réalisé que mes vêtements étaient beaucoup trop larges. J'étais très à l'aise dedans, mais il faut avouer que ce n'est pas ce qu'il y a de plus élégant. Il fallait donc que je commence par abandonner les vêtements amples et informes.

Puis, il fallait que je me maquille davantage. Mais cela

avait l'air tellement compliqué ! J'allais avoir besoin de cours de rattrapage pour ne pas en mettre n'importe comment. Quant aux termes techniques, n'en parlons pas ! Du blush dans le creux des pommettes et sur les tempes. Trois ombres à paupières… Et rien que pour la bouche, il fallait un gommage des peaux mortes des lèvres, un contour des lèvres, un rouge à lèvres et enfin, un brillant à lèvres !

J'étais en train de lire un article passionnant qui s'intitulait « Comment corriger les petites imperfections du visage », quand Mary Anne est entrée dans ma chambre.

– Qu'est-ce que tu fais ? m'a-t-elle demandé.

– Rien.

Elle m'a pris le magazine des mains.

– Waouh ! Je ne t'avais jamais vu lire ce genre de choses, Carla. Qu'est-ce qui t'arrive ?

– C'est juste par curiosité.

Elle s'est assise sur le lit à côté de moi et a commencé à feuilleter les pages de la revue. Elle semblait chercher quelque chose de particulier.

– J'ai déjà lu ce numéro chez Lucy et j'étais tombée par hasard sur une tenue et une coiffure qui t'iraient super bien. Le mannequin te ressemble. Je ne t'en avais pas parlé, parce que je pensais que tu allais trouver ça débile. Mais comme tu as l'air de t'y intéresser, je vais te montrer.

Elle a fini par retrouver la bonne page et m'a tendu le magazine.

– Voilà ! Qu'en penses-tu ?

C'était une photo en couleur avec une fille debout sur des rochers, le regard perdu au loin vers l'océan. En effet, elle était blonde aux cheveux longs comme moi, mais avec de grosses boucles. Elle devait avoir fait une permanente. Elle portait une longue tunique bleu clair sur un petit corsaire bleu plus foncé.

Elle était très maquillée, surtout au niveau des yeux. Mais cela lui allait bien.

– Je me demande à quoi je ressemblerais avec une permanente, ai-je remarqué.

– Il suffit d'essayer. On pourrait te poser des rouleaux chauffants. Bien sûr, cela ne tiendra pas aussi longtemps qu'une permanente, mais tu pourras te faire une idée.

– On a des rouleaux chauffants à la maison ?

– Oui, ta mère en a. Tu veux que j'aille les chercher ?

– Bien sûr, pourquoi pas ?

Mary Anne est partie les chercher en courant. Elle est revenue les bras chargés. Elle avait pris les rouleaux, plus un fer à friser et une boîte transparente pleine de maquillage. J'avais oublié que maman avait tous ces trucs. Ces derniers temps, elle se contentait de mettre un peu de fard à paupières et du rouge à lèvres.

Mary Anne a mis en marche les rouleaux et, en attendant qu'ils chauffent, elle a trié les produits de beauté.

– On va te maquiller un peu, Carla.

– Je ne sais pas comment m'y prendre, ai-je dû avouer.

– Je vais t'aider.

Elle a de nouveau feuilleté le magazine.

– Ah, ils expliquent comment procéder étape par étape. Je n'ai qu'à suivre les indications, d'accord ?

Les bigoudis étaient prêts. Mary Anne les a tous utilisés, mais ce n'était pas encore suffisant pour boucler tous mes cheveux

– C'est pour ça que j'ai pris le fer à friser, m'a-t-elle expliqué. Je vais m'en servir pour les cheveux qui restent.

Une fois ces opérations finies, on aurait dit que j'avais deux fois plus de cheveux que d'habitude. J'avais une de ces têtes !

– Je ressemble à un mouton ! me suis-je exclamée en faisant la grimace.

– C'est parce qu'on ne les a pas encore coiffés, m'a rassurée Mary Anne. Mais d'abord le maquillage.

Elle m'a relevé les cheveux en arrière et les a attachés avec une grosse pince. Puis, elle a posé devant elle toute une série une tubes, de petits pots et de crayons.

– Commençons par la base, m'a-t-elle annoncé. Je vais te mettre du fond de teint pour unifier ta peau.

J'étais surprise par le savoir-faire de Mary Anne. C'était comme si elle avait fait ça toute sa vie. Pourtant elle ne se maquillait jamais.

– Comment fais-tu pour être aussi douée ? lui ai-je demandé.

– Je ne fais que suivre les instructions du magazine, m'a-t-elle répondu en me posant délicatement du blush sur les joues avec un gros pinceau. Je pense que c'est plus facile de maquiller quelqu'un d'autre que soi-même. On voit mieux ce qu'on fait.

Elle est passée ensuite aux paupières et aux lèvres.

– Ouvre la bouche et serre les lèvres sur ce mouchoir. C'est pour enlever le superflu de rouge. Et voilà pour le maquillage ! Maintenant, enlève la pince et penche la tête en avant.

Elle m'a brossé les cheveux en vaporisant une sorte de laque dessus.

– C'est Lucy qui m'a conseillé de faire ça, m'a-t-elle expliqué, pour donner du volume. C'est bon, maintenant, tu peux te regarder dans la glace !

Je suis restée bouche bée devant le résultat. Mary Anne avait des doigts de fée. Je ressemblais vraiment à la fille du magazine !

– Lewis va tomber amoureux fou dès qu'il te verra.

– Tu crois ? Tu penses réellement qu'il va m'aimer comme ça ?

– Il a plutôt intérêt ! Ou alors il est complètement aveugle. Tu es sublime !

Une idée m'a alors traversé l'esprit.

– Je voudrais lui envoyer une photo de moi maintenant. Comme ça, il ne sera pas trop surpris quand on se verra.

– Bonne idée ! Je vais chercher le Polaroïd.

J'en ai profité pour me changer. J'ai enlevé mon gros pull, mais je ne savais pas quoi mettre à la place. Je voulais quelque chose qui change de mes tenues habituelles. Et que donc, je n'avais pas. Les petits hauts asymétriques qui dénudaient une épaule étaient très la mode, comme j'avais pu le constater dans le magazine. Je n'en avais pas, bien sûr, mais ce ne devait pas être difficile à faire soi-même.

– Qu'est-ce que tu fabriques ? s'est étonnée Mary Anne en revenant dans ma chambre.

J'étais en train de couper un tee-shirt à manches longues en travers.

– Tu vas voir.

Puis, je l'ai enfilé et l'ai ajusté sur moi. En deux coups de ciseaux, je m'étais fait un haut asymétrique.

– C'est super ! s'est exclamée Mary Anne, impressionnée.

Mets tes cheveux en arrière d'un côté pour qu'on voie mieux tes boucles d'oreilles. Et tiens-toi à côté de la fenêtre, je vais te prendre en photo.

J'ai commencé par faire un grand sourire, mais je me suis retenue. J'ai préféré faire la moue et ne pas regarder l'objectif.

– C'est quoi cette tête ? m'a demandé Mary Anne en baissant l'appareil.

– J'essaie de ressembler à la fille du magazine. Tu sais, elle a l'air pensive et mystérieuse.

Elle a donc pris une photo de moi comme ça. On a attendu que la photo se développe. A mesure que les couleurs apparaissaient, notre étonnement grandissait. On aurait dit quelqu'un d'autre. Je ne me reconnaissais pas.

– Tu devrais vraiment être mannequin, Carla, a déclaré Mary Anne.

Lewis Rinaldi, attention ! Voici la nouvelle Carla !

6

Vendredi

J'ai gardé Norman et Sarah Hill hier après-midi. Je suis vraiment triste pour Norman. En rentrant de l'école, un groupe d'enfants s'est moqué de lui. Et, à la maison, Sarah a continué à l'embêter. Elle a été très méchante. Mais je la comprends aussi. Ça doit l'énerver de voir son frère comme ça. Elle voudrait qu'il maigrisse mais il n'arrête pas de manger, manger, manger... Moi, je suis bien contente de pouvoir grignoter sans grossir. Je ne sais pas si j'arriverais à arrêter de manger si je prenais du poids. Ce ne serait pas facile en tout cas. Pauvre Norman.

M. Hill nous a appelées pendant la réunion de mercredi. Il avait besoin d'une baby-sitter pour le lendemain à trois heures et demie. Il nous a aussi expliqué qu'il avait un nouveau client très important et qu'il allait devoir s'absenter régulièrement de chez lui dans les semaines à venir. Claudia était la seule à être encore disponible, alors c'est elle qui a accepté la garde.

Je lui avais parlé de mon expérience chez les Hill et elle savait ce qui l'attendait. Mais elle a été soulagée de voir que Norman était encore à l'étude quand elle est arrivée chez eux. Cela lui évitait au moins de commencer sa garde avec les piques que Sarah lance sans cesse à son frère. Je l'avais prévenue de ça aussi.

Je dois avouer que je n'aimais pas trop Sarah. Claudia, quant à elle, a fini par très bien s'entendre avec la petite fille. C'est probablement parce qu'elles ont en commun un sens artistique très développé.

Et Claudia sait aussi ce que c'est que de vivre avec un frère ou une sœur un peu bizarre. Ce n'est pas que sa sœur, Jane, soit grosse, mais elle est vraiment bizarre. C'est une surdouée. Et ce n'est pas facile à vivre pour les autres. Il faut toujours qu'elle corrige les fautes de tout le monde, même si on ne lui demande rien. Ce qui fait qu'elle n'est pas très appréciée. Je crois que si Claudia travaille aussi mal à l'école, c'est en partie pour ne pas ressembler à sa sœur. Quoi qu'il en soit, Claudia et Sarah se sont très bien entendues.

Claudia donnait un cours de dessin à Sarah quand une chose affreuse s'est passée (je suis contente de n'avoir pas assisté à cela). Elles étaient tranquillement en train de parler de perspective et de proportions quand des cris à l'extérieur ont attiré leur attention.

– L'Énorme-man ! Groin ! Groin ! L'Énorme-man !

Claudia est allée à la porte d'entrée. Une boule de neige s'est écrasée dessus juste avant qu'elle ne l'ouvre. C'était une bande de gamins qui attaquaient Norman. Dès qu'ils l'ont aperçue, ils se sont enfuis en courant. Pas très courageux !

– Ça va ? s'est inquiétée Claudia en aidant Norman à épousseter la neige qu'il avait sur ses vêtements.

Il baissait la tête, au bord des larmes. Sans rien dire, il est monté dans la cuisine.

– Hé ! N'oublie pas que tu es au régime ! lui a rappelé Sarah dès qu'elle l'a entendu ouvrir un placard.

– Laisse-le tranquille, lui a dit Claudia. Il vient de vivre un moment très difficile.

Sarah l'a fixée d'un air impitoyable.

– C'est pour son bien. C'est maman qui le dit. C'est mauvais pour sa santé de trop manger, comme ça.

Bien entendu, Norman était en train d'ouvrir un paquet de gâteaux. Sa sœur le lui a arraché des mains.

– Maman m'a dit de ne pas te laisser faire !

Norman commençait à bouillir de colère. Il ne disait rien mais il était écarlate. Il s'est levé et s'est précipité dans sa chambre.

Au même moment, on a sonné à la porte. Sarah est allée ouvrir. C'était sa copine Elizabeth.

– Je peux aller jouer dehors, Claudia ?

– Bien sûr.

Une fois les filles sorties, Claudia est allée frapper à la porte de Norman.

– Norman, je peux entrer ?

Elle a entendu des bruits sourds dans la chambre, mais aucune réponse du petit garçon.

– Norman ? a-t-elle insisté. Ça va ?

Toujours aucune réponse.

Elle s'est dit qu'il valait certainement mieux le laisser seul un instant. Elle est retournée dans le salon et s'est mise à feuilleter des magazines. (Mme Hill est directrice artistique, alors elle a des tonnes de livres d'art et de magazines de décoration. Un vrai paradis pour Claudia.) Au bout d'une demi-heure, elle a entendu la porte de la chambre de Norman s'entrouvrir.

Elle a continué à lire, comme si de rien n'était, pour voir ce qu'il avait l'intention de faire. Elle n'a pas été étonnée de l'entendre se faufiler dans la cuisine sans faire de bruit. On aurait dit une petite souris affamée à la recherche de nourriture.

Claudia est allée le rejoindre sur la pointe des pieds. Elle est restée dans l'encadrement de la porte. Norman était tellement occupé à dévorer des gâteaux qu'il ne l'avait pas entendue arriver. Elle l'a fixé un moment les bras croisés, mais il ne la remarquait toujours pas.

– Norman !

Il a sursauté. Puis il s'est empressé de ranger le reste des gâteaux dans leur boîte.

– Calme-toi, c'est bon, a-t-elle fait en s'asseyant à côté de lui. Je ne dirai rien. Au fait, bonjour, je m'appelle Claudia.

– Salut, a-t-il répondu, la bouche encore pleine. Où est Carla ?

Claudia lui a expliqué le fonctionnement du Club des baby-sitters et les attributions des gardes. Il n'avait pas l'air content. Certains enfants apprécient le roulement des baby-sitters, alors que d'autres – comme c'était manifestement le cas de Norman – préfèrent avoir toujours la même.

Le petit garçon continuait d'engloutir les gâteaux les uns après les autres. Claudia s'est sentie obligée de dire quelque chose.

– Je ne pense pas que les gâteaux soient conseillés dans ton régime.

– Ce n'est pas *mon* régime.

– Comment ça ?

– C'est le régime de mes parents. Ils en ont parlé au docteur et ils ont décidé que je devais le faire. Personne ne m'a demandé mon avis. Alors, c'est *leur* régime, pas le mien.

– Mais ils ont fait ça pour toi.

– Bien sûr que non.

Il a pris un autre gâteau avant de continuer :

– Ils le font pour eux, parce qu'ils ne veulent pas avoir un enfant obèse.

– Et toi, est-ce que tu as envie d'être gros ?

Norman a haussé les épaules et a esquissé une grimace.

– Je n'aime pas être gros, mais j'aime manger. Quand je suis triste, cela me fait du bien.

– Et tu te sens souvent triste ?

– De temps en temps. Mais je ne suis pas triste quand je mange.

– Peut-être que tu te sentirais moins souvent triste si tu perdais du poids ? Tu te sentirais mieux si les autres arrêtaient de se moquer de toi.

– Je ne fais pas attention à eux de toute façon. J'ai d'autres copains. J'ai un copain à l'école qui s'appelle Teddy. Et j'ai une copine aussi.

– C'est vrai ?

Norman a fini son lait d'une seule traite et a reposé le verre devant lui avant de faire oui de la tête.

– Elle s'appelle Brittany, c'est ma correspondante. D'ailleurs, je vais lui écrire une lettre maintenant.

Il s'est levé et a fourré les derniers gâteaux dans sa poche. Puis, il est parti dans sa chambre. Claudia a poussé un soupir. Elle n'avait plus qu'à retourner dans le salon lire les revues. Seulement, elle n'arrivait pas à se concentrer. Il fallait qu'elle trouve un moyen de parler à Norman. Il fallait que quelqu'un arrive à lui parler de son problème. Sinon, il allait continuer à grossir et à se gâcher la vie.

Cela faisait une demi-heure qu'elle se creusait la tête quand le téléphone a sonné.

– Bonjour, c'est Teddy, a fait une petite voix à l'autre bout du fil. Est-ce que Norman est là ?

– Je vais le chercher, lui a répondu Claudia, heureuse de voir que Teddy existait vraiment. Norman ! a-t-elle crié en se penchant dans le couloir. Téléphone ! C'est Teddy qui voudrait te parler.

La porte de sa chambre s'est ouverte et il en est sorti, un bloc de papier à la main.

– Merci ! a-t-il lancé en s'avançant. Je t'avais bien dit que j'avais un copain.

Alors qu'il passait à sa hauteur, une feuille est tombée de son bloc. Claudia s'est penchée pour la ramasser. C'était le brouillon d'une lettre. Elle n'aurait certainement pas dû le lire. Ça ne se fait pas. Mais elle n'a pas pu s'en empêcher.

Elle pensait que cela allait peut-être l'aider à mieux comprendre Norman. Voici ce que la lettre disait :

Chère Brittany,
Je viens encore de passer une super journée.
J'ai battu à plates coutures des petits voyous de l'école. Ils étaient en train de se moquer d'un garçon de leur classe, qui est pourtant super sympa, mais un peu gros. C'est pour ça qu'ils l'embêtaient. Ils étaient au moins à 10 contre 1. Ce sont les plus débiles et les plus moches de toute l'école, mais les plus GRANDS aussi. De vraies brutes. Tout le monde a peur d'eux - sauf moi. J'en ai attrapé un et je lui ai fait une prise de judo dont il se rappellera toute sa vie. Un autre a essayé d'en profiter pour m'attraper par derrière, mais je l'ai arrêté en lui retournant le bras. Tout le monde m'acclamait. Les enfants de mon école criaient: NORMAN, NORMAN! Vas-y, NORMAN ! Puis deux d'entre eux se sont jetés sur moi en même temps. J'ai reculé d'un pas et ils se sont cogné la tête l'un contre l'autre! En voyant ça, les autres ont pris peur et se sont enfuis. Voilà ma journée.
Et toi? Comment ça s'est passé? Je te remercie pour la photo que tu m'as envoyée. Je te trouve très jolie. Malheureusement, je n'ai pas de photos de moi, mais je t'en envoie une dès que l'appareil de ma mère fonctionne à nouveau. Je lui ai rappelé déjà plusieurs fois de le faire réparer, mais elle oublie tout le temps.

Claudia a reposé la lettre dans la chambre de Norman. Elle l'a laissée par terre pour qu'il ne sache pas qu'elle l'avait lue. Elle a vu une planche de photos d'identité sur son bureau. Claudia était quasiment sûre que Brittany n'allait jamais voir ces photos, ni aucune autre d'ailleurs.

7

Le temps passait vite. Il me restait moins d'une semaine avant l'arrivée de Lewis. Je lui avais envoyé une photo de « la nouvelle Carla ».

Mary Anne avait pris une autre photo de moi dans une pose légèrement différente et je l'avais gardée. En fait, je n'arrêtais pas de la regarder. Il y avait quelque chose de fascinant dans cette photo. C'était une photo de moi, mais ce n'était pas moi. Je ne me reconnaissais pas vraiment.

J'ai subitement réalisé pourquoi lundi après-midi, en plein cours de littérature. J'avais collé la photo dans mon cahier de texte et j'étais en train de la détailler point par point. (Je suis assez rapide en lecture et j'avais fini de lire les paragraphes que la prof avait demandé d'étudier.) J'ai soudain compris que c'était la photo de la personne que j'allais devenir. Un avant-goût du futur.

Ce n'était pas seulement une question de tenue vestimentaire ou de physique... c'était aussi une question d'attitude. Je crois que c'était le fait de ne pas sourire face à l'objectif qui donnait cette impression. L'ancienne Carla était toujours agréable et souriante. La Carla de la photo pas du tout. La nouvelle Carla ne se souciait pas des autres, elle se contentait d'être « cool ».

J'ai tout de suite eu l'occasion d'essayer ma nouvelle personnalité. Mlle Harris nous a dit d'arrêter de lire. Elle voulait faire un rapide contrôle. On a l'habitude, elle fait cela régulièrement. On peut gagner deux points si on répond correctement à ses questions et ces points s'ajoutent à la prochaine note de devoir sur table. On peut aussi perdre deux points si on répond mal. Elle interroge toujours un élève au hasard.

– Carla, a-t-elle fait. Cite-moi deux personnages célèbres de la littérature du vingtième siècle.

C'était une question facile. C'était écrit dans le texte que nous venions de lire... mais je me suis retenue. Je ne voulais plus être Carla la gentille et bonne élève. Les filles cool ne répondent pas tout de suite aux professeurs. Elles restent affalées sur leur chaise même si on s'adresse à elles et lèvent les yeux au ciel pour montrer leur ennui et leur agacement.

– Mickey et Spiderman, ai-je lancé en rejetant mes cheveux en arrière.

Mlle Harris est restée sans voix. J'avais dû la choquer. En tout cas, moi, j'étais choquée. Je n'arrivais pas à croire ce que je venais de faire !

Des rires étouffés ont fusé dans la classe. Bill Torrance, un garçon très mignon, m'a regardée et m'a souri d'un air complice. Lui qui jusqu'à présent ne s'était même pas rendu compte que j'existais. Ça marchait !

– Très drôle, Carla, a fait remarquer Mlle Harris d'un ton sarcastique. Mais je ne parle pas de bandes dessinées.

– Moi, je ne lis que ça !

Je prenais de l'assurance et de l'audace. Ma répartie a été accueillie par un éclat de rire général. C'était super. On me voyait sous un jour nouveau.

La prof aussi me découvrait une nouvelle personnalité, et elle n'avait pas l'air contente.

– Je considère que tu ne sais pas la bonne réponse, a-t-elle conclu en gardant son calme.

– Je ne la connais effectivement pas, ai-je menti.

Elle a écrit quelque chose sur son cahier et a interrogé un autre élève. Elle lui posait encore une question quand on m'a fait passer un mot. C'était un dessin de Mickey et de Spiderman qui se serraient la main, avec une légende en dessous : « Les grands personnages de la littérature ! Cool, Carla ! » J'ai reconnu l'écriture de Sue Archer, une des filles les plus cool de la classe. Elle ne m'avait jamais fait passer un mot avant. C'était plus facile d'être cool que je ne le pensais.

J'ai donc continué à mettre en pratique le « Projet Nouvelle Carla ». Une fois lancée, on ne pouvait plus m'arrêter.

Il m'a fallu plus de temps le lendemain matin pour me maquiller, me coiffer et choisir mes vêtements. Cela m'a tellement retardée que j'ai raté le bus. Maman a été furieuse de devoir me conduire à l'école. Elle l'aurait été plus encore si elle avait su que j'avais déchiré exprès mon nouveau jean. Mais j'avais mis un manteau long pour qu'elle ne puisse pas le remarquer.

Ce sont les vêtements qui m'ont causé le plus de souci. Je n'avais rien qui allait avec ma nouvelle personnalité. J'ai dû passer la soirée de mardi à les détériorer.

– Mais tu as perdu la tête, Carla ! s'est exclamée Mary Anne en me surprenant.

J'avais vidé la moitié de mes placards sur mon lit et je retaillais à grands coups de ciseaux mes vêtements. Il fallait que je reprenne tous mes jeans pour faire des trous au niveau des genoux. Je me suis confectionné plusieurs hauts sans manches, et j'ai même réussi à transformer le bas d'un survêtement en minijupe. J'avais découpé les jambes et enlevé les coutures. Puis j'ai recousu le tout avec des empiècements de tissu à fleurs (en fait des chutes de tee-shirts que j'avais découpés).

– C'est pas mal, après tout, a fait ma demi-sœur en examinant la jupe. Tu devrais demander à Claudia de t'aider.

– Non, elle a son style à elle et je veux avoir le mien.

– Waouh ! Alors ce n'est pas juste un essai. C'est une vraie révolution ! Comment cela se fait ? C'est à cause de Lewis ?

– Pas vraiment. J'ai seulement besoin de changement, c'est tout.

J'ai failli lui expliquer pourquoi j'avais besoin de changer d'image. Que ce n'était pas juste à cause de Lewis, mais de tous les garçons en général. Seulement les gens cool n'ont pas à se justifier. Ils ne se confient pas et doivent rester mystérieux. Ils ne disent pas ce qu'ils pensent et pourquoi ils agissent comme ils le font. Ils s'imposent et c'est tout.

– C'est peut-être le bon moment, a approuvé Mary Anne.

Sa réaction me surprenait beaucoup. J'aurais aimé qu'elle résiste un peu plus, qu'elle essaie de me convaincre de ne pas changer, qu'elle me dise que j'étais très bien comme ça...

Je ne savais pas comment interpréter son attitude. C'était un peu vexant.

Mes amies n'ont pas toutes réagi de la même façon.

« Tu as l'air bizarre », m'a dit Kristy (je m'attendais plus ou moins à sa réaction).

« Tu n'as pas besoin de mettre autant de blush », m'a conseillé Lucy.

La remarque de Claudia a été la plus surprenante : «Cela ne te va pas du tout, parce que ce n'est pas toi. »

Vous vous rendez compte ? C'est Claudia qui m'a dit ça ! Je me suis contentée de hausser les épaules. C'est ce que font toujours les gens cool. Mais en fait j'étais verte de rage. A croire qu'il n'y avait qu'elle et Lucy qui avaient le droit d'être jolies et d'avoir du style ! Et moi alors ? Je n'étais pas assez bien, peut-être ? Non, il fallait que je reste Carla, la fille nature et simple.

Je me suis dit qu'elle devait être jalouse. Elle ne voulait pas qu'une autre fille puisse être aussi « originale » qu'elle.

J'étais donc plutôt remontée contre Claudia pendant la réunion du Club des baby-sitters ce mercredi-là. Je me suis affalée sur son lit. Je mâchais avec ostentation un chewing-gum à la fraise (sans sucre, bien sûr).

– Je ne t'avais jamais vue avec un chewing-gum, a remarqué Lucy.

– Il y a une première fois à tout.

– Tu sais faire des bulles ? m'a demandé Mallory.

J'ai fait non de la tête. Vous n'allez peut-être pas me croire, mais c'était la première fois de ma vie que je mâchais du chewing-gum.

– Est-ce qu'il t'en reste ?

J'en avais un dans ma poche et je le lui ai donné. Mallory s'est dépêchée de le mastiquer et a fait une énorme bulle.

– Il suffit de bien l'aplatir, puis tu recouvres ta langue avec et tu souffles, m'a-t-elle expliqué.

C'est ce que j'ai fait, mais je n'ai réussi qu'à faire une minuscule bulle.

Kristy a déclaré la séance ouverte et a commencé avec l'organisation d'une sortie pizza prévue pour le lundi après-midi suivant. Chacune de nous emmènerait les enfants qu'elle gardait à la pizzeria. C'était une bonne idée, mais cela posait aussi des tonnes de problèmes à gérer. Jessi gardait un enfant allergique à la sauce tomate. Mary Anne n'était pas sûre de pouvoir maîtriser les trois Barrett dans un lieu public. Claudia allait avoir la charge de toute une famille en plus d'un bébé capricieux. Quant à Lucy, elle aurait Norman et Sarah Hill, et à en juger d'après nos expériences, elle se demandait si leurs parents approuveraient l'idée.

Dès le début, je savais que ce n'était pas réalisable. Mais je ne m'en suis pas préoccupée parce que je n'avais aucun baby-sitting prévu ce jour-là. Et puis j'avais ma technique de bulle de chewing-gum à perfectionner. Clac ! Une bulle venait d'éclater.

Kristy était en train de parler. Elle m'a lancé un regard sévère. Je n'étais pas d'humeur à apprécier son attitude de petit chef, alors j'ai aussitôt recommencé. Cette fois-ci, ma bulle était énorme et elle a fait beaucoup plus de bruit en explosant.

– On ne te dérange pas, j'espère ? m'a dit Kristy d'un ton cinglant.

– Ça va, calme-toi. Ce n'est qu'une bulle de chewing-gum !

– Qu'est-ce qui te prend ces derniers jours ? Tu es bizarre.

– Rien, tout va bien.

– Arrête, est intervenue Claudia, tu sais bien ce qu'on veut dire. Tu n'es plus toi-même.

– C'est vrai, a renchéri Lucy.

Parfait ! Mes amies se liguaient contre moi à présent.

– D'après quelle loi n'ai-je pas le droit de changer ? me suis-je défendue. Quand Mary Anne a changé de style de vêtement et de coiffure, personne ne lui a rien dit.

Elles ont toutes regardé Mary Anne. Puis les regards se sont de nouveau fixés sur moi.

– Ce n'est pas pareil, a affirmé Kristy.

– Et je peux savoir pourquoi ?

– Parce que Mary Anne n'a pas changé de comportement, a expliqué Claudia. Elle est restée la même.

– Mais je ne suis pas différente. Vous croyez ça parce que j'ai changé de look, c'est tout. Excusez-moi d'avoir fait des bulles pendant la réunion, ça vous va ? Je ne recommencerai plus.

– Est-ce que tu fais tout ça pour Lewis ? m'a demandé Lucy.

– Oui et non, ai-je répondu en toute sincérité.

– Ce n'est pas une réponse ! Comment veux-tu qu'on te comprenne ? a explosé Kristy.

Lucy l'a ignorée et a repris :

– Dans ce cas, arrête. Reste toi-même.

– C'est facile pour toi de dire ça. Les garçons t'adorent. Mais moi, ils ne m'aiment pas comme je suis. C'est pour ça que je dois changer. Et puis d'abord, je fais ce que je veux.

Mary Anne a pris ma défense.

– Je la comprends. On a toutes le droit de changer. On a seulement treize ans et on ne va pas rester comme on est toute notre vie.

– Ouais, a admis Lucy, c'est sûr.

– En tout cas, je te préférais avant, a affirmé Claudia.

Kristy a jugé bon de couper court à notre discussion.

– Où en étions-nous ? Il faut reconnaître que mon idée de pizzeria n'est pas si bonne, mais…

La sonnerie du téléphone l'a interrompue. C'était le docteur Johanssen. Lucy a accepté la garde de la petite Charlotte, mais je n'écoutais plus. J'étais furieuse après mes amies, à l'exception de Mary Anne. Je ne savais pas quoi penser de son attitude. (Je n'avais rien non plus contre Mallory et Jessica, dans la mesure où elles n'avaient fait aucune remarque.) Je n'avais qu'une seule envie : m'enfermer dans ma chambre et ne plus voir personne.

J'ai serré les dents jusqu'à la fin de la réunion.

– Tu es en colère ? m'a demandé Mary Anne sur le chemin du retour.

– Mais non, ai-je menti.

– Tu as l'air pourtant.

– Oui, je suis un peu énervée, c'est vrai. J'aimerais qu'elles me fichent la paix !

– Mais c'est parce qu'elles s'inquiètent pour toi.

– Non, ce n'est pas ça. Elles ne veulent pas que je change. Au moins, toi, tu me comprends.

– Je crois que oui, mais ne leur en veux pas. Laisse-leur un peu de temps pour s'habituer à la nouvelle Carla.

On était arrivées à la maison. Mary Anne est allée dans la cuisine et je suis montée directement dans ma chambre.

Je voulais envoyer une dernière lettre à Lewis avant son arrivée.

J'avais acheté une carte postale exprès. C'était une photo avec un fauteuil vu de derrière. Tout ce qu'on pouvait voir, c'était les jambes d'une femme sur un des accoudoirs. Elle portait des talons aiguilles rouges. Au dos, j'ai écrit :

Cher Lewis,

J'attends vendredi soir avec impatience.
Mary Anne m'a dit que tu avais une voix très sensuelle. J'ai hâte de t'entendre me murmurer des mots doux à l'oreille.
Je t'embrasse,

Carla

Maintenant, il fallait trouver le courage de l'envoyer. L'ancienne Carla n'aurait jamais eu l'audace de l'écrire, alors que la nouvelle Carla s'est empressée d'y coller un timbre et de courir à la boîte aux lettres.

8

Je ne m'habituerai jamais à la ville de New York. Il n'y fait jamais noir. Les rues, les immeubles et les monuments sont tellement illuminés qu'on peut à peine voir les étoiles dans le ciel.

Nous n'étions pas dans la ville même, mais c'était tout comme. J'étais avec Mary Anne et Logan à l'arrière de la voiture des Rinaldi. Le père de Logan nous conduisait à l'aéroport La Guardia pour chercher Lewis.

Logan et Mary Anne se sont donné la main tout le long du trajet. J'avais l'impression de faire tapisserie.

– Je suis impatient de revoir Lewis, a déclaré Logan. Je suis content qu'il ait enfin réussi à venir.

– Une fois qu'on a su qu'il venait, le plus dur a été de l'attendre ! a renchéri Mary Anne.

Et pour moi, alors ! C'était comme si je l'attendais depuis

toujours. La semaine qui venait de passer avait été l'une des plus longues de toute ma vie.

– Sois prudent, a rappelé Mme Rinaldi à son mari. Ralentis un peu, nous avons tout notre temps.

Il était huit heures et l'avion de Lewis atterrissait à huit heures trente-huit.

– Laisse-moi conduire, lui a répondu calmement M. Rinaldi.

Nous sommes enfin arrivés en vue de l'aéroport.

Il était éclairé par des tonnes de projecteurs. Il y avait du monde partout. Les aéroports m'ont toujours fascinée. C'est incroyable de voir autant de gens rassemblés dans un même endroit (sans parler des avions) partir dans des directions complètement différentes. On dirait une fourmilière. Vu de l'extérieur, c'est un grouillement indistinct, mais en fait chacun sait exactement où il va.

– Oh, là, là ! J'ai hâte de le voir ! répétait Mary Anne.

On a longé un grand corridor pour rejoindre la porte 12. C'est là qu'était annoncé le vol de Lewis.

– Tu n'es pas pressée, toi ? m'a demandé Mary Anne qui ne tenait plus en place.

– Oh oui !

A vrai dire, j'avais l'estomac noué. C'était la nervosité. Le grand jour était enfin arrivé. Lewis allait descendre de l'avion et nous allions enfin nous rencontrer.

On dit que c'est la première impression qui compte le plus. J'avais mis toutes les chances de mon côté pour le faire succomber au premier regard. J'étais allée chez *Zingy* jeudi après-midi, après avoir vidé ma tirelire. C'est une super boutique de vêtements. Je n'avais même pas demandé à Mary Anne de m'accompagner. Je n'avais besoin de l'avis de personne.

La vendeuse avait les cheveux rouge écarlate et quatre trous à chaque oreille. J'étais un peu intimidée au début, parce que je me sentais nunuche à côté d'elle, mais elle était très sympa. Elle m'avait conseillé un ensemble que je portais pour aller accueillir Lewis.

J'avais une jupe courte argentée avec une bordure de dentelle noire, un haut près du corps à manches longues rayé noir et blanc, des collants noirs à motifs et des ballerines noires à lacets en satin. J'avais acheté aussi six bracelets en caoutchouc noirs et une paire de boucles d'oreilles qui pendaient jusqu'aux épaules. J'avais mis les deux boucles à la même oreille et de l'autre côté, un petit anneau noir.

Je n'avais pas frisé mes cheveux cette fois-ci, mais je les avais relevés et attachés en queue de cheval très haute.

Mary Anne m'avait aidée à me maquiller.

– Est-ce que tu es certaine de vouloir porter cette jupe ? m'a-t-elle demandé en me mettant de l'eye-liner.

– Bien sûr, je l'ai achetée exprès pour ce soir.

– D'accord, je voulais juste savoir.

Quand je suis descendue dans le salon, prête pour ma rencontre avec Lewis, maman était installée dans le canapé. Elle m'a regardée, complètement interloquée. Puis elle s'est ressaisie et m'a demandé :

– Tu devrais mettre des collants plus épais, non ? Il fait un froid de canard.

– On y va en voiture, lui ai-je répliqué.

Elle ne m'avait encore fait aucun commentaire sur mon nouveau look, mais je savais qu'elle en avait parlé avec Frederick. Un soir, j'étais passée devant leur chambre et comme la porte était entrouverte, j'avais pu surprendre leur conversation. « Ça va lui passer. Soyons patients », disait-elle tout bas.

J'étais contente que maman prenne les choses de cette manière. Elle m'a donc laissée sortir de la maison avec mon nouveau look. Seulement je n'étais pas si sûre de moi que ça. Une partie de moi (la plus grande partie) pensait que j'étais superbe. Je veux dire que j'aurais fait sensation dans un magazine. Mais il y avait un hic. Je n'étais pas dans un magazine. Alors je me sentais un peu bizarre. J'en faisais peut-être un peu trop.

Mais je n'ai rien changé. Je savais que c'était l'ancienne Carla qui refaisait surface. Elle ne cessait de me crier d'aller me débarbouiller le visage et de mettre une tenue décontractée. Mais je ne pouvais pas la laisser avoir le dernier mot.

Les autres garçons n'aimaient pas l'ancienne Carla, pourquoi serait-ce différent avec Lewis ? Si je voulais qu'il tombe amoureux de moi, il fallait que je m'en tienne à mon plan et que je laisse la nouvelle Carla faire ses preuves.

– Le voilà ! s'est écrié Logan.

J'ai tout de suite remarqué le beau garçon aux cheveux sombres et bouclés dans la foule des passagers. Lewis m'avait dit dans une de ses lettres qu'il mesurait un mètre soixante-dix, mais il faisait plus grand. Il était mince, mais pas trop. Et surtout, il était encore plus beau qu'en photo.

Il nous a repérés et son visage s'est aussitôt illuminé. Il a fait un grand sourire. Encore plus craquant que le sourire sur la photo.

Je ne savais pas ce qu'était un coup de foudre, jusqu'à ce soir-là. Dès le premier regard, j'ai su que j'étais amoureuse de lui. Lewis était encore mieux que tout ce que j'avais pu espérer. Mary Anne avait raison sur un autre point : il avait une voix merveilleuse.

– Bonjour ! a-t-il fait en embrassant son oncle et sa tante. Salut, toi ! a-t-il lancé à Logan en le serrant dans ses bras.

Puis, ils ont fait semblant de se boxer avant d'éclater de rire.

– Ça fait plaisir de te revoir ! a-t-il ajouté.

– Ouais, c'est génial ! On va s'éclater !

Ils étaient tellement contents de se retrouver que Logan en avait oublié notre présence. Il lui a fallu quelques secondes avant de se souvenir de nous.

– Oh, je te présente Mary Anne. Et voici Carla.

– Bonjour, ai-je fait timidement.

– Bonjour, Carla.

Il ne m'a pas gratifiée de son sourire franc et éclatant. Il s'est contenté d'esquisser un sourire hésitant.

– On se rencontre enfin, a-t-il ajouté.

– Ouais.

Quelle repartie ! J'aurais voulu disparaître sous terre... Heureusement, Mme Rinaldi a fait diversion :

– Alors, tu as fait bon voyage ? lui a-t-elle demandé en le prenant par les épaules.

– Un peu long, mais agréable dans l'ensemble.

On s'est tous dirigés vers la voiture. Lewis n'avait qu'un bagage à main alors on a pu s'en aller tout de suite. On a repris l'autoroute pour rentrer dans le Connecticut. Lewis, Logan, Mary Anne et moi étions tous les quatre à l'arrière ; Lewis était près de la fenêtre et j'étais entre Mary Anne et lui. Les lumières de New York brillaient au loin.

– J'ai une question à te poser, Lewis, a commencé Mary Anne. Est-ce que Carla est comme tu l'imaginais ?

J'aurais voulu me cacher dans un trou de souris !

– Pas vraiment, a-t-il répondu en se tournant vers moi et en me lançant le même sourire hésitant. Tu ressembles plus à la deuxième photo que tu m'as envoyée. Mais je crois que je m'étais fait une autre idée de toi. Et moi ? Est-ce que je suis comme tu pensais que j'allais être ?

– Oui.

J'aurais voulu lui dire que non, qu'il était bien mieux que dans mes rêves les plus fous. Mais je ne pouvais quand même pas lui dire ça ! Si ? Peut-être aurais-je dû. C'est le genre de compliment que les garçons adorent entendre. Enfin, je crois. Mais cela me semblait trop débile. D'autant plus qu'il n'avait rien dit de ce genre à mon sujet.

J'avais le sentiment que je ne me débrouillais pas si bien que ça avec Lewis.

Visiblement, Mary Anne pensait comme moi. Dès que les Rinaldi nous ont déposées devant la maison, elle s'est tournée vers moi, furieuse :

– Qu'est-ce qui te prend ?

– Quoi ?

– Quand je pense que c'est moi qui suis sensée être timide ! Tout ce que tu as dit, c'est bonjour, oui et non. Tu aurais pu faire un effort pour être un peu plus sympa, pour lui montrer que tu t'intéressais à lui !

– Je ne savais pas quoi dire, ai-je grommelé. De toute façon, il ne m'aime pas, ça se voit.

J'ai ouvert la porte de la maison et nous sommes rentrées.

– Salut, vous deux ! a lancé Frederick. Alors, comment ça s'est passé ?

– Super ! a fait Mary Anne.

– C'était affreux ! me suis-je exclamée.

– Je vois, a-t-il dit en fronçant les sourcils.

Je n'avais envie de parler à personne. J'ai accroché mon manteau et je suis montée m'enfermer dans ma chambre.

J'étais en train de me déshabiller quand Mary Anne a toqué à ma porte.

– Je voulais m'excuser pour tout à l'heure. Je me suis emportée. Tu devais être tendue et je sais que tu n'es pas à l'aise avec les garçons. Je n'aurais pas dû te crier dessus.

– Laisse tomber, Mary Anne, lui ai-je dit en délaçant mes ballerines et en les envoyant de l'autre côté de la pièce. Ça ne pouvait pas marcher. Il me déteste. Je te l'avais dit. Je ne plais pas aux garçons, c'est comme ça.

– Il ne te déteste pas, a-t-elle soupiré en prenant un magazine qui traînait. Comment veux-tu qu'il te déteste ? Tu n'as rien dit pour qu'il te déteste. En fait, tu n'as rien dit du tout. C'est bien le problème !

Elle a feuilleté le magazine jusqu'à ce qu'elle ait retrouvé l'article qu'elle cherchait. Elle me l'a tendu.

– Je suis tombée dessus hier soir. Lis-le, je suis sûre qu'il t'intéressera.

J'ai lu le titre : « Parlez-leur d'eux ».

– Cela donne des pistes pour commencer une conversation et pour lier connaissance, a-t-elle expliqué en voyant mon air sceptique. En fait, cela montre que les gens t'apprécient d'autant plus si tu leur parles d'eux. C'est génial parce qu'il y a toujours quelque chose à dire. Il suffit de poser des questions aux gens et de rebondir sur leurs réponses. L'article dit que, en général, ils adorent ça. En définitive, ils pensent que tu es intéressante parce que tu t'intéresses à eux. Vraiment, lis-le.

– C'est ce que tu fais avec Logan ?

– Non, a-t-elle dû admettre en s'étirant sur mon lit.

– Alors, pourquoi veux-tu que je le fasse ?

J'ai jeté le magazine sur ma table de chevet.

– Parce que Logan m'aime comme je suis. Alors que tu viens seulement de rencontrer Lewis. Une fois que vous vous connaîtrez mieux, tu pourras laisser tomber tout ça.

– Mais... c'est comme si je faisais semblant d'être quelqu'un d'autre !

– Carla ! J'essaie juste de te rendre service. Tu veux que Lewis tombe amoureux de toi ou pas ?

Avant que je puisse lui répondre, maman a appelé Mary Anne :

– Téléphone ! C'est Logan.

Elle s'est précipitée en bas. Assise au bord du lit, j'ai commencé à me démaquiller. Je n'avais envie de penser à rien. J'étais d'une humeur massacrante.

Mary Anne est revenue quelques minutes plus tard. Elle a voulu me rassurer :

– Ne t'inquiète plus. Tout va bien. Logan a prévu un rendez-vous à quatre demain soir. Je lui ai dit que tu étais d'accord.

– Qu'en pense Lewis ? Il veut y aller aussi ?

– Il n'a pas dit non.

Mary Anne a repris le magazine et me l'a redonné à la bonne page.

– Voilà ! Commence à le lire dès maintenant, a-t-elle ajouté.

J'ai poussé un gros soupir et j'ai commencé à lire. J'avais tellement à apprendre d'ici le lendemain soir !

Samedi

Si seulement on n'avait pas besoin de manger ! Ce serait génial si on pouvait prendre des pilules à la place des repas. Il n'y aurait plus de glaces au chocolat ou de gâteaux à la crème pour nous tenter. Je sais que je suis censée raconter mon dernier baby-sitting au lieu de divaguer sur la nourriture mais, en fait, les deux sujets se recoupent puisque j'ai gardé Norman Hill. Ses parents ont visiblement décidé d'être plus fermes avec lui. Quand je suis arrivée chez eux, ils avaient mis en place tout un programme...

Quand Lucy est arrivée chez eux pour la garde, M. et Mme Hill lui ont pratiquement sauté dessus. Ils avaient trouvé que Claudia et moi avions laissé Norman trop manger. Mais ce n'était pas la seule raison. Ils pensaient qu'ils avaient eux-mêmes été trop laxistes à ce sujet. Il était temps que Norman perde du poids, d'une façon ou d'une autre.

– Voici une vidéo avec des exercices de gym, a dit Mme Hill en lui tendant une cassette.

Lucy a souri à Norman qui était juste à côté d'elle.

– On pourra les faire ensemble, si tu veux.

Il a fait la grimace.

– Son menu est accroché au mur dans la cuisine, a ajouté M. Hill.

Ils portaient tous les deux des tenues de sport très chic qui avaient dû coûter une fortune. Il était en survêtement noir et elle en combinaison pêche.

– Nous allons au club de remise en forme, a annoncé M. Hill.

– Ne laisse surtout pas Norman grignoter des biscuits, a rappelé sa femme. Il y a des bâtonnets de carotte et de céleri dans le frigo s'il a faim.

Elle a embrassé son fils rapidement.

– N'oublie pas, Norman, a-t-elle ajouté, bois beaucoup d'eau. Il faut é-li-mi-ner. Tu sais bien ce qu'a dit le docteur. L'eau élimine toutes les impuretés de ton corps.

– Allez, viens, Michelle.

Elle a ébouriffé les cheveux de Norman une dernière fois avant de rejoindre son mari à la porte.

– Ce n'est pas si triste, tu sais, Norman, lui a dit Lucy, une fois ses parents partis. Moi non plus, je n'ai pas le droit de manger des sucreries. Je m'y suis habituée à force.

– Comment ça se fait ? s'est étonné le petit garçon. Tu n'es pas grosse !

Lucy lui a alors expliqué qu'elle souffrait d'une grave forme de diabète.

– Je n'ai même pas le choix. Je peux tomber gravement malade si je ne suis pas mon régime à la lettre.

– Waouh ! a sifflé Norman, admiratif. Si j'étais à ta place, cela me rendrait complètement fou.

Sa réaction a fait sourire Lucy.

– Mais non. Tu ferais comme moi. Je ne le fais pas de gaîté de cœur, mais je suis bien obligée de l'accepter.

A ce moment, Sarah est sortie en courant de sa chambre.

– Il faut que je prépare de quoi manger pour le pique-nique d'Elizabeth !

– Un pique-nique ! s'est exclamée Lucy. Mais il gèle dehors.

– Ce n'est pas grave ! Elizabeth fait un pique-nique dans sa véranda. C'est chauffé, a expliqué Sarah.

– Dis, est-ce que je peux venir ? a demandé Norman.

Sarah s'est mordu les lèvres et a lancé un regard hésitant à Lucy. Puis elle s'est tournée vers son frère :

– Tu n'es pas invité. En plus, tu es au régime. C'est maman et papa qui l'ont dit.

Norman a imploré Lucy du regard.

– Je peux y aller ?

Lucy hésitait : d'un côté, elle ne voulait pas blesser Norman et de l'autre, elle savait que ses parents allaient être furieux si elle le laissait aller au pique-nique.

– Et si tu restais avec moi à la maison ? lui a-t-elle proposé.

J'aimerais essayer de faire les exercices de cette cassette mais, toute seule, ce n'est pas drôle.

– Tu as envie de faire du sport ? s'est étonné le petit garçon.

– Pourquoi pas ! C'est plutôt amusant. Ça l'est encore plus si on est plusieurs. Tu vas voir, tu vas adorer.

– Bon, d'accord.

Mais il n'avait pas l'air très enthousiaste. Il a suivi Lucy dans le salon. Elle a mis le magnétoscope en route.

– Je prends des bananes ! a crié Sarah depuis la cuisine.

– J'aimerais que tu me laisses le numéro de téléphone d'Elizabeth, lui a lancé Lucy.

– Il est noté sur le tableau de la cuisine.

Sarah était à présent dans l'encadrement de la porte du salon, avec son manteau et ses gants.

– Son nom de famille, c'est Yates, a-t-elle ajouté.

– N'oublies pas de téléphoner si tu t'en vas de chez eux, lui a rappelé Lucy.

– D'accord.

La cassette vidéo commençait en musique. C'était un air entraînant et rythmé. Lucy a enlevé ses chaussures et s'est mise à danser en cadence. Sarah est restée quelques secondes à la regarder.

– Allez, viens, Norman ! On va bien s'amuser ! a crié Lucy pour l'encourager.

Sarah avait l'air conquise, mais Norman était loin d'être enthousiaste.

– Tu veux rester avec nous, Sarah ? a demandé Lucy.

La petite fille a hésité, prête à se laisser convaincre, mais elle a fini par décliner l'offre. Norman en a profité pour narguer sa sœur :

– Hé ! On s'amuse drôlement ici ! s'est-il exclamé en se mettant à sautiller en rythme sur la musique.

Sarah a tourné les talons et s'en est allée en jetant un dernier regard par-dessus son épaule. Dès que la porte d'entrée s'est refermée, Norman s'est arrêté de sauter. Son sourire s'est éteint.

– Je dois boire de l'eau, a-t-il dit à Lucy en se dirigeant vers la cuisine.

Elle a aussitôt arrêté la cassette.

– D'accord. Vas-y.

– Tu n'es pas obligée de m'attendre. Je reviens tout de suite. Continue à t'entraîner.

– Ne t'inquiète pas, cela ne me dérange pas de t'attendre.

Norman est allé dans la cuisine et Lucy l'a attendu. Elle entendait l'eau du robinet couler. Mais au bout d'un moment, elle a commencé à se demander ce qu'il pouvait bien fabriquer. Elle se souvenait d'avoir appris qu'il ne fallait pas boire trop d'eau en faisant du sport. Du moins, il fallait se désaltérer mais en plusieurs fois et par petites quantités.

Elle a décidé de le rejoindre.

– Norman, ne bois pas trop…

Ses derniers mots sont restés en suspens. Le robinet était bien ouvert et l'eau coulait. Mais Norman n'était pas du tout en train de boire. Il était tranquillement attablé devant un grand verre de limonade et un paquet de chips.

Lucy est allée fermer le robinet. Norman a avalé en vitesse la dernière poignée de chips avant de dire d'un air penaud :

– J'avais un peu faim.

– Et, bien entendu, tu pensais que le bruit de l'eau allait te couvrir, lui a lancé Lucy d'une voix ferme.

– Je n'ai pas pu m'en empêcher. Il fallait que je mange.

– Pourquoi ? Tu n'as pas pris de petit déjeuner ce matin ?

Norman a baissé la tête et a fait signe que oui.

– Alors tu peux attendre l'heure du déjeuner, a affirmé Lucy.

Norman a brusquement relevé la tête et l'a regardée droit dans les yeux.

Il était tout rouge.

– Parce que je ne suis pas heureux en ce moment. Quand je suis triste, j'aime bien manger. Ça te va comme réponse ?

– Tu es triste à cause du pique-nique ? lui a-t-elle demandé d'une voix plus douce.

– Je suis triste, c'est tout. Je ne sais pas pourquoi. C'est peut-être à cause du pique-nique.

Lucy s'est appuyée contre le plan de travail.

– Il y a d'autres choses à faire quand tu te sens triste…

– Qu'est-ce que tu en sais ?

– Parce qu'il m'arrive aussi d'être triste. Cela arrive à tout le monde.

– Pas autant qu'à moi, a insisté Norman.

– Bon, en dehors du fait que les autres se moquent de toi et que Sarah t'embête, qu'est-ce qui te rend si triste ?

Elle était déjà au courant pour Sarah et les camarades de classe de Norman. Claudia et moi en avions parlé dans le journal de bord. Vous voyez, c'est très utile !

Norman a réfléchi un instant.

– C'est mon père et ma mère. Ils ne m'aiment pas.

Lucy a eu un pincement au cœur. Cela devait être affreux de croire une chose pareille !

– Mais bien sûr qu'ils t'aiment, Norman !

– C'est pas vrai, a-t-il rétorqué, les yeux fixés sur ses mains. Ils auraient préféré que je ne vienne pas au monde.

– Arrête, pourquoi dis-tu cela ?

– Parce que. Ils ne restent jamais à la maison parce qu'ils ne veulent pas me voir. Une fois j'ai entendu mon père dire que j'étais tellement gros qu'il n'en revenait pas que je sois son fils. Tu vois bien qu'il ne veut pas de moi.

Les larmes se sont mises à couler sur ses joues rebondies.

– Je suis sincèrement persuadée qu'il ne voulait pas dire ça, Norman. Tu devrais lui en parler pour mettre les choses au clair. Tu devrais lui dire ce que tu ressens.

– Je ne peux pas. Il va penser que je suis un pleurnichard.

– Mais si tu lui parles, il pourrait te dire à quel point il t'aime et comme il est fier de toi.

– Non, il n'en a rien à faire. J'ai eu quatre A ce trimestre sur mon bulletin et il n'y a même pas fait attention. Ce n'est pas ça qui compte pour lui !

– Voyons, Norman, je suis sûre qu'il était très fier de tes résultats. Qu'a-t-il dit quand tu lui as montré ton bulletin ?

– « Comment se fait-il qu'un garçon aussi intelligent ne réussisse pas à perdre du poids ? »

« C'est malin ! » a pensé Lucy.

– Et ta maman ? a-t-elle enchaîné, espérant une réponse plus encourageante.

– Elle m'a dit : « C'est très bien, Norman ! Maintenant, il faudrait que tu aies un A en diététique. » Ils ne pensent qu'à mon poids.

Lucy était vraiment désolée pour lui. Ses parents faisaient partie de son problème de poids et ils ne s'en rendaient même pas compte.

– Je suis quand même persuadée que tu devrais parler à tes parents. Parle d'abord à ta maman si tu penses qu'avec ton papa c'est plus difficile.

– Elle va encore me dire d'éliminer, a grommelé Norman.

Lucy ne savait plus quoi faire.

– Eh bien, si elle te parle encore de ça, tu sais ce que tu feras ? Regarde !

Elle s'est mise à sautiller en chantonnant :

– Cavalez, gigotez, buvez, éliminez !

Bien entendu, Norman a éclaté de rire.

– C'est une pub pour de l'eau minérale qui passait quand j'étais petite, a-t-elle expliqué.

Ça ne réglait pas le problème, mais le principal était d'avoir redonné le sourire à Norman.

J'avais l'impression que ma tête allait exploser. On était samedi soir et il était six heures. J'avais ingurgité un maximum de conseils sur les rendez-vous en amoureux. Merci, Mary Anne !

Elle m'avait bombardée de magazines féminins. Dès que j'avais fini un article, elle m'en passait un autre à lire. Je ne sais pas comment elle faisait, mais elle avait toujours un article d'avance sur moi. Impossible de la rattraper !

Après avoir lu l'article « Parlez-leur d'eux », j'ai enchaîné avec « Réussir votre premier rendez-vous », puis « Flirter avec esprit », et encore « Sachez montrer votre attention sans le montrer ». Il y en avait même un sur « Les plats autorisés en tête-à-tête » ! J'ai appris qu'il fallait éviter comme la peste les aliments susceptibles de rester coincés entre les dents, sans oublier bien sûr ceux qui vous donnent des gaz. N'importe quoi !

Mary Anne commençait à m'agacer de plus en plus, mais c'était difficile de le lui dire, puisqu'elle essayait de m'aider. Je n'arrêtais pas de me dire que je devais lui en être reconnaissante. Après tout, elle avait un petit ami et savait certainement plus de choses que moi en la matière. Mais elle m'agaçait quand même sérieusement.

Elle était assise sur mon lit en attendant que je finisse de me préparer pour notre rendez-vous à quatre.

– Carla, tu ne comptes pas mettre ça ? s'est-elle écriée en me voyant sortir ma nouvelle jupe moulante.

– Mais tu m'avais dit quc tu la trouvais jolie !

– Je sais, mais pas pour ce soir. Il te faut quelque chose de spécial.

Mary Anne portait une ravissante robe à fleurs et je lui avais fait une tresse africaine. Elle avait mis un peu de blush, du mascara et du brillant à lèvres, mais rien de très spécial pourtant.

– Et toi ? ai-je rétorqué. Tu es exactement comme d'habitude.

– C'est parce que Logan m'aime comme je suis.

C'était la deuxième fois qu'elle me faisait cette remarque.

– Alors que tu connais à peine Lewis, a-t-elle ajouté comme si c'était une évidence.

J'ai levé les bras en signe d'exaspération.

– Je n'ai rien d'autre à mettre. Enfin, je n'ai rien de spécial.

– Je vais voir ce que j'ai, m'a-t-elle fait en se levant et en allant dans sa chambre.

J'ai secoué la tête. Je n'arrivais pas à y croire ! Il y a encore un an, je n'aurais jamais pu imaginer demander un conseil vestimentaire à Mary Anne. Elle qui, il n'y pas si longtemps encore, portait des robes de petite fille modèle. Maintenant, c'était elle qui me disait ce qu'il fallait que je mette. C'était incroyable !

Elle est revenue quelques secondes plus tard avec une jupe en jean et un pull à col cheminée noir.

– Tiens, essaie ça.

Je les ai enfilés, mais alors que je trouvais le résultat un peu tristoune, elle s'est exclamée :

– Parfait ! Je vais appeler Logan pour lui dire que nous sommes prêtes.

J'étais loin d'avoir fini de me préparer, mais elle avait déjà tourné les talons. Je me suis regardée dans le miroir. Je me trouvais complètement insignifiante habillée comme ça. Je n'avais plus une seconde à perdre. J'ai mis du blush, du mascara et beaucoup de fard à paupières bleu marine pour accentuer mon regard. Puis, j'ai fini par une touche de rouge à lèvres rose vif que j'avais acheté l'après-midi même.

Mary Anne m'avait conseillé de relever mes cheveux avec une pince et de laisser les boucles retomber en arrière. Elle adorait cette coiffure.

Seulement j'avais lu dans un magazine qu'il ne fallait surtout pas s'attacher les cheveux si on voulait attirer l'attention d'un garçon, parce qu'il fallait laisser « éclater sa féminité resplendissante et ondoyante ». (Quelle façon de parler !) Alors, j'ai enlevé la pince et j'ai laissé retomber ma chevelure « ondoyante ». Je ressemblais à une petite fille avec mes grosses boucles. Heureusement que j'avais du gel pour leur donner un côté plus branché.

J'ai égayé ma tenue avec des collants zébrés que j'avais achetée chez *Zingy* et des bottines noires que j'avais déjà. La jupe était un peu longue à mon goût, alors je l'ai roulée au niveau de la taille et j'ai laissé le pull par-dessus. Je me trouvais déjà mieux ainsi.

Quand j'ai croisé Mary Anne dans les escaliers, elle m'a regardée d'un air contrarié :

– Qu'as-tu fait à tes cheveux ?

– Je les préfère comme ça.

– Bon, si tu le dis, a-t-elle fait d'un air sceptique. Mais tu y es allée un peu fort sur le fard à paupières !

– Si ça ne va pas, je peux encore l'enlever, lui ai-je lancé d'un ton sec en commençant à rebrousser chemin.

Elle m'a retenue par le bras.

– On n'a pas le temps. Lewis et Logan vont arriver. Ce n'est pas si mal, après tout.

– Merci, ai-je fait froidement.

– Ce n'est pas ce que je voulais dire. Tu es très bien comme ça et en plus tu risques de tout gâcher en essayant d'en enlever un peu. Je ne voudrais pas arriver en retard à la séance de cinéma.

– Je croyais qu'on allait manger d'abord ?

– Logan et moi avons décidé qu'on irait manger après le film. Comme on s'est donné rendez-vous plus tôt, on va en profiter pour aller à la première séance de la soirée.

– C'est gentil de m'avoir prévenue !

Maman et Frederick regardaient la télévision dans le salon. Frederick a froncé les sourcils en me voyant. Maman lui a aussitôt lancé un regard qui voulait dire : « Laisse-la tranquille. » Je lui suis reconnaissante de n'avoir fait aucun commentaire désagréable (merci, maman). Il s'est contenté de se replonger dans l'émission qu'il regardait.

La sonnerie de la porte a retenti.

– Amusez-vous bien ! nous a lancé maman.

– Soyez de retour à dix heures ! a fait Frederick en levant un instant les yeux de l'écran.

– Tu avais dit dix heures et demie ! lui a rappelé Mary Anne.

– A dix heures et demie pile, alors.

Logan attendait à la porte avec l'air qu'il a tous les jours (exactement comme George Michael, dirait Mary Anne). Je suis sûre qu'il n'avait pas dû passer plus de dix minutes pour enfiler un tee-shirt propre et se peigner. Les garçons ont de la chance. Ils n'ont pas besoin de se pomponner.

– J'aime bien comme tu es coiffée, a-t-il dit à Mary Anne.

– Merci.

Son père nous attendait dans la voiture, le moteur en marche. Logan s'est installé à l'avant, nous laissant Mary Anne et moi nous mettre à l'arrière avec Lewis. Dès que mes yeux se sont posés sur lui, j'ai senti mon cœur fondre.

– Salut ! lui ai-je lancé en entrant dans la voiture.

Mais je me suis souvenue des conseils des magazines – « appelez la personne par son prénom » – , alors je me suis tout de suite reprise :

– Salut, Lewis.

– Pas besoin de faire le perroquet, Carla. Il n'est pas sourd, a grommelé Mary Anne avec un petit rire nerveux.

– Je le sais, Mary Anne. Ce n'était pas la peine de le préciser, lui ai-je répliqué à voix haute.

– Salut ! a fait Lewis en riant. Alors, vous allez me faire découvrir la vie nocturne de Stonebrook ?

– Cela va nous prendre trois secondes, ai-je murmuré d'un ton sarcastique.

Mais je me suis souvenue encore une fois d'un conseil pour

lancer une conversation : «Évitez toute attitude négative, soyez optimiste. »

– En fait, me suis-je corrigée, il y a plein de choses à faire à Stonebrook. La ville est très réputée pour sa vie nocturne. Je sors presque tous les soirs.

J'allais poursuivre mais l'expression gênée de Mary Anne m'a arrêtée.

Elle me regardait comme si j'avais perdu la tête.

– Enfin, pas tous les soirs de la semaine, ai-je fait en gloussant. Mais souvent. Je veux dire...

– Carla plaisante, m'a interrompue Mary Anne. Elle aime faire des blagues, n'est-ce pas, Carla ?

Lewis et Mary Anne m'ont fixée en attendant une réponse.

– Mais oui, ai-je dit en me sentant vraiment débile. C'est tout moi, ça ! Je dis n'importe quoi.

– Et si tu parlais de la Californie à Lewis, Carla, m'a suggéré Mary Anne.

– La Californie est un endroit formidable, ai-je commencé. Je pourrais en parler pendant des heures. La dernière fois que je suis retournée rendre visite à mon père et à David, c'était comme si je n'en étais jamais partie. Mais en même temps, cela me faisait tout bizarre d'y retrouver les choses que j'avais laissées derrière moi. Je crois que c'est parce que...

Je me suis interrompue. J'avais tout faux. Je n'étais pas sensée parler de moi, mais de lui. Il fallait que j'oriente la conversation sur lui.

– Mais parle-nous plutôt du Kentucky, Lewis, ai-je repris.

– Je pense que Logan a déjà dû vous en parler.

« Un compliment est toujours agréable à recevoir », me suis-je alors souvenue.

– Parle-nous de Louisville. La ville où tu habites ne peut être qu'un endroit absolument fascinant, Lewis !

J'étais plutôt fière de moi. J'avais à la fois orienté la conversation sur lui et fait un compliment. En plus, j'avais placé son prénom à plusieurs reprises.

Lewis m'a regardée bizarrement. Il ne devait pas avoir l'habitude de parler avec autant de subtilité.

– Il n'y a rien de fascinant, a-t-il fini par dire d'une voix hésitante.

Il nous a raconté un peu ce qu'il faisait chez lui, mais je ne l'écoutais pas vraiment. J'étais bien trop occupée à me demander comment j'allais pouvoir enchaîner.

« Relevez un détail spécial concernant votre interlocuteur. » Qu'y avait-il de particulier chez Lewis que je pouvais mettre en évidence ? J'ai eu un éclair de génie.

– Hé ! Je viens de réaliser quelque chose de drôle ! me suis-je exclamée tout d'un coup.

– Carla ! m'a rabrouée Mary Anne (en fait, cela a donné une espèce de « Garrglaa ! »). Lewis était en train de parler !

– Je suis désolée, mais je viens de me rendre compte que tu t'appelles Lewis et que tu habites à Louisville.

– Et alors ? a demandé Mary Anne, agacée.

– Eh bien, Lewis, Louis. Tu ne vois pas où je veux en venir ?

Lewis s'est mis à ronchonner :

– Depuis que je suis tout petit, on me fait ce jeu de mots. « Hé, Lewis, la ville t'appartient ? » Et quand j'ai le malheur de demander mon chemin, on me répond : « Mais c'est ta ville, Lewisville, tu devrais savoir mieux que tout le monde. » Ça me rend complètement dingue !

– Oh, pardon, me suis-je excusée.

– Ce n'est pas grave, tu ne pouvais pas savoir, m'a-t-il dit en souriant.

Il était vraiment trop gentil !

En arrivant au cinéma, j'ai été étonnée de voir que *Autant en emporte le vent* était à l'affiche. J'étais persuadée qu'on allait voir un nouveau film. Un de ceux dont j'attendais la sortie avec impatience.

– On a choisi un film qui se passe dans le Sud pour faire honneur à Lewis, m'a expliqué Mary Anne pendant qu'on faisait la queue.

Elle a profité du moment où les garçons achetaient les billets pour me glisser à l'oreille :

– En fait, j'ai choisi ce film parce que c'est le plus romantique que je connaisse. Tu n'auras qu'à laisser ta main bien en évidence pendant les scènes de baiser pour que Lewis puisse la prendre. Il y a aussi des scènes qui font peur. Rapproche-toi de lui à ces moments-là comme si tu avais vraiment très peur.

– D'accord.

Mary Anne avait l'air de savoir ce qu'elle faisait. Je me suis dit que j'allais suivre ses conseils.

– Et si on prenait du pop-corn ? a suggéré Logan en passant devant le stand.

– Oh oui, a fait Mary Anne.

– Tu en veux aussi ? m'a demandé Lewis.

– Non, merci, Lewis.

J'avais bien mentionné son nom sans oublier la règle qui consiste à ne rien manger qui puisse coller aux dents. Mais Mary Anne m'a pincé le bras discrètement.

– Mais bien sûr que si, Carla veut du pop-corn, a-t-elle dit à Lewis. Elle adore le pop-corn, n'est-ce pas, Carla ?

– Oh oui, bien sûr. J'avais oublié.

Une chose était certaine, c'était que je ne brillais pas par mon intelligence ce soir-là. Mais ce n'était peut-être pas si grave après tout. J'avais entendu dire que les garçons n'aimaient pas particulièrement les filles intelligentes.

– Comme tu as payé les billets d'entrée, c'est moi qui vais acheter le pop-corn, ai-je proposé. Aïe ! (Mary Anne m'avait de nouveau pincée, mais beaucoup plus fort cette fois-ci.)

– Ça va ? s'est inquiété Lewis.

– Oui, j'ai... C'est juste une crampe, ai-je menti.

– Oh, tu veux rentrer chez toi ?

Super ! Il me croyait malade maintenant.

– Ce n'est rien. C'est dans la jambe. Cela va passer tout seul.

J'ai fait semblant de boiter un peu pour paraître plus crédible.

– Elle a toujours des crampes aux mollets, a renchéri Mary Anne. Cela va passer le temps que tu ailles acheter le pop-corn.

– D'accord.

Lewis n'avait pas l'air rassuré mais il est allé rejoindre Logan au stand de friandises.

– Arrête de me pincer ! ai-je fait à Mary Anne.

– Excuse-moi, mais il fallait que je trouve un moyen de l'éloigner. Je ne pouvais pas te laisser refuser de prendre du pop-corn. C'est ce qui te donnera l'occasion de toucher sa main comme par hasard.

Choisir les places n'a pas été une mince affaire non plus.

Mary Anne a fait tout un plat pour que Lewis et moi puissions être l'un à côté de l'autre. Heureusement que les lumières se sont éteintes et que le film a commencé.

Lewis avait une façon de partager le pop-corn qui ne laissait aucune chance à nos mains de se rencontrer.

En effet, au lieu de poser le pot entre nous deux et de le laisser là, il me le donnait pour que je me serve puis le reprenait sur ses genoux, et ainsi de suite.

C'était donc à moi de jouer. Quand ce fut à mon tour d'avoir le pop-corn, je l'ai posé sur l'accoudoir des sièges entre nous et j'ai attendu. Mes yeux allaient de l'écran au pop-corn. J'attendais que Lewis se serve. Je ne devais pas louper la première occasion de tendre ma main en même temps que lui.

Quand il s'est enfin décidé à en prendre une poignée, je n'ai pas hésité une seconde. Mais je l'ai raté.

Pire encore, au lieu d'effleurer délicatement sa main, j'ai renversé le pot. Il y en avait partout.

– Je suis désolée ! me suis-je écriée en sautant de mon siège.

– Asseyez-vous ! a protesté une dame assise derrière moi.

J'ai dû ramasser le pop-corn à quatre pattes par terre.

– Assieds-toi et laisse tomber le pop-corn ! m'a lancé Mary Anne sèchement.

– D'accord, ai-je grommelé en me rasseyant sur des grains de pop-corn.

Pendant la scène de l'incendie d'Atlanta, je me suis rapprochée de Lewis, comme me l'avait conseillé Mary Anne. Seulement il était sur le rebord de son siège et se tenait penché en avant. Il n'a rien remarqué.

Pour couronner le tout, l'histoire a commencé à mal

tourner pour Scarlett, l'héroïne du film. Je me suis mise à pleurer quand sa fille est tombée de cheval et qu'elle est morte. Lewis s'est tourné vers moi.

Pendant un court instant, j'ai cru qu'il était ému par ma sensibilité. Pas du tout.

En fait, il me fixait d'un air bizarre, surtout quand j'essuyais mes larmes. J'ai jeté un coup d'œil à mes mains et j'ai réalisé qu'elles étaient couvertes de bleu marine. Mon maquillage avait coulé, bien sûr.

– Oh non ! ai-je fait à voix haute en me levant par réflexe.

Je devais avoir des traînées de fard à paupières sur tout le visage.

– Asseyez-vous, enfin !

C'était de nouveau la dame de derrière.

– Excusez-moi, ai-je murmuré piteusement.

Puis j'ai dû traverser quelque chose comme un million de pieds pour regagner l'allée qui menait aux toilettes. Quand je me suis vue dans le miroir, j'ai cru que j'allais m'évanouir. C'était encore pire que ce que j'avais imaginé. Cela m'a pris une éternité pour avoir l'air de nouveau présentable.

Mais le film n'était pas encore fini. Quand Miss Mélanie est morte à son tour, je n'ai pas pu me retenir. Et me revoilà à sangloter bêtement et à devoir me débarbouiller de nouveau. Mary Anne aurait pu choisir une comédie !

En plus d'être triste, *Autant en emporte le vent* est aussi l'un des films les plus longs de l'histoire du cinéma. Il était presque dix heures quand on est sortis.

– On peut aller manger quelque chose de rapide à la brasserie, a proposé Logan. Il y a un téléphone d'où je pourrais appeler mon père.

– Je crois qu'on ferait mieux de rentrer directement à la maison, ai-je fait, le moral à zéro. Frederick va être furieux si on est en retard.

Mary Anne a dû l'admettre à contrecœur. Mais elle était déterminée à profiter au maximum des dernières minutes de la soirée.

– Carla est très drôle, tu sais, a-t-elle déclaré à Lewis sur le chemin du retour. Carla, raconte à Lewis ce que tu as fait pour le réveillon du jour de l'an !

– Je ne vois pas de quoi tu parles.

– Mais si, tu sais.

Puis en se tournant de nouveau vers Lewis :

– Carla a accroché au mur une banderole, trouvée au fond d'un carton, où il était écrit « Bonne année 1979 ».

– Je ne comprends pas, a murmuré Lewis d'un air perplexe.

– Il n'y a rien à comprendre. C'est juste que personne d'autre n'aurait eu l'idée de l'accrocher. Seulement, Carla ne fait jamais les choses comme tout le monde. Elle est très originale.

Lewis m'a regardée avec le même air consterné qu'à l'aéroport. Ce rendez-vous était une catastrophe. Et Mary Anne ne faisait qu'empirer les choses.

J'avais l'impression que le trajet durait une éternité.

Heureusement, on a fini par apercevoir notre maison au bout de la rue. M. Rinaldi nous a déposées devant chez nous.

– Bon, a fait Mary Anne en agitant la main tandis que la voiture s'éloignait. Je crois que la moindre des choses que tu puisses faire est de me remercier.

– De quoi tu parles ?

– J'ai fait tout ce que j'ai pu pour que cette rencontre se passe bien. Ce n'est pas de ma faute si tu as tout fait de travers. Moi, j'ai fait de mon mieux.

– Bien sûr, lui ai-je répondu, furieuse. Je voudrais te remercier, Mary Anne. Merci pour tout ce gâchis !

J'en ai pleuré de rage et je suis partie en courant me réfugier dans ma chambre.

11

Le lundi après-midi suivant, je voulais absolument éviter d'arriver à la réunion du Club des baby-sitters en même temps que Mary Anne. Sinon, il aurait fallu que lui parle. Or, j'avais décidé de ne plus jamais adresser la parole à Mademoiselle Je-sais-tout-sur-les-rendez-vous-amoureux-ratés.

De toute façon, Mary Anne ne voulait plus m'adresser la parole non plus. Et c'était très bien comme ça. Même si je ne voyais pas pour quelle raison elle était fâchée contre moi.

J'avais laissé à Mary Anne cinq minutes d'avance, mais je suis arrivée chez Claudia quasiment en même temps qu'elle. (Je pense que c'est parce que j'ai des jambes plus longues que les siennes.)

Elle montait les escaliers quand j'ai ouvert la porte d'entrée des Koshi. Sans même lui jeter un regard, je l'ai dépassée en grimpant les marches deux par deux.

Tout le monde était déjà là.

– Comment s'est passé ton rendez-vous ? m'a tout de suite demandé Lucy.

On n'en avait pas encore parlé, même si on s'était vues à l'école le jour même. La cafétéria est loin d'être l'endroit idéal pour les conversations intimes.

– C'était bien ? a renchéri Kristy.

– Raconte-nous tout ! m'a pressée Claudia.

– Il n'y a pas grand-chose à raconter, leur ai-je répondu en m'installant sur le lit. Mary Anne n'arrêtait pas de me couper la parole. Elle m'a traitée comme une débile devant tout le monde et s'amusait à raconter des histoires complètement absurdes sur moi. Voilà ! Grâce à elle, je n'ai plus aucune chance avec Lewis.

Mary Anne était entrée dans la pièce juste derrière moi. Elle avait tout entendu, bien sûr. Elle était rouge de colère.

– Vous voulez savoir ce qui s'est vraiment passé ? En réalité, c'est Carla qui a tout fait rater. Elle s'est ridiculisée toute seule, alors que j'essayais de l'en empêcher. C'est vrai qu'à ces moments-là, j'ai dû lui couper la parole. Mais c'était pour son bien. J'ai dû aussi raconter des anecdotes un peu drôles sur elle, parce qu'elle ne disait rien d'intéressant.

J'ai alors relevé une de mes manches.

– Mallory, tu vois ce bleu ?

– Qu'est-ce qui t'est arrivé ? m'a-t-elle demandé en grimaçant de douleur.

– C'est l'endroit où Mary Anne me pinçait à chaque fois qu'elle n'appréciait pas ce que je disais.

– Ouille ! a fait Jessi en signe de sympathie.

– Carla était tellement perdue dans son monde que c'était la seule façon d'attirer son attention, s'est défendue Mary

Anne. J'ai tout fait pour l'aider. Je l'ai coiffée, mais elle a tout défait. Je lui avais choisi une jolie tenue, mais elle s'est débrouillée pour la transformer, comme tout ce qu'elle porte ces derniers temps. On aurait dit une folle.

Toutes mes amies me dévisageaient en silence. J'avais passé la journée de dimanche à teindre une paire de collants blancs et des vieux tee-shirts de Frederick de toutes les couleurs. Ce jour-là, je portais mon collant multicolore, un des tee-shirts noué sur le côté par-dessus un justaucorps et ma nouvelle jupe moulante. Je m'étais aussi fait des tresses africaines sur toute la tête et je les avais enduites de gel.

– Demandez-lui ce qui est arrivé à son maquillage au cinéma, a ajouté Mary Anne.

– Mary Anne a fait exprès de choisir un film triste pour que je pleure et que mon maquillage coule, ai-je protesté.

– Et je ne t'avais pas dit de ne pas mettre autant de maquillage ?

– Bon vous réglerez ça plus tard, nous a coupées Kristy, exaspérée. On est en pleine réunion et il y a certainement plus important à faire.

Mary Anne m'a lancé un regard glacial. Elle a ouvert l'agenda sur ses genoux et a annoncé :

– Je suis prête.

– J'aimerais parler des Hill, a commencé Lucy. Je me demandais si l'une de nous pouvait parler aux parents de Norman. Ils le culpabilisent tellement qu'il déprime. Du coup, il mange. C'est un cercle vicieux

– Je crois qu'ils s'y prennent mal, est intervenue Jessi.

– Oui, a acquiescé Claudia, mais on n'est pas censées se mêler de leurs affaires.

– On ne peut quand même pas laisser Norman souffrir sans rien faire ! a objecté Lucy.

– Lucy a raison, ai-je dit. Norman croit que ses parents ne l'aiment pas, qu'il ne compte pas, qu'il est insignifiant. Quelqu'un doit leur parler de ce malentendu.

– Qui ? a demandé Kristy.

C'était bien le problème. Qui ? Personne n'a osé s'avancer. Surtout pas moi. Les Hill ne me mettent pas à l'aise et je me voyais mal aborder ce genre de problème avec eux.

– Personne ? a-t-elle insisté. Moi, je ne les connais pas. En plus, je ne suis pas sûre que cela nous regarde.

– C'est mon idée après tout, a fait Lucy. Je devrais le faire, mais je n'ose pas. En fait, j'ai l'impression de les embêter à chaque fois que je leur demande quelque chose.

– Je vois tout à fait ce que tu veux dire, a acquiescé Claudia. C'est comme s'ils étaient toujours trop pressés ou trop occupés.

– Je pense que Norman ressent la même chose que nous, ai-je ajouté.

– Avant de faire quoi que ce soit, a déclaré Kristy, il faut y réfléchir plus. Peut-être que l'une de nous finira par trouver une solution plus adroite.

– Je l'espère, a soupiré Lucy.

Le téléphone a sonné. C'était justement M. Hill. Il avait besoin d'une baby-sitter pour le lendemain.

– Je suis la seule à être libre demain, a annoncé Mary Anne après avoir consulté le planning. Comme ça, je verrai comment ça se passe et je vous tiendrai au courant. Qui sait ? J'aurai peut-être une bonne idée sur le moment.

– Hum, ai-je fait d'un air sarcastique.

Mary Anne m'a toisée sans un mot.

Il y a eu deux autres appels. Le premier était des Prezzioso et c'est Kristy qui a accepté le travail. Le deuxième était des Barrett.

– Est-ce que quelqu'un veut bien dire à Carla qu'elle peut prendre cette garde si elle le veut ? a demandé Mary Anne.

J'ai préféré garder le silence.

Kristy a poussé un gros soupir avant de se tourner vers moi :

– Carla, est-ce que tu acceptes la garde chez les Barrett ?

– Oui, j'accepte, ai-je répondu sans regarder Mary Anne.

Ma demi-sœur a fait semblant de n'avoir rien entendu.

– Oui, elle accepte, a répété Kristy, excédée par notre petit manège.

– Merci, a fait Mary Anne en reportant le baby-sitting sur le planning.

Le reste de la réunion s'est déroulé dans la même ambiance glaciale. Une fois rentrées à la maison, Mary Anne et moi avons continué à nous ignorer. Cela aurait pu durer longtemps si nos amies n'étaient pas intervenues.

Kristy a appelé vers six heures et demie. Nous étions dans la cuisine en train d'aider maman à préparer le dîner.

Maman a répondu au téléphone, puis elle a tendu le combiné à Mary Anne.

– Euh... Mm... D'accord... Mm..., faisait Mary Anne en fronçant les sourcils. Mais pourquoi ?

Elle avait l'air ennuyée et légèrement agacée. Je mettais la table tout en faisant semblant de ne pas écouter. Mais je dois avouer que ces bribes de conversation m'intriguaient beaucoup et que j'aurais donné cher pour savoir ce que Kristy lui disait. Normalement, Mary Anne m'aurait expliqué au fur et à mesure ce qui se passait, mais là, il n'en était pas question.

– Tu peux le lui dire toi-même, a-t-elle soudain répliqué d'un ton sec.

Mais Kristy n'a pas dû être d'accord puisque Mary Anne est restée en ligne quelques minutes de plus. Puis, elle a posé le combiné sur le plan de travail et s'est tournée vers moi :

– Carla, va prendre l'autre téléphone. Kristy voudrait nous parler à toutes les deux en même temps.

Je suis allée dans le salon, et j'ai décroché.

– Salut, Kristy. Que se passe-t-il ?

– Je n'arrête pas de penser aux Hill. Mary Anne doit aller chez eux demain et, comme tu les connais, je me demandais si tu avais des conseils à lui donner. Je ne les ai même pas encore vus, alors je n'arrive pas à me faire une idée précise de l'ambiance familiale.

Si vous vous demandiez encore pourquoi Kristy est la présidente du Club des baby-sitters, la réponse doit vous paraître plus évidente maintenant. Elle n'est jamais à court d'idées pour résoudre les problèmes. Là, elle me mettait au pied du mur. Si je refusais de parler à Mary Anne, je refusais de venir en aide à Norman. En plus, c'était astucieux de nous faire communiquer par téléphone alors qu'on était au même endroit. On évitait ainsi un face-à-face embarrassant.

– J'ai une idée, mais je ne suis pas sûre qu'elle soit bonne, ai-je annoncé. Je me disais que Norman a certainement un professeur avec lequel il se sent en confiance. Tu pourrais lui conseiller d'aller le voir et de lui parler de ses problèmes. Ce prof pourrait alors convoquer les Hill pour en discuter avec eux. Il est certainement mieux placé que nous pour le faire.

– Est-ce que tu penses que nous devons aussi entrer en contact avec ce prof ? a demandé Kristy.

– Peut-être.

– Les Hill risquent de ne pas apprécier, est intervenue Mary Anne. Ils pourraient nous reprocher de nous mêler de ce qui ne nous regarde pas.

– Et si on se contentait d'encourager Norman à se confier à l'un de ses profs ? a proposé Kristy.

– Tu penses qu'il osera le faire ? s'est inquiétée Mary Anne.

– Je ne sais pas, ai-je répondu.

Puis, il a bien fallu que je m'adresse directement à Mary Anne :

– Je pense que Kristy a raison.

– Je vous laisse en discuter toutes les deux, a-t-elle fait alors en considérant que son stratagème avait marché. Je vais appeler Lucy et lui demander ce qu'elle en pense.

Bon, je dois avouer que Kristy n'est pas toujours très subtile. Quand elle a eu raccroché, Mary Anne et moi, nous nous sommes tues un moment, incapables de dire un mot de plus. On a fini par reposer chacune le combiné pour continuer à mettre la table en silence. Cinq minutes plus tard, le téléphone a de nouveau sonné.

Cette fois-ci, c'était Lucy.

– Salut, Carla ! m'a-t-elle dit. J'ai une idée concernant Norman. Je pense que ça peut marcher.

– Je t'écoute.

– Dis à Mary Anne de décrocher aussi. C'est elle qui le garde demain.

J'étais de nouveau obligée de m'adresser à Mary Anne.

– Tu peux décrocher dans le salon ? lui ai-je demandé.

– Salut, Lucy, a fait Mary Anne en prenant l'autre combiné.

– Salut ! Voilà mon idée : la dernière fois que je suis allée chez les Hill, j'ai remarqué que Sarah aurait bien aimé suivre le cours d'aérobic sur la cassette vidéo et que ses parents sont inscrits à un club de gym. On pourrait peut-être les inciter à faire du sport tous ensemble. Norman se sentirait encouragé et soutenu par sa famille. Il partagerait enfin quelque chose avec eux. Je crois que le gros problème de Norman, c'est qu'il se sent exclu.

– C'est une idée géniale ! me suis-je écriée.

– Mais qui va en parler aux Hill ? a demandé Mary Anne. Je ne peux quand même pas aller chez eux pour leur dire ce qu'ils doivent faire. Je ne les connais même pas !

– Claudia s'entend bien avec Sarah, ai-je fait remarquer. Elle sait peut-être comment on peut amener ça sans être trop brusque.

C'est dingue ! Je venais encore une fois de parler à Mary Anne sans m'en rendre compte.

Lucy a raccroché et cela a été au tour de Claudia de nous appeler. Mary Anne et moi avons dû à nouveau décrocher toutes les deux. Claudia a suggéré de faire en sorte que Norman et sa sœur passent plus de temps ensemble.

– Ce serait un premier pas. Il faut surtout éloigner Elizabeth, la copine de Sarah. Elle se met toujours entre eux.

Je suis intervenue :

– N'en fais pas trop non plus, Mary Anne. Norman ne peut jamais rien faire tout seul. Son père, sa mère ou sa sœur sont toujours en train de lui mettre la pression et de lui dire ce qu'il doit faire. Il finirait peut-être par perdre du poids tout seul, si on le laissait tranquille. Si on le force, il va se braquer, comme avec ses parents.

– Tu as raison, on n'y avait pas pensé.

Cette fois-ci, c'était elle qui m'avait parlé !

Tard ce soir-là, Mallory a appelé pour nous soumettre une de ses idées. Elle pensait proposer à Norman de faire une bande dessinée qui raconterait l'histoire d'un garçon trop gros qui aurait des super pouvoirs.

– Cela lui donnerait une meilleure image de lui-même, nous a-t-elle expliqué.

Jessi a appelé aussi pour nous dire qu'elle trouvait qu'il valait peut-être mieux proposer à Norman de danser plutôt que de faire du sport.

– C'est beaucoup plus amusant et le résultat sera le même, a-t-elle ajouté pour nous convaincre tout à fait. J'ai une cassette avec des pas de danse. Tu pourrais la prendre demain avec toi, Mary Anne.

Reconnaissez que les membres du Club des baby-sitters ne font pas les choses à moitié. Quand nous nous y mettons toutes, aucun problème ne nous résiste.

J'ai réfléchi à tout cela le soir en me couchant, et j'ai compris une chose importante. J'avais dit à Mary Anne qu'il fallait qu'on le laisse tranquille, qu'on arrête de croire que l'on sait mieux que lui ce qu'il doit faire.

J'ai pensé à ma rencontre avec Lewis.

Si je n'avais pas voulu suivre à tout prix les conseils de Mary Anne, j'aurais été plus à l'aise avec lui. J'aurais été plus naturelle et tout se serait mieux passé.

C'est fou comme on voit mieux les choses quand il s'agit de quelqu'un d'autre que soi-même ! C'était décidé. Il fallait que je trouve un moyen de revoir Lewis. Seule.

Mardi

Pauvre Norman. Ses parents sont complètement obsédés par son régime. L'atmosphère est irrespirable chez eux. C'était encore pire que ce à quoi je m'attendais. Dès mon arrivée, M. Hill nous a pris à part, Norman et moi, pour nous faire la leçon sur ce qu'il avait le droit de manger ou non. M. Hill avait affiché les listes d'aliments interdits et autorisés sur le réfrigérateur pour être sûr qu'on s'en souvienne. Il m'a même demandé de faire courir Norman devant la maison et de le chronométrer.
J'ai essayé de me rappeler tous les bons conseils que vous m'aviez donnés, mais je ne voyais pas vraiment comment je pouvais les appliquer. Enfin, j'ai fait de mon mieux...

Mary Anne a commencé par proposer à Norman et à Sarah de danser sur la cassette de Jessi.

– Ce n'est pas la bonne cassette, a rétorqué la petite fille. Mon père dit que Norman doit s'entraîner sur sa cassette. Elle est faite exprès pour les garçons.

Mary Anne a jugé bon d'ignorer sa remarque.

– Allez, viens, Norman. On va s'y mettre. Je suis sûre qu'on va bien s'amuser.

Mais Norman a croisé les bras en signe de protestation.

– Je ne danse pas.

– Tu sais, je suis aussi gênée que toi. Je n'ai pas l'habitude de danser devant des gens, mais on est entre nous. Personne ne peut nous voir.

– Pas question ! Il n'y a que les mauviettes qui dansent.

– Justement, est intervenue Sarah. Tu devrais adorer ça, puisque tu es la plus grosse mauviette que je connaisse !

– Ce n'est pas gentil de dire ça, lui a fait remarquer Mary Anne.

Sarah a haussé les épaules.

– Je ne dis que la vérité : Norman est une mauviette et Norman est gros. Je n'y peux rien !

Puis, elle a tourné les talons et s'en est allée dans sa chambre.

Mary Anne a préféré ne pas insister. Elle a décidé d'essayer l'idée de Mallory et a donc proposé à Norman de faire une bande dessinée. Le petit garçon était très enthousiaste. Ils se sont installés dans la cuisine. Seulement, Mary Anne n'est pas très douée en dessin et le projet a tourné court quand Norman lui a demandé d'un air méfiant :

– Pourquoi tu dessines un ballon avec une tête ?

– Hum… Je voulais juste faire un nuage, a fait Mary Anne, embarrassée.

Puis elle s'est dit qu'il valait mieux s'arrêter là. Ils étaient tous deux en train de ranger les crayons de couleur quand Sarah a fait irruption en brandissant un dessin. Elle l'a scotché sur le réfrigérateur, à côté des listes d'aliments pour Norman. Elle avait dessiné un cochon et avait écrit en dessous : « Je suis gros parce que je mange trop. »

– Sarah, enlève ça tout de suite, s'il te plaît, lui a ordonné calmement Mary Anne.

– Mais j'essaie d'aider Norman. C'est pour lui rappeler qu'il ne faut pas trop manger s'il ne veut pas devenir comme ce cochon.

– Je pense que c'est une très mauvaise idée.

– Moi, je pense que c'est une très bonne idée, a rétorqué la petite fille. Ma maman dit toujours qu'il faut qu'on aide Norman à manger moins. Elle dit que c'est un problème qui concerne toute la famille.

Puis, elle est repartie dans sa chambre, pour revenir une minute plus tard avec un autre dessin qu'elle a scotché à côté du premier. C'était un garçon avec un corps complètement disproportionné par rapport à sa tête et elle l'avait intitulé « l'Énorme-man ».

– Cela ne va pas aider ton frère à s'en sortir, a dit Mary Anne.

– Bien sûr que si ! Il doit apprendre à ne pas s'empiffrer comme un goinfre. C'est mon père qui l'a dit. Norman est un goinfre.

Mary Anne était vraiment en colère.

– Pourquoi tu la laisses te dire des horreurs pareilles, Norman ? s'est-elle indignée.

Norman a haussé les épaules et a soupiré :

– Que veux-tu que je fasse ? Je pourrais demander à mes parents de lui dire d'arrêter, mais elle ne le fera pas de toute façon.

– Et pourquoi tu ne le lui dis pas toi-même ?

– Elle ne m'écouterait pas.

– Fais en sorte qu'elle t'écoute. Montre-lui que tu es vraiment en colère.

– Je n'ai pas le droit de la taper.

– Je ne te demande pas de la frapper, mais de ne pas te laisser faire.

– Comment ?

– Pour commencer, tu pourrais enlever ces dessins.

Norman a écarquillé les yeux. Il s'est levé lentement et s'est arrêté devant le frigo d'un air hésitant :

– J'enlève lequel ?

– Est-ce que tu penses qu'un de ces dessins mérite de rester scotché là ?

Norman a fait non de la tête.

– Eh bien, enlève-les tous les deux.

Il a alors tendu la main vers les dessins, s'est emparé de celui où il y avait un cochon. Il l'a déchiré en deux. Un sourire a illuminé son visage. Puis il s'est mis à le déchiqueter en petits morceaux.

Au même moment, Sarah est revenue dans la cuisine avec une autre feuille à la main.

– Mon dessin !

– Regarde ce que j'en fais de ton dessin !

Norman a saisi sa caricature sur le réfrigérateur et l'a déchirée devant les yeux de sa sœur.

– Norman ! Je vais le dire !

Il s'est fait un plaisir de mettre en morceaux ce qui lui restait dans les mains.

– Je ferai la même chose avec tous les autres dessins débiles que tu voudras faire de moi !

Sarah en est restée bouche bée quelques secondes. Puis, elle a pris Mary Anne à témoin :

– Tu as entendu ce qu'il m'a dit ?

– Je crois que tu ferais mieux de ne plus faire de dessins méchants sur lui, lui a répondu Mary Anne en réprimant un sourire.

Sarah a croisé les bras sur sa poitrine puis elle s'en est allée en courant dans sa chambre, claquant la porte derrière elle.

– Comment j'ai été ? a demandé Norman.

– Très bien. Tu n'aurais pas pu faire mieux.

Son visage s'est éclairé.

– Je crois que je vais déchirer aussi les listes de mon père, a-t-il ajouté, plein d'audace.

Mais Mary Anne a retenu gentiment sa main.

– Tu devrais attendre le retour de tes parents pour régler ça, a-t-elle conseillé.

– Mais ils ne me laisseront pas faire ! a objecté Norman.

– Voilà ce que je te propose : tu pourrais leur dire que tu as envie d'enlever ces listes, parce qu'elles te mettent en colère. Qu'est-ce que tu en penses ?

Norman a baissé les yeux sur les morceaux de papier par terre.

– Mm…

– Je suis certaine que tu en auras le courage.

Elle s'est accroupie pour ramasser les morceaux de papier et les a jetés à la poubelle.

– Regarde comme tu as réussi à bien te défendre contre Sarah.

– Tu as raison.

– Est-ce que tu as envie de faire quelques exercices de danse, maintenant ? On n'est pas obligés de répéter exactement les mouvements de la cassette. On n'aura qu'à faire un peu n'importe quoi pour se défouler un peu !

– D'accord.

Ils se sentaient tous les deux de bien meilleure humeur. Une fois la cassette en route, ils se sont amusés comme des petits fous à sauter dans tous les sens en rythme avec la musique. On ne pouvait pas dire qu'ils dansaient, mais au moins ils se dépensaient avec beaucoup de plaisir.

La musique et leurs éclats de rire ont attiré Sarah hors de sa chambre. Elle les observait sur le pas de la porte. Puis, au bout de quelques instants, sans dire un mot, elle s'est décidée à les rejoindre.

– Regardez ! s'est exclamé Norman. C'est un pas de danse que je viens d'inventer : l'hélicoptère fou.

Il a tendu les bras et s'est mis à tournoyer dans toute la pièce.

Sarah a attrapé une de ses chevilles et s'est mise à sautiller à cloche-pied.

– Et moi, je fais le pas de l'échasse à ressort !

Mary Anne les regardait inventer de nouvelles danses les unes après les autres tout en continuant de se trémousser. Elle était ravie de les voir s'amuser ensemble.

Elle m'a confié plus tard qu'elle trouvait que j'avais raison. Norman avait besoin qu'on le laisse s'épanouir. Il avait besoin d'être lui-même sans la pression des regards extérieurs.

Mary Anne s'est arrêtée de danser un moment. Elle venait de réaliser que c'était peut-être l'attitude qu'elle avait eue avec moi. Bien sûr, elle ne l'avait pas fait exprès, mais le résultat était le même.

13

Je savais que Mary Anne faisait du baby-sitting chez les Hill le mardi après-midi, alors j'en ai profité pour voir Lewis toute seule. Comme ça, elle ne pouvait pas s'en mêler et tout faire tomber à l'eau.

Le seul hic, c'est que je n'avais pas le courage d'appeler Lewis. En espérant qu'il accepte un rendez-vous après l'école (si j'arrivais à me décider à décrocher le téléphone), j'ai mis beaucoup de soin à m'habiller.

Je me suis levée plus tôt ce matin-là pour me préparer. J'avais décidé de mettre ma jupe en lycra, les collants que j'avais teints et un haut asymétrique que j'avais confectionné. Mon maquillage était impeccable et mes cheveux parfaitement en place. J'avais refait la coiffure avec les tresses africaines. Avec mes nouveaux bracelets et mes boucles d'oreilles, j'étais prête à affronter Lewis.

Enfin... pas tout à fait. J'avais vraiment le trac. Je savais que je ne devais pas m'attendre à ce qu'il soit enthousiaste de m'entendre. Pas après le rendez-vous catastrophique de samedi soir. Mais je n'avais rien à perdre. Je n'avais plus qu'à me lancer.

A l'heure du déjeuner, je suis allée à la cabine téléphonique dans le hall d'entrée du collège.

« Allez, vas-y, Carla ! » me suis-je encouragée.

J'ai composé le numéro des Rinaldi avec l'estomac noué.

La mère de Logan a décroché et m'a passé Lewis.

– Salut, c'est Carla.

J'avais la voix qui tremblait tellement j'étais nerveuse.

– Salut, Carla, m'a répondu Lewis.

J'ai imaginé son sourire gêné à l'autre bout de la ligne.

– Écoute, Lewis. Je sais que notre rendez-vous de samedi ne s'est pas très bien passé. Mais je pense que cela irait mieux si on pouvait se voir juste tous les deux.

– Eh bien… Hum… Pourquoi pas ? Tu as peut-être raison.

Il n'avait cependant pas l'air très convaincu. J'espérais tout de même un peu plus d'enthousiasme. Mais je m'en suis contentée et j'ai poursuivi :

– On peut se retrouver au café à côté du cinéma, lui ai-je proposé. Tu sais, celui dans lequel on devait aller après le film ? Tu vois où il est ?

– Je pense que oui. A quelle heure ?

– A trois heures et demie.

– D'accord. A tout à l'heure.

Ce n'avait pas été aussi dur que je le croyais. Bien sûr, mon cœur battait à un million de kilomètres heure, mais bon. Au moins, j'avais eu le courage de le faire. J'avais une deuxième chance avec Lewis.

J'ai ensuite rejoint mes amies (ainsi que mon ex-amie Mary Anne) à la cafétéria pour le déjeuner. Je n'avais qu'une envie : leur raconter ce que je venais de faire. Mais à la dernière minute, je me suis retenue. J'étais persuadée que Mary Anne aurait trouvé un moyen de tout gâcher. Je l'imaginais déjà surgir à l'improviste avec Norman et Sarah, ou demander à Logan de nous accompagner. Je ne voulais prendre aucun risque.

J'ai fini mes cours à trois heures. Je me suis précipitée à mon casier pour ranger mes affaires et je suis partie à mon rendez-vous.

Lewis était arrivé au café avant moi. Il s'était installé à une table un peu à l'écart et semblait mal à l'aise. Il n'arrêtait pas de triturer sa paille et de touiller sa limonade.

– Salut, Lewis. Tu as vraiment l'air en pleine forme aujourd'hui.

Je n'avais pas oublié de l'appeler par son prénom et de lui faire d'emblée un compliment.

– Merci.

Il m'a gratifiée d'un de ses fameux sourires gênés. J'espérais secrètement qu'il me féliciterait pour ma tenue, mais il n'en a rien fait.

– Tiens, voilà la carte, a-t-il ajouté. Tu veux quelque chose ?

– Je n'ai pas faim, merci. Je prendrai juste une limonade.

Je suivais à la lettre les recommandations des magazines qui conseillaient de ne pas commander trop de choses à manger. Les garçons s'attendent à ce que les filles aient un appétit d'oiseau. Mais Lewis a eu l'air déçu.

– Bon, je ne prendrai rien non plus, alors.

On s'est dévisagés sans rien dire un long moment. C'était assez gênant.

– Ben, voilà, ai-je soupiré pour briser le silence.

– Ouais. Voilà, a-t-il répété, embarrassé.

De nouveau, le silence.

Soudain, je me suis rendu compte du ridicule de la situation. Je me suis vue dans la glace. Et ce que j'ai vu ne me plaisait pas. Je n'étais pas du tout à l'aise avec ma nouvelle image. Cela me demandait trop d'efforts. Et le résultat était visiblement décevant.

– Lewis, ai-je fini par dire. Je te dois des excuses.

– Toi ? Mais pourquoi ?

– Tu vois, j'ai tout fait pour que tu me trouves séduisante et sophistiquée. Mais en réalité je ne le suis pas. Je suis désolée. Je voulais te plaire, c'est tout...

– Attends un peu, je ne comprends plus rien.

– Je ne peux pas t'en vouloir. La vérité, c'est que je ne ressemble pas du tout à ça.

– A quoi ressembles-tu ? Ne me dis pas que tu es une forme de vie extraterrestre et que ce que je vois n'est qu'un masque !

– Non ! me suis-je esclaffée. Je ressemble en fait à la fille toute simple de la photo. Enfin, de la première que je t'ai envoyée.

– Je l'aime, moi, cette photo.

– C'est vrai ?

– Oui. Je te trouve très jolie dessus. Pourquoi tu as changé de look ?

– Je voulais changer.

– Changer comment ?

– Paraître plus cool...

Lewis s'est mis à rire.

– Je comprends mieux maintenant ! Je n'arrivais pas à croire que tu étais la fille qui m'avait écrit. Tu étais tellement...

– Bizarre, tu veux dire ?

– Oui, c'est ça. Bizarre.

– Tu me trouvais vraiment jolie avant ?

Lewis s'est arrêté de rire, mais ses yeux pétillaient.

– Je trouvais que tu étais la plus jolie fille que j'avais jamais vue. J'étais mort d'impatience de te rencontrer.

– Alors... tu crois qu'on pourrait faire comme si rien ne s'était passé ?

– Pourquoi pas. Je trouve que c'est une bonne idée.

– On pourrait se retrouver chez moi dans une heure, qu'en penses-tu ?

– Tu ne préférerais pas que je te raccompagne ?

– Non. Je ne veux surtout pas que tu me voies habillée comme ça une minute de plus. Rejoins-moi à la maison.

– A dans une heure, alors.

Je me suis levée et me suis dépêchée de rentrer. Je n'avais plus de temps à perdre. J'ai foncé sous la douche pour me démaquiller et me laver les cheveux. Puis, j'ai enfilé un peignoir et enroulé mes cheveux dans une grande serviette.

Il me fallait maintenant trouver une tenue décente. J'ai fouillé dans mon armoire. Heureusement que je n'avais pas entièrement relooké ma garde-robe. J'ai retrouvé avec joie un jean délavé et un sweat-shirt que j'avais acheté en Californie. J'ai séché mes cheveux et je les ai laissés naturels.

– Bon retour parmi nous, Carla ! ai-je lancé à mon reflet dans le miroir.

J'étais prête. J'allais sortir de ma chambre quand je me suis dit qu'un peu de mascara et de brillant à lèvres ne me feraient pas de mal. J'en ai mis très peu. C'était bien moi dans la glace. Je me reconnaissais enfin.

Il n'y avait personne à la maison. J'avais la cuisine pour moi toute seule. J'ai lavé du persil et je l'ai passé au mixeur. Je l'ai mélangé dans un bol avec de l'huile d'olive, de la semoule, du jus de citron et de l'oignon émincé pour faire un taboulé. J'ai mis le tout dans le réfrigérateur. J'ai préparé un plat de légumes à croquer avec des bâtonnets de carotte et de céleri, et du caviar d'aubergine.

Comme on n'a pas le droit d'inviter un garçon à la maison sans la présence d'au moins un de nos parents, voici ce que j'avais programmé de faire : j'emmènerais Lewis faire une petite balade le temps que Frederick rentre à la maison, c'est-à-dire vers quatre heures et demie, cinq heures moins le quart. Puis, on reviendrait ici grignoter ce que je venais de préparer. J'initierais ainsi Lewis à une nourriture bio. J'étais certaine qu'il trouverait ça bon.

La sonnerie de la porte a retenti au moment même où je finissais de tout ranger dans la cuisine. Nous étions parfaitement synchronisés.

Lewis m'attendait sur le perron avec un grand sourire aux lèvres. C'était bon signe. Il n'avait plus du tout l'air gêné.

– Bonjour, Carla. Je suis Lewis.

– Je suis ravie de te rencontrer, Lewis. On pourrait faire connaissance en se promenant un peu. Je vais te montrer notre vieille grange au fond du jardin. Tu veux bien me suivre ?

– Bien sûr. Avec plaisir.

On a marché côte à côte jusqu'à la grange. Je lui ai raconté comment on avait découvert le passage secret. Je lui ai montré la trappe qui y menait et je lui ai expliqué qu'il devait certainement faire partie du réseau clandestin de libération des esclaves pendant la guerre de Sécession.

– Ccla me rappelle l'endroit où on avait l'habitude de passer nos vacances d'été, m'a-t-il confié. C'était une écurie à deux heures environ de Louisville. On s'y est beaucoup amusés avec Logan.

Il m'a rapporté des anecdotes rigolotes comme la fois où il s'est fait passer pour le fantôme d'un cheval mort. Logan avait eu la peur de sa vie.

– On était petits à l'époque et on faisait plein de bêtises. Je m'étais caché sous la fenêtre de sa chambre et le menaçais d'une voix caverneuse : « Tu ne repartiras jamaaaaais d'ici vivant ! »

– Pauvre Logan !

– Pas du tout ! Il m'a bien eu, lui aussi. Un soir, il a attendu sous la fenêtre de ma chambre que je me couche et m'a renversé un seau d'avoine sur la tête.

Je me sentais vraiment à l'aise avec lui. On n'avait pas besoin de chercher un sujet de conversation. Il suffisait d'être détendu et naturel. On a tellement ri qu'on ne s'est même pas rendu compte du temps qui passait. Il était déjà cinq heures et Frederick devait être rentré depuis un moment.

– Tu te souviens que je t'avais promis de te faire goûter des plats diététiques dans une de mes lettres ?

Lewis a esquissé une grimace.

– Oui, je m'en souviens, mais j'avais secrètement espéré y échapper...

– Ne t'inquiète pas. Tu vas adorer.

– Je n'en suis pas si sûr.

– Si tu n'aimes pas ça, je pourrai toujours te faire un hamburger.

J'avais tellement envie qu'il aime ce que je lui avais préparé, que je n'arrivais pas à imaginer le contraire.

Heureusement pour moi, il a adoré ça. En particulier le caviar d'aubergine.

– Alors, tu veux toujours un hamburger ? lui ai-je demandé en souriant.

– Oh non. Je n'ai plus faim du tout.

On était encore à table quand Mary Anne est rentrée. Vous auriez dû voir sa tête quand elle nous a vus dans la cuisine !

– Carla m'a initié à la cuisine diététique ! lui a annoncé Lewis.

– Je vois ça, a fait Mary Anne. Tu as aimé ?

– Oui. Je ne m'y attendais pas du tout, mais c'est vraiment bon. Ceci dit, je dois y aller maintenant.

– Je te raccompagne à la porte, lui ai-je dit en me levant.

Avant de partir, Lewis a pris ma main dans la sienne.

– C'était un premier rendez-vous très réussi. C'était encore mieux que je ne l'avais imaginé. Tu voudrais que je revienne te voir demain ?

– J'ai une réunion du Club des baby-sitters jusqu'à six heures. Mais tu pourrais venir dans la soirée.

– Oh zut ! Mon oncle et ma tante ont prévu de m'amener rendre visite à d'autres membres de la famille. Tu es libre jeudi ?

– Jeudi, c'est parfait.

– Super. Ce sera un jour spécial, Carla, je te le promets.

Je suis restée sur le pas de la porte à le regarder s'éloigner.

Je me suis rendu compte que mon rêve s'était réalisé. Lewis m'aimait. Et surtout, il m'aimait telle que j'étais.

En refermant la porte, j'ai réalisé autre chose. Une chose beaucoup moins agréable, mais à laquelle j'allais être confrontée tôt ou tard : il fallait bien que je me remette à parler à Mary Anne...

Ce soir-là, je n'avais pas très faim. Mais je me suis mise à table avec tout le monde, parce que Frederick tient à ce qu'on prenne les repas ensemble le plus souvent possible. Je me suis contentée de picorer.

Nous étions tous silencieux. Maman et Frederick avaient l'air d'avoir passé une dure journée au travail. Mary Anne et moi, nous nous ignorions toujours.

Elle est montée dans sa chambre tout de suite après avoir débarrassé la table et fait la vaisselle. Je lui ai emboîté le pas.

– Il faut qu'on parle, lui ai-je dit en la suivant dans sa chambre.

A ma grande surprise, elle était d'accord.

– Tu veux commencer ? m'a-t-elle demandé.

– D'accord. Comme tu as pu le constater cet après-midi, Lewis m'aime bien comme je suis. C'est-à-dire comme j'étais avant que tu ne t'en mêles. Tu m'as donné des conseils vraiment débiles, Mary Anne !

– C'est toi qui voulais changer de look ! m'a-t-elle rappelé (à juste titre). Ce n'est pas moi qui ai commencé.

– Je sais. Mais tu m'as dit que j'avais raison de vouloir changer. Et c'est toi qui m'as fait lire ces magazines. Sans parler de tes super conseils ! Tu aurais mieux fait de me laisser me débrouiller toute seule.

– Oh, ça oui ! Je ne te le fais pas dire.

– Quoi ?

Je ne m'attendais pas du tout à ce qu'elle me réponde ça.

– Tu as raison, a-t-elle déclaré. J'aurais dû te laisser te débrouiller toute seule. J'étais tellement sûre que Lewis et toi feriez un beau couple que je me suis emballée. Je voulais que tout soit parfait. Je me rends compte maintenant que j'ai été bête.

Ça alors, je n'en revenais pas.

– Mais... comment en es-tu arrivée à cette conclusion ?

– Je ne sais pas si tu vas me croire, mais c'est grâce à Norman Hill. J'ai réalisé que ses parents étaient tellement obsédés par son poids, qu'ils n'arrivaient même plus à voir ses qualités. Et je me suis rendu compte que je faisais exactement la même chose avec toi.

Ce qu'elle venait de dire m'a fait venir les larmes aux yeux.

– Tu sais ce qui m'a fait le plus de mal ? lui ai-je dit d'une voix étranglée. C'est que tu ne trouvais rien en moi qui puisse plaire. Tu n'arrêtais pas de dire qu'il fallait que je sois différente, que j'agisse différemment. Si tu m'avais dit que j'étais bien comme j'étais, je n'aurais peut-être pas fait tous ces trucs délirants.

Mary Anne a éclaté en sanglots.

– Oh, Carla ! Je t'aime comme tu es. Mais je ne savais pas plus que toi ce qu'attendent les garçons. J'ai eu la chance de plaire à Logan du premier coup, mais c'est un pur hasard. C'est pour cela que j'essayais de deviner ce que Lewis pouvait aimer. J'en étais au même point que toi. Je voulais juste que tout soit parfait.

– Tu veux dire que tu n'as jamais fait le coup du pop-corn ?

Mary Anne a séché ses larmes.

- Non. J'avais lu ça dans un magazine, c'est tout. Comme tu n'avais jamais eu de petit ami avant, je me disais qu'il fallait que tu changes un peu pour plaire à Lewis. A vrai dire, je ne savais pas trop quoi penser. Mais tu es vraiment bien comme ça. Ne change rien.

– Lewis pense comme toi.

– J'ai vu ça. Je suis désolée, Carla.

– Moi aussi, je suis désolée. C'est autant, voire plus de ma faute que de la tienne.

Je l'ai serrée fort dans mes bras. C'était dur de retenir nos larmes. On était de nouveau les meilleures amies du monde.

– C'est dommage d'avoir perdu autant de temps, a ajouté Mary Anne. Lewis s'en va vendredi soir.

Vendredi soir ! Je n'arrivais pas à y croire. J'avais attendu sa visite avec tellement d'impatience et depuis tellement longtemps... et il repartait déjà !

– Logan et moi avions de si beaux projets ! a déploré Mary Anne en se laissant tomber sur son lit.

– Tout n'est peut-être pas perdu. Il nous reste une soirée, et rien ne nous empêche de la passer ensemble. Lewis et moi avions prévu de nous voir jeudi soir. Que penses-tu d'un autre rendez-vous à quatre ?

Le visage de Mary Anne s'est éclairé.

– C'est vrai ? Tu es certaine de vouloir renouveler l'expérience ?

– Oui, uniquement si tu me promets de ne pas tout vouloir diriger, de parler à ma place ou de me dire ce que je dois faire. Enfin, et surtout, si tu ne me pinces pas toutes les deux minutes.

Mary Anne a grimacé de douleur en repensant à cet épisode malheureux.

– Oh, excuse-moi encore ! Je te promets que je me retiendrai de te pincer ! Tu veux qu'on retourne au cinéma ?

– Non. On a déjà perdu trois longues heures sans pouvoir se parler. Il ne me reste pas assez de temps à partager avec Lewis pour rester assis en silence. Et si on allait au bowling plutôt ?

Elle a froncé les sourcils d'un air dubitatif.

– Tu ne trouves pas ça ringard ? Ce n'est pas un endroit très branché.

Sa remarque m'a beaucoup fait rire. Je me moquais bien d'être branchée. C'était le dernier de mes soucis.

– Ce n'est pas grave. Le plus important, c'est qu'on s'amuse.

– Tu as raison. Et depuis que toi et Lewis êtes des accros de la cuisine diététique, on pourrait aller manger au Paradis des Légumes.

Mary Anne m'a adressé un clin d'œil complice. C'était mon restaurant préféré.

– Est-ce que ça plaira à Logan ? lui ai-je demandé.

– Je pense que oui. Je le lui demanderai. C'est ma façon de me rattraper.

– Merci. C'est un très bon restaurant. Je suis certaine que vous trouverez quelque chose qui vous plaira. Les hamburgers au soja sont vraiment délicieux.

– Mm ! J'imagine, a-t-elle fait en blêmissant.

On a tout arrangé mercredi soir au téléphone avec Lewis et Logan. Logan s'est fait prier pour aller manger au Paradis des Légumes, mais c'était pour me taquiner un peu. L'idée du bowling a fait l'unanimité. On avait prévu de se retrouver juste après l'école pour profiter d'un maximum de temps ensemble.

Cela faisait une éternité que je n'avais pas mis les pieds sur une piste de bowling. Ce qui n'était visiblement pas le cas de Lewis et de Logan, qui en avaient fait beaucoup ensemble à Louisville. Leurs pères faisaient tous deux partie d'une équipe régionale. Les garçons se défendaient bien aussi.

Mary Anne nous a tous bluffés. Elle n'avait joué que quatre fois en tout dans sa vie, mais elle s'est révélée être imbattable. C'est elle qui a eu le score individuel le plus élevé. En fait, on jouait par équipe : Lewis et moi contre Logan et Mary Anne. Comme je vous le disais, Mary Anne a fini première, Lewis deuxième, Logan troisième et moi dernière. Le bowling n'est vraiment pas mon point fort, mais je m'en moquais complètement. Je m'amusais et c'est ce qui comptait.

A un moment, j'ai pris Mary Anne à part :

– J'ai lu dans un magazine qu'il ne fallait pas battre son petit ami en sport, lui ai-je murmuré. Il faut toujours le laisser gagner sinon, ça risque de le vexer.

Mary Anne savait que je la taquinais.

– Rappelle-moi en rentrant de creuser un grand trou au fond du jardin pour jeter tous ces magazines ! m'a-t-elle dit en riant.

– On ne peut pas faire ça. Ils sont à Lucy, lui ai-je rappelé.

– On les lui rendra dès demain, alors.

Après le bowling, on a passé un moment très agréable au restaurant. Bien entendu, Mary Anne, Logan et Lewis se sont moqués de moi à la moindre occasion.

– Où sont les algues ? a demandé Logan en parcourant le menu. J'espérais pouvoir commander un bon sandwich aux algues.

– Ce n'est pas la saison des algues, lui a répondu Mary Anne très sérieusement. Mais tu devrais prendre des fourmis rouges grillées. C'est plein de protéines et de fibres naturelles.

Lewis a alors fait semblant d'enlever sa chemise.

– On devrait peut-être mettre du sel sur ma chemise et la manger. Elle est tout en fibre.

– Très drôle, leur ai-je dit en riant. Les plats qu'on sert ici sont délicieux.

Je savais qu'ils voulaient plaisanter et je n'ai pas mal pris leurs réflexions sur la nourriture. On était tous d'excellente humeur et on a beaucoup ri. A la fin du repas, Mary Anne et Logan ont déclaré qu'ils avaient adoré leur hamburger au soja et Lewis ne tarissait pas d'éloges sur le ragoût de légumes aux pignons et au fromage qu'il avait mangé. (Je crois que je l'ai définitivement converti à une alimentation saine.) Quant à moi, je m'étais régalée avec des brochettes de tofu.

– Est-ce que j'appelle mon père tout de suite ? a demandé Mary Anne quand on a eu fini nos glaces aux haricots rouges (délicieux !).

On s'est tous consultés du regard. Frederick allait bientôt venir nous chercher. Et alors il faudrait se séparer.

– On a encore un peu de temps devant nous, a fait Lewis en

jetant un coup d'œil à sa montre. On pourrait aller flâner en ville, non ?

On a trouvé son idée très bonne. Il faisait froid dehors. Il y avait un vent glacial, mais cela ne nous gênait pas. Bon, j'étais littéralement frigorifiée, mais pas au point de renoncer à ces derniers instants avec Lewis. On s'est promenés dans les rues en s'arrêtant de temps en temps devant les vitrines illuminées des magasins.

On était devant un antiquaire quand Mary Anne a tiré Logan par la manche.

– Viens avec moi. Je voudrais te montrer quelque chose chez Bellair.

Bellair est un grand magasin qui se trouve un peu plus loin dans la rue.

– Qu'est-ce que c'est ? a voulu savoir Logan.

– Je vais te le montrer, a insisté Mary Anne en l'entraînant par le bras.

Lewis et moi étions sur le point de les suivre quand Mary Anne nous en a dissuadés :

– On revient tout de suite !

Nous sommes donc restés devant la vitrine de l'antiquaire, les mains fourrées dans les poches de nos manteaux.

– Je n'arriverai jamais à m'habituer à ce froid ! lui ai-je fait en frissonnant. Toi qui viens du Sud, est-ce qu'il fait plus doux à Louisville qu'ici ?

– Il y a une différence de trois ou quatre degrés seulement.

– C'est toujours ça de gagné. Je donnerais cher pour qu'il fasse trois degrés de plus.

Lewis a passé ses bras autour de moi et, en souriant, il m'a dit :

– On peut toujours essayer de se tenir chaud.

Je suis assez grande, mais Lewis est encore plus grand que moi. Je lui arrivais aux épaules. Il avait raison. Il faisait meilleur dans ses bras. Mais ce n'était pas juste une question de chaleur, je me sentais vraiment très bien. C'était merveilleux d'être contre lui, ses bras autour de moi.

Puis, une chose encore plus merveilleuse est arrivée. Lewis m'a embrassée. Et je lui ai rendu son baiser.

C'est un moment difficile à décrire (mais je vais essayer de faire de mon mieux). C'était comme si le temps s'était arrêté et qu'il n'y avait plus rien autour de nous. Il n'y avait que nos deux souffles dans le froid de l'hiver et nos deux nez glacés. Juste nous deux, tendrement enlacés.

Lewis m'a gardée dans ses bras et j'ai levé mon visage vers le sien. J'ai plongé mes yeux dans les siens.

– Je suis content d'avoir enfin rencontré la vraie Carla, m'a-t-il murmuré.

– Moi aussi.

– Ta première photo était à la mesure de la réalité. Tu es bien la plus jolie fille que j'aie jamais vue. Et tu es aussi gentille que tes lettres le laissaient supposer.

– Toi aussi.

J'étais sincère. Je ne lui faisais pas un compliment stratégique, je le pensais vraiment.

On aurait pu rester ainsi pour toujours. Enfin, jusqu'à ce qu'on se transforme en statues de glace. Mais Mary Anne et Logan ont fini par revenir.

– On ferait mieux d'appeler mon père maintenant, m'a dit Mary Anne à regret. Il commence à être tard.

– Oui, tu as raison.

On s'est mis à la recherche d'une cabine téléphonique. Lewis m'a donné la main tout le long du chemin.

C'est drôle de voir comment les choses ont tourné. J'avais prévu de tout faire pour plaire à Lewis dans le but de m'exercer à trouver un petit ami. Mais j'ai réalisé ce soir-là, en attendant Frederick, que je n'imaginais même plus embrasser quelqu'un d'autre que Lewis de toute ma vie.

15

Salut Carla,

Me voilà de retour à Louisville. Tu me manques déjà.
J'ai emprunté un livre de recettes végétariennes à la bibliothèque. Ma mère a cru que j'étais tombé sur la tête en me voyant préparer une tarte aux épinards. Elle m'a demandé ce qu'on avait bien pu me faire à Stonebrook! Je lui ai dit que j'avais rencontré une fille extraordinaire...
Je pense tout le temps à toi. J'ai hâte de te revoir. C'est dur d'être aussi loin l'un de l'autre, mais je suis sûr que cela ne changera rien entre nous. On pourrait peut-être prévoir quelque chose pour les grandes vacances. Qu'en penses-tu? J'ai mon livre de mathématiques devant moi, qui me rappelle que je n'ai pas fini mes devoirs. Je ferais mieux de m'y remettre. Je t'écris bientôt.
Je t'embrasse fort,

Lewis

Cher Lewis,

Je suis chez les Hill pour garder Norman et Sarah (je t'ai déjà parlé d'eux). Pour l'instant, tout se passe bien. Sarah est chez une copine (la fameuse Elizabeth) et Norman écrit une lettre à Brittany, sa correspondante. Tu me manques aussi. Je suis contente de m'être reprise à temps et de ne pas avoir continué à prétendre être quelqu'un d'autre. Je suis morte de honte en repensant à ce que j'ai fait. Tu aurais pu rentrer chez toi en pensant que j'étais une fille bizarre qui posait des questions débiles. Tu ne m'aurais plus jamais écrit. J'en ai la chair de poule rien que d'y penser.
Je suis d'accord avec toi : on doit trouver un moyen de se revoir. L'été est certainement le moment idéal.
Et si tu revenais à Stonebrook ?
Mary Anne et moi sommes de nouveau les meilleures amies du monde. On n'est plus fâchées.
Sais-tu ce qu'elle voulait montrer à Logan l'autre soir quand on se promenait ? Rien du tout, en fait.

C'était juste un prétexte pour nous laisser seuls tous les deux. Elle s'est encore mêlée de ce qui ne la regardait pas, mais je dois avouer que, cette fois-ci, c'était une bonne idée. Je viens d'entendre la porte d'entrée.
Ce doit être Sarah. Norman vient aussi de sortir de sa chambre, je ferais mieux de te laisser.

Je t'écris le plus vite possible.

Carla

P.S. : est-ce que tu as aimé la tourte aux épinards ?
Te sens-tu prêt à goûter du tofu ?

J'ai fini ma lettre juste à temps. Sarah a fait irruption dans le salon. Elle avait l'air furieuse.

– Qu'est-ce qui t'arrive ? lui ai-je demandé.

– Cette idiote d'Elizabeth est une andouille qui sent le poisson !

« C'est vrai », ai-je pensé.

– Qu'a-t-elle fait ?

– Elle s'est encore moquée de Norman. Elle l'a appelé l'Énorme-man. Cette fois, ça suffit.

Norman est apparu dans l'encadrement de la porte, juste derrière elle. Il écoutait attentivement sa sœur.

– Je lui ai dit d'arrêter, a-t-elle continué. Norman est peut-être gros, mais c'est quand même mon frère.

J'ai jeté un coup d'œil à Norman qui se mordillait les lèvres sans rien dire.

– Qu'a fait Elizabeth quand tu lui as dit ça ? ai-je demandé.

– Elle a continué à crier « L'Énorme-man ! L'Énorme-man ! » encore et encore. Alors je l'ai poussée et elle est tombée sur les fesses dans la neige.

– Super ! Super ! s'est exclamé Norman. Vraiment super !

Sarah l'a gratifié d'un large sourire.

– Elle l'a bien cherché !

Je n'aurais certainement pas dû, mais je n'ai pas pu m'empêcher de sourire aussi. C'est vrai qu'Elizabeth l'avait bien cherché. Si seulement j'avais pu voir ça ! Mais j'aurais dû gronder Sarah, pour la forme.

Elle a examiné son pantalon trempé :

– Je vais me changer.

Puis elle est partie dans la salle de bains.

J'avais déjà remarqué un grand changement quand je suis

arrivée chez eux ce jour-là. Il n'y avait plus de listes de régime ou de dessins caricaturaux sur les murs. Et maintenant, c'était au tour de Sarah de changer d'attitude. Elle prenait la défense de son frère, ce qui n'était certainement pas arrivé souvent. Mais ce qui m'a le plus étonnée, c'est l'attitude de Norman.

– Tu peux me prendre en photo ? m'a-t-il demandé en me tendant le Polaroïd de ses parents. Brittany voudrait avoir une photo de moi.

– Bien sûr. Mets-toi près de la fenêtre.

Si vous aviez pu le voir poser ! Debout, le menton relevé et le sourire aux lèvres, il était vraiment adorable !

On a attendu dans le canapé que la photo se développe.

– Alors, comment ça va ?

Il a d'abord vérifié que Sarah n'était pas en vue avant de me répondre tout bas :

– Super ! Depuis le jour où j'ai arraché les dessins de Sarah, elle est plus gentille avec moi. C'est bizarre, hein ? Moi qui croyais qu'elle allait être encore plus méchante... Comment se fait-il qu'elle soit aussi gentille avec moi ?

– Je ne sais pas trop, ai-je dû admettre. Peut-être qu'en lui montrant que tu n'acceptais pas de te faire marcher sur les pieds, elle a compris qu'il fallait te respecter. Et c'est ce qu'elle fait. Il faut parfois en arriver là pour que les gens comprennent certaines choses.

– C'est bizarre en tout cas. Et tu sais quoi ? Sarah a tout raconté à mes parents et on a eu une discussion. Je leur ai dit que j'en avais assez que tout le monde se moque de moi, ou qu'on me parle de mon poids tout le temps et que cela me donnait encore plus envie de manger.

– Est-ce qu'ils ont compris ce que tu ressentais ?

– Je crois que oui. C'est là qu'ils ont enlevé les listes du réfrigérateur. Depuis, ils ne parlent plus de régime et ne m'ont plus reproché d'être gros. Mais je sais qu'ils y pensent quand même.

– Ah bon ? Comment peux-tu le savoir ?

– Parce qu'il n'y a plus de sucreries à la maison. Ma mère n'achète plus de gâteaux, ni de sodas, ni de friandises.

La photo avait pris toutes ses couleurs. Je l'ai tendue à Norman qui l'a fixée un bon moment.

– J'ai écrit à Brittany pour lui dire que j'allais lui envoyer une photo. Je lui ai avoué aussi que j'étais gros, mais que je ne le serai plus d'ici cet été. Je lui enverrai une autre photo pour le lui montrer.

– Comment vas-tu faire pour perdre du poids ?

– Je vais faire comme si j'étais à la place de Lucy.

– Quoi ?

– Je vais faire comme si je risquais d'être très malade en mangeant trop de sucreries. Tu crois que ça peut marcher ?

– Si tu as de la discipline, je pense que oui. C'est plutôt une bonne idée.

– Je sais. Je suis presque certain de ne pas devoir aller au centre d'amaigrissement cet été.

Puis, il a regardé à nouveau sa photo.

– Tu crois que Brittany va arrêter de m'écrire quand elle verra cette photo ?

– Non. Je parie qu'elle va voir exactement ce que je vois ici

– Un petit gros, c'est ça ?

– Mais non ! me suis-je esclaffée Je vois un sourire cnarmant, un regard intelligent et une volonté de fer. Je vois le véritable Norman.

Il m'a souri.

– Merci.

Puis il s'est levé :

– Je vais la mettre dans une enveloppe.

Je l'ai regardé s'éloigner joyeusement. Le téléphone a sonné et j'ai décroché. C'était Mary Anne.

– Salut, Carla. Je t'appelle juste pour te dire que Logan a reçu une lettre de Lewis. Il lui a dit qu'il était complètement fou de toi. Il n'y en avait que pour toi dans sa lettre !

– C'est vrai ?

– Mais oui. Il lui a dit qu'il n'avait jamais rencontré une fille aussi géniale que toi, qu'il appréciait ta sincérité et ta franchise. Il a dit, je cite : « Carla est la personne la plus épatante que je connaisse. »

– Waouh ! Il m'aime vraiment comme je suis !

– Oh oui.

Norman n'était pas le seul à avoir appris quelque chose de fondamental. J'avais beaucoup appris ces derniers jours. Lewis m'appréciait. Comme j'étais. J'étais heureuse qu'il ait rencontré la vraie Carla, parce que j'avais découvert en même temps que lui que c'était quelqu'un de bien.

A propos de l'auteur

ANN M. MARTIN

Ann Matthews Martin est née le 12 août 1955. Elle a grandi à Princeton, aux États-Unis, avec ses parents et sa jeune sœur, Jane.

Elle a été enseignante, puis éditrice de livres pour enfants, avant de se consacrer à la littérature. Pour écrire, elle s'inspire d'expériences personnelles, mais aussi de sa connaissance du monde de l'enfance et de l'adolescence.

Tous ses personnages, même les membres du Club des baby-sitters, sont des personnages imaginaires (ainsi que la ville de Stonebrook). Mais beaucoup d'entre eux ressemblent à des gens qu'Ann Matthews Martin connaît.

Ann M. Martin vit actuellement à New York et ses passe-temps favoris sont la lecture et la couture – elle aime particulièrement faire des habits pour les enfants.

Sa série Le Club des baby-sitters, dont nous avons regroupé ici trois titres, s'est vendue à plusieurs millions d'exemplaires et a été traduite dans plusieurs dizaines de pays.